Stefan Heym

5 Tage im Juni

Roman

NORWICH CITY COLLEGE LIBRARY			
Stock No.	164476		
Class	833·91 HEY		
Cat.		Proc.	

16. Auflage: August 1999

Ungekürzte Ausgabe
Veröffentlicht im Fischer Taschenbuch Verlag GmbH,
Frankfurt am Main, Januar 1977
Lizenzausgabe mit freundlicher Genehmigung
des C. Bertelsmann Verlages, München
© Verlagsgruppe Bertelsmann GmbH,
C. Bertelsmann Verlag, München, Gütersloh, Wien 1974
Gesamtherstellung: Clausen & Bosse, Leck
Printed in Germany
ISBN 3-596-21813-6

Aus dem Statut der Sozialistischen Einheitspartei Deutschlands, angenommen auf deren IV. Parteitag im April 1954, Unterabschnitt »Die Parteimitglieder, ihre Pflichten und Rechte«, Absatz 2 (h)

Das Parteimitglied ist verpflichtet: ... die Selbstkritik und Kritik von unten zu entwickeln, furchtlos Mängel in der Arbeit aufzudekken und sich für ihre Beseitigung einzusetzen; gegen Schönfärberei und die Neigung, sich an Erfolgen in der Arbeit zu berauschen, gegen jeden Versuch, die Kritik zu unterdrücken und sie durch Beschönigung und Lobhudelei zu ersetzen, anzukämpfen ...

Vorspiel

Sonnabend, 13. Juni 1953, 14.00 Uhr
sagte Banggartz: »Entweder du hältst dich an die Parteibeschlüsse, Genosse Witte, oder du ziehst die Konsequenzen. So einfach ist das.«
Witte hatte Verständnis für seinen Parteisekretär. Banggartz glaubte an das, was er sagte; nur war das, was Banggartz sagte, zu oft das, was er zu glauben wünschte.
»Tut mir leid, Genosse Banggartz«, erwiderte er, »aber für mich ist es nicht so einfach.«
Banggartz zog ein paar Blätter aus seiner Mappe. Witte erkannte den Bericht, den er selber geschrieben und an den Genossen Dreesen gesandt hatte. Daß der Bericht in irgendeiner Form auf Banggartz' Tisch landen dürfte, hätte er eigentlich voraussehen können. Und daß zusammen mit der Frage: Bitte, was sagst du dazu? die Anweisung an Banggartz ergehen würde: Kläre die Angelegenheit.
Dr. Rottluff schaltete sich ein. »Natürlich kann jede Frage Anlaß zu Meinungsverschiedenheiten geben. Auch die der Normerhöhungen.« Er säuberte seine Brille und schob sie zurück unter die dünnen grauen Augenbrauen. »Wir alle kennen doch die Schwierigkeiten. Es macht mir kein Vergnügen, sagen zu müssen, daß wir kaum die Kosten decken. Da hätten die früheren Eigentümer ganz andere Maßnahmen ergriffen. Wir müssen die Arbeitsproduktivität steigern. Nicht nur hier bei VEB Merkur. Überall.«
»Selbstverständlich«, nickte Witte.
Er brauchte nicht überzeugt zu werden, auch nicht von Dr. Rottluff, der sich, was ihm anzurechnen war, nach 1945 zu den neuen Eigentümern, den Arbeitern, bekannt hatte und nun Werkleiter war.
»Die zehn Prozent Normerhöhung lassen sich verkraften«, sagte Dr. Rottluff. »Es gibt Leute bei uns, die schaffen hundertfünfzig, hundertsechzig Prozent ihrer Norm.«
»Und es gibt andere«, sagte Witte.
»Das Ganze ist eine Frage der politischen und ideologischen Erziehung.« Banggartz hob die Stimme. »Wir, die Partei, sind die Triebkraft, der Vortrupp der Massen. Willst du, daß wir hinterherhinken, es uns leichtmachen, Auseinandersetzungen vermeiden?«

»Ich will«, erwiderte Witte, »daß wir differenzieren zwischen denen, die ihre Norm erhöhen können, und denen, die es nicht können, weil die Voraussetzungen dafür nicht vorhanden sind. Ich will, daß wir nicht anordnen, sondern überzeugen. Ich will, daß wir zumindest die einflußreichsten Arbeiter im Betrieb für die Sache gewinnen, statt alle gegen uns aufzubringen.«
»Du hältst die Weisungen von Partei und Regierung also für falsch?«
»Ein Hennecke macht noch keinen Frühling. Vielleicht überschätzen wir den Bewußtseinsstand der Arbeiter.«
»Ich habe dir eine konkrete Frage gestellt, Genosse Witte. Wie stehst du dazu, und wo stehst du?«
Die Worte hingen in der stickigen Luft.
Witte sagte: »Wenn du dich erinnern möchtest – vor wenigen Tagen erst haben Partei und Regierung eine ganze Anzahl von Maßnahmen für überspitzt erklärt und zurückgenommen und einen neuen Kurs verkündet.«
»Und jetzt willst du auf der ganzen Linie zum Rückzug blasen, ja?« Banggartz lehnte sich herausfordernd über den Schreibtisch. »Von einer Rücknahme der Normerhöhungen war nirgendwo die Rede.«
»Rückzug . . . Ich sage euch, diese Normerhöhung läßt sich nicht auf dem Verwaltungsweg machen. *Das* führt zum Rückzug, wenn nicht sogar zu einer Niederlage.«
»Zur Niederlage führen deine ewigen Zweifel. Zur Niederlage führt, wenn einer zurückweicht, wo die Partei Härte von ihm verlangt.«
Witte stand auf. Durch das offene Fenster hindurch sah er die schmutzgraue Mauer der gegenüberliegenden Werkhalle, von der der Putz abbröckelte. Unten auf der Werkstraße lachten Arbeiterinnen. Sein ganzes Leben lang hatte die Partei Härte von ihm verlangt. Und er war hart gewesen, sich, seiner Frau, allen gegenüber. Er war auch jetzt hart: wie leicht wäre es, sich mit einem kleinen Kompromiß seine Ruhe zu verschaffen.
»Du bist doch selber in die Werkhallen gegangen« – Dr. Rottluff mühte sich wirklich – »zu den Arbeitern und hast ihre Selbstverpflichtungen zurückgebracht, sehr schöne darunter, mit mehr noch als zehn Prozent Normerhöhung!«
»Ich habe auf die Leute eingeredet wie auf störrische Esel«, sagte Witte vom Fenster her, »bis sie unterschrieben haben, schon um mich loszuwerden. Dabei ist mir klargeworden, daß es so nicht geht. Ich habe darüber in der Parteileitung gesprochen. Und dann habe ich meinen Bericht geschrieben.«
Banggartz erregte sich. »Dein Bericht gibt ein völlig falsches Bild, von unserer Parteiarbeit, von den Kollegen im Betrieb, im Grunde

von unserer Arbeiterklasse überhaupt. Und wer ihn liest, der merkt, was du eigentlich willst: die Mängel *deiner* politischen Arbeit verdecken.«
»Mein Bericht schildert die Lage, wie sie ist, weiter nichts.«
»Wem nützt du denn, Genosse Witte? Ein Mann mit deiner Bildung und deiner Parteierfahrung! Du hast dir doch schon genug Schwierigkeiten gemacht in der Vergangenheit.«
»Du kennst meine Kaderakte besser als ich.«
Banggartz verzog keine Miene.
»Dann wirst du auch wissen, Genosse Banggartz, daß ich nicht in der Partei bin, um Karriere zu machen.«
Dr. Rottluff musterte einen Riß im Fußbodenbelag.
»Ich frage dich«, sagte Banggartz heiser, »wirst du die Normerhöhung unsern Arbeitern gegenüber vertreten oder nicht?« Witte spürte den plötzlichen Schmerz in der Hüfte, der sich einstellte, wenn etwas an seinen Nerven zerrte: die Frage hatte ihn schon beschäftigt, bevor er dem Genossen Dreesen seinen Bericht übergab.
»Nun?«
Witte ging langsam zu Banggartz' Schreibtisch zurück.
»Die Normen müssen erhöht werden, Genosse Banggartz. Normen sind erhöht worden, seit der erste Neuerer unter den Höhlenmenschen einen Stein an ein Stockende band und sich das erste Werkzeug schuf.«
»Dein Höhlenmensch kann mir gestohlen bleiben!« Banggartz zügelte sich. »Mir genügt, was das Politbüro beschließt. Aber ich bin dir dankbar, daß du uns endlich zustimmst und – «
»Nur können die Normen nicht zu dieser Zeit und nicht auf die jetzt vorgesehene Weise erhöht werden.«
Banggartz' Stirnader trat hervor. »Eigentlich hatte ich vor, dich zu bitten, morgen auf dem Betriebsausflug die Rede zu halten und dabei die Notwendigkeit der Normerhöhung zu betonen. Aber das wird wohl nun nicht möglich sein.«
»Kaum«, sagte Witte.
»Der Vorsitzende der Betriebsgewerkschaftsleitung, der sich gegen die Parteibeschlüsse stellt: vielleicht solltest du dir überlegen, Genosse Witte, ob du noch der Mann für deine Funktion bist.«
»In meiner Funktion kann ich verhindern helfen, daß die Fehler in der Normfrage zu schlimmen Folgen im Betrieb führen.«
»Ob du in deiner Funktion bleibst, entscheidest nicht du.«
»Das entscheidet die Partei«, bestätigte Witte. »Und die Gewerkschaft.«
Banggartz lächelte. »Machst du dir etwa Illusionen, wie diese Entscheidungen ausfallen werden?«

Witte blickte ihn an. »Die Partei besteht nicht nur aus Wilhelm Banggartz.«
»Muß denn das sein?« sagte Dr. Rottluff gequält. »Können wir uns nicht einigen?«
Witte erhob sich. »Darf ich dich bitten, Genosse Banggartz, mir meinen Bericht zurückzugeben?«
»Den muß ich behalten.« Banggartz legte die Blätter in sein Schubfach. »Den werden wir noch brauchen.«

Aus dem Beschluß des Ministerrates der Deutschen Demokratischen Republik vom 28. Mai 1953 über die Erhöhung der Arbeitsnormen

Der von der II. Parteikonferenz der Sozialistischen Einheitspartei gefaßte und von der gesamten werktätigen Bevölkerung begrüßte Beschluß zur Schaffung der Grundlagen für den Aufbau des Sozialismus in der Deutschen Demokratischen Republik erfordert die Stärkung der sozialistischen Industrie ... Ein großer Teil der Arbeiterschaft hat erkannt, daß die gegenwärtigen Normen größtenteils den Fortschritt hemmen. In vielen Betrieben sind deshalb die Arbeiter dazu übergegangen, ihre Normen freiwillig zu erhöhen ... Die Regierung der Deutschen Demokratischen Republik kommt gleichzeitig dem Wunsche der Arbeiter, die Normen generell zu überprüfen und zu erhöhen, nach ... Die Regierung der Deutschen Demokratischen Republik hält dazu für erforderlich, daß die Minister, Staatssekretäre sowie Werkleiter alle erforderlichen Maßnahmen zur Überprüfung der Arbeitsnormen durchführen. Das Ziel dieser Maßnahmen ist, die Arbeitsnormen mit den Erfordernissen der Steigerung der Arbeitsproduktivität und der Senkung der Selbstkosten in Übereinstimmung zu bringen und zunächst eine Erhöhung der für die Produktion entscheidenden Arbeitsnormen um mindestens 10 % bis zum 30. Juni 1953 sicherzustellen ... Die zuständigen Ministerien und Staatssekretariate haben für jeden Betrieb Kennziffern für die Erhöhung der Arbeitsnormen festzulegen ... Die neuen erhöhten Arbeitsnormen sind entsprechend den Ergebnissen der Überprüfung der Arbeitsnormen so festzusetzen, daß in jedem Betrieb die festgelegten Kennziffern mindestens erreicht werden ... Alle erhöhten Arbeitsnormen sind durch den Werkdirektor unterschriftlich zu bestätigen, vor ihrer Einführung bekanntzugeben und für alle Arbeiter verbindlich zu erklären ...

Aus dem Kommuniqué des Politbüros des Zentralkomitees der SED vom 9. Juni 1953

Das Politbüro des Zentralkomitees der SED hat in seiner Sitzung vom 9. Juni 1953 beschlossen, der Regierung der Deutschen Demokratischen Republik die Durchführung einer Reihe von Maßnahmen zu empfehlen ... Das Politbüro des ZK der SED ging davon aus, daß seitens der SED und der Regierung der DDR in der Vergangenheit eine Reihe von Fehlern begangen wurden, die ihren Ausdruck in Verordnungen und Anordnungen gefunden haben, wie z. B. der Verordnung über die Neuregelung der Lebensmittelkartenversorgung, über die Übernahme devastierter landwirtschaftlicher Betriebe, in außerordentlichen Maßnahmen der Erfassung, in verschärften Methoden der Steuererhebung usw. Die Interessen solcher Bevölkerungsteile wie der Einzelbauern, der Einzelhändler, der Handwerker, der Intelligenz wurden vernachlässigt

Aus dem Kommuniqué über die Sitzung des Ministerrats der DDR vom 11. Juni 1953

Der Ministerrat hat in seiner Sitzung vom 11. Juni 1953 eine Anzahl von Maßnahmen beschlossen, durch welche die auf den verschiedensten Gebieten begangenen Fehler der Regierung und der staatlichen Verwaltungsorgane korrigiert werden . . .

Ereignisse

1

Sonnabend, 13. Juni 1953, 19.00 Uhr
lag Witte auf seinem Bett, halbnackt, das Kissen zerknüllt von seinen ruhelosen Kopfbewegungen. Der Wind, der gegen Abend aufgekommen war, hatte keine Abkühlung gebracht. Der Wind trug den Staub von den Ruinen an der Straße durch das offene Fenster herein, dazu die Straßengeräusche – ein Wochenendsäufer, der aus einer Kneipe grölte, ein paar Weiber, die von Balkon zu Balkon schnatterten.
Möglich, daß er ein Verfahren bekam. Aus Banggartz' Andeutungen sprach schon die Anklage: Mißachtung von Parteibeschlüssen, Verstoß gegen die Parteidisziplin, Mangel an Vertrauen zur Parteiführung. Und dann würde alles wieder aufgebrüht werden – der leidige Fall Kasischke, der zu einem Fall Witte hochgespielt worden war; seine Bekanntschaft mit Genossen, die aus schwer ersichtlichen Gründen in Verruf geraten waren, bis zurück in die Zeit noch vor Hitler, ins Jahr 1932, wo er sich, seine Jugendsünde, geweigert hatte, Seite an Seite mit den Faschisten Streikposten zu beziehen gegen die sozialdemokratischen Verkehrsarbeiter. Nein, das würden sie wohl doch übergehen; der Verkehrsstreik war inzwischen stillschweigend als Fehler anerkannt worden.
Er entschloß sich aufzustehen. Ein sehr müdes Gesicht, Schatten unter den Augen, starrte ihm aus dem Spiegel entgegen. Die Stunden, die er wach gelegen, hatten einen stumpfen Schmerz im Kopf hinterlassen; er preßte die Fingerspitzen gegen den Schädel; dann strich er sich durch das Haar, das an den Schläfen schon grau wurde. Einundvierzig erst, dachte er; aber da waren Jahre gewesen, die für zehn zählten.
Er rasierte sich, obwohl er keine Pläne für den Abend hatte. Die Wand zum Nebenzimmer war dünn; dort wurde ein Kommodenfach aufgezogen und wieder zugeschoben. Er hörte die Schritte der jungen Frau. Anna hieß sie und war die Schwiegertochter der Frau Hofer, bei der er zur Untermiete wohnte. Manchmal, heute zum Beispiel, war es ihm tröstlich, daß ein anderes menschliches Wesen in der Nähe existierte – hustete oder gähnte oder einen Pantoffel zu Boden fallen ließ.
Natürlich konnte er sich aufmachen und zu Greta gehen. Greta

würde überrascht sein, sehr zurückhaltend, würde ihn aber auffordern einzutreten, in die Wohnung, wo es nach Essen roch und nach frischer Wäsche. Die Kinder würden sich freuen, besonders die Kleine, Claudia, die so nach Zärtlichkeit hungerte; der Junge zeigte seine Gefühle weniger, aber auch der hing schon, mehr als gut war, an ihm; arme Kerlchen, beide, der Vater vermißt irgendwo bei Witebsk und die Mutter auf Arbeit bei VEB Merkur. Man würde vom Betrieb sprechen, von den Dingen des täglichen Lebens, vielleicht auch von der Partei, und das Persönliche sorgfältig vermeiden. Greta hatte nie Ansprüche gestellt, nie von einer gemeinsamen Zukunft gesprochen; dennoch wuchs ihm die Sache über den Kopf; plötzlich war da eine Verantwortung: eine gute Frau und Genossin, warmherzig und verständnisvoll, sie verdiente einen guten Mann.
Witte wusch sich die Reste des Rasierschaums vom Gesicht. Einmal, die Aussprache hatte schon stattgefunden, sagte sie ihm: Teil doch wenigstens deine Sorgen mit mir. Aber wie viele Erklärungen würden nötig sein, ihr begreiflich zu machen, was da zwischen ihm und Banggartz stand. Und warum in Gretas so kürzlich erst ausgerichtete politische Welt neue Unsicherheit bringen? Außerdem würde er sie ja auf dem Betriebsausflug morgen sehen; sehen müssen.
Der Alkohol prickelte auf der Gesichtshaut. Die Hosen müßten mal gebügelt werden, dachte er. Auf dem Weg zur Küche, sich seinen Tee zu brühen, wäre er fast mit der jungen Frau zusammengestoßen. »Entschuldigen Sie«, sagte er. Er wußte nicht, sollte er an ihr vorbeigehen oder noch ein paar Worte mit ihr sprechen – da lebt man Wand an Wand mit Menschen und redet kaum je mit ihnen, vielleicht war es nicht richtig.
Sie lachte: ein angenehmes Lachen. »Die Birne im Korridor ist kaputt«, sagte sie, »meine Schwiegermutter spart überall.« Was ihm in Erinnerung rief, daß sie verheiratet war; allerdings war ihm ihr Mann noch nie unter die Augen gekommen.
Seine Augen hatten sich dem Halbdunkel angepaßt. Er konnte erkennen, daß sie die Teedose in seiner Hand und den Teller mit Butter und Brot und Wurst betrachtete.
»Mein Abendbrot«, erläuterte er.
Sie öffnete ihm die Küchentür. Er ging zum Herd und setzte Wasser auf. Sie blieb in der Tür stehen, unschlüssig.
»Haben Sie schon gegessen?« fragte er.
Sie nickte.
»Kann ich Sie zu einer Tasse Tee einladen?«
Sie trat in die Küche. »Soll ich Ihnen nicht helfen?«
»Großer Gott, nein, danke schön.« Er sah die Härchen, die sich an

ihrem Nackenansatz kräuselten. »Ich habe sieben Jahre allein gelebt und habe gelernt, wie man Wasser kocht.« Er holte Geschirr aus dem Küchenschrank, deckte den Tisch für sie beide, sprach vom Wetter, von einem Konzert, das er besucht hatte, leider habe er zu wenig Zeit für derlei Dinge, liebte sie auch Musik, ja, welche, moderne, klassische, und Theater? - was man so redet, bis der Tee gezogen hat.
Dann goß er ein. »Stark genug?«
Sie kostete, nickte.
Vom Wohnzimmer her die nörgelnde Stimme der Witwe Hofer: »Anna – was treibst du da in der Küche?«
Ihr Lächeln erstarb. »Ich trinke Tee.«
Die Witwe kam herbeigeschlurft, verquollenes Gesicht, papierne Lockenwickler.
»Guten Abend, Frau Hofer«, grüßte Witte.
»Guten Abend«, erwiderte die Witwe. Und zu der jungen Frau: »Ich dachte, du wolltest spazierengehen!«
»Ich habe mir erlaubt, Ihre Schwiegertochter zum Tee zu bitten«, erklärte Witte.
Die Witwe warf ihm einen scheelen Blick zu. »Sie kriegt bei mir genug zu essen.«
»Ich arbeite, und ich zahle für mein Essen!« Anna war aufgesprungen.
»Das nennst du Arbeit, was du da in deinem HO-Laden machst? Die Witwe wandte sich an Witte. »Die arbeiten ja heute nicht mehr. Früher, da war das anders.« Und wieder zu Anna: »Aber wenn der Heinz zurückkommt, wird er dir schon die Meinung sagen und nicht nur zu dem Punkt!«
Sie preßte die Lippen zusammen, ein Schlußstrich, und zog sich zurück, wobei sie etwas über Untermieter murmelte, die einem aufgezwungen wurden; dann warf sie die Tür hinter sich zu.
»Entschuldigen Sie«, sagte Anna. »Eine alte, unzufriedene Frau.«
»Setzen Sie sich doch wieder.« Witte bot ihr Brot an und Butter.
»Wir wollen uns nicht den Appetit verderben lassen.« Sie trank nur Tee.
»Wo ist Ihr Mann eigentlich?« fragte er, seine Scheibe Brot bestreichend.
Sie zögerte. »Ich weiß es nicht.«
»Drüben?«
»Ich weiß es wirklich nicht.«
»Weiß *sie*?«
»Ich vermute. Aber sie sagt es mir nicht.«
»Jedenfalls vertritt sie seine Interessen.«
»Ich glaube, ich muß jetzt gehen.«

»Ich war wohl sehr ungeschickt.« Er blickte sie an. »Ich möchte nicht den Eindruck erwecken, als mischte ich mich in Ihre Angelegenheiten.«
Sie hatte eine Stirn, die zu hoch war für den Rest ihres Gesichts, und viel zu große dunkelbraune Augen, und weiche volle Lippen, und ein kleines Kinn, wohlgerundet. Sonderbare Proportionen, dachte er, ein Gesicht, das einen nur schwer wieder losließ.
»Schönen Dank für den Tee«, sagte sie.
»Sie haben ja nicht mal ausgetrunken.«
»Vielleicht sollte ich Ihnen doch helfen.« Sie wartete keine Antwort ab, sondern stellte Teller und Tassen aufeinander und trug sie zum Abwaschbecken.
Schließlich wuschen sie beide das Geschirr, trockneten es, stellten es in den Schrank. Von dem dumpfen Druck in seinem Kopf war nichts geblieben, nur war ihm die Zunge auf einmal wie ausgetrocknet, und er befürchtete, seine Stimme könnte heiser klingen.
»Und was jetzt«, sagte er, tatsächlich heiser, »nachdem wir uns gemeinsam häuslich betätigt haben?«
Sie hängte das Geschirrtuch an den Haken.
»Wollen wir auch gemeinsam spazierengehen?«
»Eine Weile wird es wohl noch hell sein«, sagte sie.
An der Wohnungstür trafen sie sich und gingen nebeneinander die Treppen hinunter. Er bemühte sich, sie nicht merken zu lassen, daß ihm sein Bein wieder zu schaffen machte. Er haßte es, mit Rücksicht behandelt zu werden, konnte aber nicht verhindern, daß sie ihren Schritt verlangsamte.
»Das Geländer müßte auch endlich in Ordnung gebracht werden«, bemerkte er. »Das ganze Haus verfällt und verfault.«
»Der Krieg . . .«, sagte sie gleichmütig.
»Man kann nicht alles auf den Krieg schieben«, widersprach er. »Sehr vieles liegt an uns selber!« Und dachte: was predige ich schon wieder.
Dann war ein Hof zu überqueren, vorbei an den Teppichstangen und den Aschkästen, aus denen es roch. Ein Torweg führte unter den Resten des Vorderhauses hindurch; auf den Trümmern wuchsen Sträucher und sogar eine junge Birke. Ihre Hand legte sich leicht auf seinen Ellbogen. »Ihr Bein«, sagte sie. »Sie waren verwundet?«
Er sah den Karren vor sich, mit Steinen beladen, der sich den ausgemergelten Händen entriß und auf ihn zugerollt kam, im Lager Mauthausen. »Nein«, sagte er, »gebrochen. Der Knochen ist schlecht verheilt, sagen die Ärzte.«
Nach einer Weile fragte sie: »Warum leben Sie so allein?«
»Meine Frau ist gestorben«, sagte er, schroffer als beabsichtigt.

Greta erwähnte er nicht.
»Waren Sie lange verheiratet?«
»Wenn Sie meinen: habe ich lange mit ihr gelebt? - nein. Das hat der Hitler verhindert. Und dann, als wir wieder zusammen waren und als das Leben endlich besser zu werden versprach, da ist sie gestorben.«
Anna schwieg. Er betrachtete sie von der Seite her. Ihre Brüste hoben sich unter der Bluse ab.
»Ich möchte lieber von Ihnen hören«, sagte er.
»Was ich da zu berichten hätte, würde Ihnen kaum gefallen.«
»Weshalb?«
»Ich vermute, Sie beurteilen die Menschen – eben anders . . .«
»Ach so . . .« Er verstand. »Das ist nun leider eine der Freuden unsres Lebens. Zuerst dachte ich, ich würde es nicht aushalten, immer wieder mit Menschen zu tun zu haben, die mich gestern mit Handkuß umgebracht hätten und mich morgen mit ebensolchem Vergnügen umbringen würden, wenn sie nur könnten. Aber man gewöhnt sich.«
»Ich – ich gehöre nicht zu der Sorte.«
»Sie dürfen mir Ihre Hand ruhig wieder auf den Arm legen«, sagte er. »Es ist mir nicht unangenehm.«
Sie lachte verlegen. »Aber daran geglaubt habe ich auch«, gestand sie dann. »Es gab ja nichts anderes. Wie sollten wir's denn besser gewußt haben?«
»Sie brauchen sich nicht zu entschuldigen.«
»Nein?« Sie überlegte. »Ich befürchte, Menschen wie Sie sind eine einzige Anklage.«
Er verzog das Gesicht. »Wahrscheinlich wäre es für den inneren Komfort einer ganzen Anzahl von Zeitgenossen besser, Leute wie ich wären sämtlich umgekommen. Wir sind zu dauerhaft. Und wir sind unbequem, weil wir das Denken der Menschen zu verändern suchen.«
»Ich habe so einen gekannt«, sagte sie lebhaft. »Er hatte eine Auffassung von den Dingen und eine Art zu sprechen, daß man unter seinen Einfluß geriet, selbst wenn man dagegen war.«
»Wann ist das gewesen?«
»Kurz nach Kriegsende.«
»Erzählen Sie.«
Witte war ein guter Zuhörer; die Menschen, ihre Gefühle, ihre Reaktionen interessierten ihn.
Sie kam aus einer kleinen Stadt in Thüringen, die Tochter kleiner Leute. Man stellte dort Spielzeug her. Die Stadt lag hoch im Gebirge, von Wäldern umarmt; es gab dort nur diese eine Industrie; die Einwohner arbeiteten in einem halben Dutzend Klitschen oder

daheim, und die Kinder halfen mit, sobald sie ihre Finger richtig zu bewegen gelernt hatten. Diesen kleinen Leuten wurde erzählt, sie wären vom Schicksal erwählt, die Welt zu beherrschen. Viele von ihnen glaubten es auch – der Gedanke, daß sie etwas Besseres sein sollten, als sie waren, machte ihnen den kleinlichen Alltag erträglicher. Und dann kam die Niederlage.
»Wie alt waren Sie damals?« wollte er wissen.
»Siebzehn«, sagte sie, »aber man kann mit siebzehn schon recht erwachsen sein.«
In dieser kleinen Stadt nun hatte sich ein Wehrmachtslazarett befunden, für Rekonvaleszenten. Die Amerikaner, die als erste die Gegend besetzten, kümmerten sich nicht darum; als aber die Russen das Gebiet übernahmen, übernahmen sie auch das Lazarett und befahlen den Einwohnern, die verwundeten deutschen Soldaten in ihre Häuser aufzunehmen, bis zur Genesung. Im Haus ihrer Eltern wurde ein schon älterer Mann einquartiert, sehr abgemagert, sehr blaß, aber von fiebernder Lebhaftigkeit. Ich sollte längst hinüber sein, erklärte er allen, die es hören wollten, aber Kommunisten sterben nicht so schnell und so leicht.
Anna hielt inne: Witte hatte vorhin Ähnliches gesagt. Dabei glich er dem Soldaten überhaupt nicht; dieser war klein gewesen, mit breiten Backenknochen und niedriger Stirn; nur in der Sprechweise beider Männer lag etwas Verwandtes.
Was ich durchgemacht habe, hätte den meisten gelangt, pflegte der Soldat zu sagen, ließ sich aber im einzelnen nicht darüber aus. Von seinen Ansichten dagegen sprach er häufig und offen. Es war klar, daß er sterben würde, er hustete viel, spuckte Blut und verfiel sichtlich. Aber solange Leben in ihm war, nahm er Anteil an seiner Umwelt und stellte den Leuten Fragen über ihre Arbeit und wie sie sich ihre Zukunft vorstellten.
»Als ich erfuhr, daß ein Kommunist in meinem Bett schlief, heulte ich vor Wut«, sagte sie.
Sie vermied es, fuhr sie fort, mehr als das Nötigste mit dem Mann zu sprechen. Eines Tages jedoch erlitt er direkt vor dem Haus einen seiner Hustenanfälle. Sie half ihm die Treppe hinauf. Als sie die Tür öffnete zu ihrem Mansardenzimmerchen, das jetzt ihm gehörte, sah sie, daß er nichts darin verändert hatte; nur gewisse Bilder hingen nicht mehr an der Wand, und auf der Kommode lagen Bücher.
»Was für Bücher?« wollte Witte wissen.
»Er hat mir ein paar davon geborgt, später. Die Titel weiß ich nicht mehr. Ich habe auch nur zur Hälfte verstanden, was da gedruckt war.«
»Und was hat er Ihnen gesagt?«

Er wisse, daß es nicht leicht wäre für sie; und hatte hinzugefügt, noch schwerer würde es allerdings sein, hätten die Deutschen den Krieg gewonnen. Das wollte ihr nicht einleuchten, und sie hätte gerne mehr erfahren; aber er war erschöpft von dem Anfall. Er sprach noch mehrmals mit ihr, obwohl sie sich ihm zu verschließen suchte. Er stellte Fragen, durch die er Antworten erzwang, auf die er seine nächsten Fragen gründete. Er trieb sie in die Enge mit seiner Logik und mit Tatsachen, die er ihrem eigenen Leben und dem Leben der Menschen in der Stadt entnahm. Es schien ihn zu reizen, die großen Worte zu zerstören, die man ihr beigebracht hatte und die ihr Schutz waren gegen die überall so spürbare Niederlage.
»Am Ende«, schloß sie ein wenig pathetisch, »ließ er mir nichts, an das ich mich halten konnte.«
Witte lächelte. »Aber Sie leben doch ganz fröhlich.«
»Fröhlich?«
Sie waren in einen kleinen Park gelangt, ein Stückchen grüner Rasen, einem Ruinenfeld entrissen, und setzten sich auf eine Bank. Witte schloß die Augen, obwohl die im Dunst untergehende Sonne ihn nicht mehr blendete. Durch die Worte dieser jungen Frau, deren Nähe er spürte, hatte er wieder das Gefühl, daß er Teil einer durch Zeit und Raum reichenden menschlichen Kette war, wie auch der Kranke, der in das kleine Haus in der kleinen Stadt gekommen war und bis zuletzt versucht hatte, die Welt zu verändern.
»Am nächsten Morgen war er tot«, berichtete sie. »Es war Winter, Eisblumen standen am Fenster, alles glitzerte. Er lag ausgestreckt auf seinem Bett, die Hände auf der Brust gefaltet, so als ob schon jemand dagewesen wäre, um ihn herzurichten.«

2

Sonntag, 14. Juni 1953, 12.00 Uhr
sagte Dronke: »Na komm schon, Greta!«
Sie war nicht in Stimmung. Die bunten Kleider um sie herum, die Sonntagsausgehanzüge der Männer, die laute Musik, das Lachen vertieften nur das Gefühl, daß sie allein war.
»Walzer!« sagte Dronke. »Spiel nicht das Mauerblümchen.«
Sie blickte sich um nach Witte. Der saß an einem Tisch in der Nähe des Wassers, den Kragen offen, trank Bier mit ein paar Kollegen und deren Frauen und schien gelöst und heiter.
»Also gut«, sagte sie und ließ sich von Dronke in den Strudel hineinziehen. Dronkes rundes gutmütiges Gesicht, das anderthalb Kopf über ihr schwebte, legte sich in angestrengte Falten, die breiten Schultern ruckten auf und ab, dazu stampfte er mit dem Fuß.

»Trauerst ihm immer noch nach?« fragte er.
Sie wurde sofort reserviert. »Wir sind gute Freunde.«
»Du brauchst einen Vater für deine Kinder.« Dronke stampfte stärker, schwenkte sie herum, daß sie gegen Karlchen Mielich und seine Paula prallte. »Bist doch eine fesche Frau, Greta, mit allem dran an dir, was ein Mann sich nur wünschen kann.«
Das hatte sie auch geglaubt. Und hatte sich noch dazu bemüht, Witte geistig etwas zu bedeuten, hatte Kurse besucht, Bücher gelesen, sich eingeprägt, was er zu den komplizierten Fragen der Weltpolitik und der gesellschaftlichen Entwicklung zu sagen hatte. Bis sie eines Tages das Bild seiner verstorbenen Frau fand, das er in seiner Brieftasche trug, und erschrak: so also mußte man sein, um seinem Wesen zu entsprechen. Ruth war eine zierliche Frau gewesen, mit klugen, etwas traurigen Augen – Lehrerin von Beruf, hatte er auf Fragen hin berichtet, aber die Nazis verboten ihr das, erstens, weil sie Halbjüdin war, und zweitens wegen ihrer Politik.
»Roeder zum Beispiel«, sagte Dronke. »Der liebt dich.«
Laß uns Freunde bleiben, Greta, hatte er gesagt. Ich achte dich sehr, Greta, du bist ein guter Mensch, aber das ist nicht genug, fürs Leben. Da können wir beide nichts dafür, wir haben's schließlich versucht. Und besser jetzt Schluß als in ein paar Monaten, schon wegen der Kinder . . . Die Musik dröhnte im Ohr, aber sie hörte den Ton noch immer, in dem er gesprochen hatte, ruhig, freundschaftlich, bedauernd.
»Die rechte Seite vom Gesicht«, sagte Dronke, »nun gut, das ist der Krieg. Aber von links! Ich wünschte, ich sähe halb so gut aus wie Roeder von links.«
Das Orchester endete mit einem letzten Aufquietschen der Trompete. Dronke stand schwer atmend still. Greta lachte: »Warum willst du mich verkuppeln? Was ich brauch, verschaff ich mir schon.«
Sie fühlte sich aber nicht so selbstsicher, als sie zwischen den Biertrinkern und Wurstessern an ihren Tischen hinabging zum Seeufer. Vertäut an der Landebrücke lagen die beiden weißen Dampfer, die Titania und die Urania, und dahinter die glitzernde Fläche, über die sie gekommen waren: Arbeiter an einem friedlichen Sommersonntag.
Sie gab sich einen Ruck und wandte sich dem Tisch zu, an dem Witte saß. Der rückte zur Seite, lud sie zum Sitzen ein, schob ihr ein Glas Bier zu. Jemand verteilte Papiermützen; Greta erhielt einen Admiralshut, der ihr aufs Ohr rutschte.
»Stimmt etwas nicht?« fragte sie ihn. »Ich höre, Banggartz soll heute sprechen. Warum nicht du?«
»Arbeitsteilung«, sagte Witte. »Ich gebe die Bons aus fürs Essen,

und er hält die Rede.«
Der alte Schreyer von der Reparaturwerkstatt wieherte, Roeder verzog die linke Gesichtshälfte. Plötzlich stellte sich auch Kallmann ein, bieder, rosig von der Sonne, und prostete, daß alle es hörten: »Unser Witte, das ist doch ein Mann, ein richtiger!«
Witte stellte sein Glas hin. »Woher die plötzliche Erkenntnis?«
»Nur so«, sagte Kallmann, »nur so . . .« Und entfernte sich wieder.
Dr. Rottluff trat an den Tisch, schüttelte Witte betont kollegial die Hand, begrüßte alle, stellte seine Frau vor.
Zwei Stühle wurden gebracht. Man parlierte, über das Wetter, über die Fahrt, und daß man doch sehr gedrängt gesessen hätte, aber besser eng und gemütlich. Frau Rottluff trug ein geblümtes Kleid und weiße Sommerhandschuhe.
Ein Tusch.
»Kollegen und Kolleginnen!« Das war Leonhard Lehnert, Vorsitzender der Abteilungsgewerkschaftsleitung von Halle sieben.
Pappkartons wurden herbeigeschleppt. Wieder setzte die Trompete zum Tusch an.
Lehnert nahm die Papiermütze vom Kopf und strich sich über das silbergraue Haar. »Kollegen und Kolleginnen! Ich begrüße euch im Namen der Betriebsleitung von VEB Merkur und der Partei- und Gewerkschaftsorganisation zu unserm alljährlichen Sommerfest mit Dampferausflug . . .«
Witte schien die Blicke, die sich auf ihn richteten, nicht zu bemerken.
» . . . und wünsche euch allen viel Vergnügen bei Speis und Trank und Tanz und Gesang.«
Greta suchte Wittes Hand und drückte sie impulsiv.
»Und jetzt«, verkündete Lehnert, »bevor wir uns dem Unterhaltungsteil zuwenden, ein paar Überraschungen!«
Die Kartons wurden geöffnet; zum Vorschein kamen aufblasbare Ballons, Papptrompeten, hölzerne Klappern, ein ganzes Sortiment von Scherzartikeln. Witte sah schwarz, was Banggartz' Rede betraf. Banggartz kam vom Buffet her, im dunklen Anzug, einen Zettel in der Hand, offensichtlich sein Konzept. Die Verteilung dauerte. Lehnert trat zu Banggartz; sie verhandelten flüsternd; schließlich zuckte Banggartz die Achseln und sah sich nach einem Platz um, wo er sich hinsetzen könnte. Sein Blick fiel auf Dr. Rottluff; doch dann bemerkte er Witte, wandte sich ab und nahm Zuflucht bei der Jugend, die, im Blauhemd, soeben heranzog, um unter Panowskys Leitung das Sommerfest durch gesangliche Darbietungen zu verschönern. Zusammen mit den jungen Leuten kehrte Banggartz zurück zur Tanzfläche, trug selbst ein paar Stühle beiseite, sah

beifällig zu, wie die Sänger je nach Stimmhöhe Aufstellung nahmen, und ermutigte Panowsky durch einen Schlag auf die Schulter.
Witte war jede Art von organisiertem Singen zuwider; auch kannte er die Lieder aus einer Zeit, wo sie einen anderen Symbolwert hatten und anders wirkten. Dr. Rottluff applaudierte laut; seine Frau entnahm ihrer Handtasche ein Tüchlein und betupfte sich damit die Oberlippe.
»Also ich«, sagte der große Klaus, »liebe Gesang. Aber ich liebe Gesang, der dem Menschen ans Herz greift.«
»Gesang«, kam das Echo von seinem Namensvetter, dem kleinen Klaus, »ist eine Sache, Politik eine andere. Jedes an seinem Platz.«
»Es gibt kein unpolitisches Lied«, sagte Witte.
Frau Rottluff lächelte fein. »Eine Mutter, die ihr Kind in den Schlaf singt – was ist daran politisch?«
»Die Bombe, die auf Mutter und Kind fällt«, sagte Greta.
»Oder auf ihren Mann.«
»Ja so – «, sagte Frau Rottluff, »natürlich.«
Vom Nachbartisch her rief Karlchen Mielich: »Ich weiß ein Lied, da ist garantiert nichts Politisches dran« – und intonierte, Paula Priest um die Hüfte greifend:

»Bier her, Bier her!
Oder ich fall um ...«

Zischen und Ruhe-Rufen halfen nicht lange. Witte litt für Panowsky, der sich da abmühte mit seinen Sängern; er selber hatte Panowsky dazu gewonnen, in der Jugendorganisation zu arbeiten. Panowsky war im zweiten Teil seines Programms von den alten Kampfliedern zu neuen übergegangen, gedichtet und komponiert von namhaften Künstlern der Republik. Allmählich ertrank der Chorgesang in Gesprächen und Gelächter.
Witte hoffte, Banggartz werde danach auf seine Rede verzichten. Banggartz war nicht zu sehen. Dr. Rottluff und seine Frau verabschiedeten sich: er wolle sich noch umtun; eine solche Gelegenheit, menschliche Kontakte zu pflegen, biete sich nur selten. Auch Witte empfand die innere Unruhe, die Dr. Rottluff forttrieb; dabei war er noch nie von so vielen so herzlich begrüßt worden wie heute, sogar von Leuten, an deren freundschaftlichen Gefühlen zu zweifeln er Gründe hatte. So ließ er denn Greta in der Gesellschaft Roeders und der andern am Tisch zurück und ging gleichfalls.
Dronke winkte ihm, lud ihn zu sich. Dronke war echt, alle zweihundert Pfund, davon das meiste Muskel und enorme Knochen. Dronke gegenüber saß Kallmann, griente freundlich, und sagte lauter als notwendig zu seiner Frau: »Kuck mal, Dora, das ist der Kollege Witte, von dem ich dir erzählt hab, ja, wenn sie alle so wären wie

der.« Witte wußte, Kallmann genoß Ansehen unter den Arbeitern, ein zuverlässiger Kollege, im Betrieb seit zwanzig Jahren, gute Zeiten und schlechte.
Witte setzte sich auf den freien Stuhl neben Frau Kallmann.
Dronke, mit großer Armbewegung, rief der Kellnerin zu: »Bier und einen Klaren, für die ganze Runde!«
»Sieh mal einer den Dronke« – eine Stimme vom Tischende her, beinahe krähend – »hast wohl überflüssiges Geld, auch bei den neuen Normen noch?«
Das war doch der Wiesener, dachte Witte, Maschinenschlosser, früher hatte er mal eine Werkstatt besessen, irgendwo im Polnischen.
»Wiesener«, sagte Dronke, »ich werde immer genug verdienen, um meinen Freunden eine Runde zu spendieren.«
»Das kommt, weil er in der Partei ist«, sagte einer, der hieß Csisek.
»Wieso?« wollte Witte wissen. »Wird er deshalb besser bezahlt?«
»Das nicht«, gab Csisek zu. »Aber es hilft eben doch.«
»Keine Politik!« mahnte Kallmann. »Heute ist Sonntag und außerdem Sommerfest.«
»Und was meinst du dazu, Kollege?«
Das war an den Mann schräg gegenüber gerichtet, der ihn amüsiert, aber auch abwägend beobachtet hatte. Gadebusch, Fred, erinnerte sich Witte; ein stiller Mensch, sorgfältig und korrekt, hieß es; Junggeselle.
»Ich?« sagte Gadebusch. »Was soll ich dazu meinen?«
Aber Csisek hatte nun das Bedürfnis, sich zu rechtfertigen.
»Immer muß man sein Wort auf die Goldwaage legen«, klagte er. »Hab ich was dagegen, wenn einer in der Partei ist? Für mich ist der Mensch Mensch, wir haben alle nur ein Leben, warum sich's unnötig schwermachen?«
»Na denn prost!« sagte Dronke, da die Getränke gekommen waren.
»Prost!« antwortete vom andern Tischende her der Dreher Bartel, schüttete sich seinen Korn in den Rachen und biß in seine Bockwurst, daß der Saft spritzte. Dann, mit dem Rest der Wurst gestikulierend, verkündete er: »Was man im Bauche hat, kann einem keiner wegnehmen.«
»Das ist die Wahrheit!« bestätigte der einäugige Pietrzuch, den Widerschein der Sonne in seinem Glasauge. »Mensch ist Mensch und Bauch ist Bauch, da kann niemand ran mit irgendwelchen Normerhöhungen.«
Wieder waren sie beim Thema, und wieder entglitt es Witte.
»Mensch ist Mensch!« rief der Dreher Bartel begeistert. »Und

keiner ist mehr als der andere. Das sagt ja auch die Partei. Ich zum Beispiel bin Sportler gewesen, 1936 haben sie über mich in der Zeitung geschrieben, Olympiadematerial wäre ich; aber dann habe ich meinen Bruch gekriegt, und aus war's.« Er kicherte vor sich hin. »Es ist dafür gesorgt, daß die Bäume nicht in den Himmel wachsen . . .«
Csisek erhob sich. »Was redest du da! Unser Kollege Witte, der kennt deine Weisheiten längst. Der weiß überhaupt Bescheid, und er macht sich Sorge um die Menschen, weil er nämlich ein Herz hat für was uns bedrückt. Stimmt doch, Kollege Witte, oder?«
Witte war unbehaglich zumute. Wieder die plötzlichen Freunde, und so demonstrativ! War etwas nach außen gedrungen von seiner Auseinandersetzung mit Banggartz?
Er wandte sich an seine Nachbarin, die, sichtlich verschüchtert, die ganze Zeit über geschwiegen hatte. »Das ist aber schön, Frau Kallmann, daß Ihr Mann Sie mitgebracht hat. Das machen nicht alle Männer!«
»Beinahe wäre ich ja auch nicht gekommen . . .« Hastig fügte sie hinzu: »Es ist wegen dem Jungen. Der ist so – so unselbständig.«
»Der Junge?« Frau Kallmann, Gesicht und Figur nach zu urteilen, mußte an die sechzig sein. »Wie alt ist denn der Junge?«
»Fünfunddreißig.«
Kallmann fuhr dazwischen. »Das sind unsre Sorgen, Dora. Damit belästige den Kollegen Witte mal nicht, der hat auch sein Päckchen zu tragen – «
Tusch.
Da haben wir Schränke voll Kaderakten, dachte Witte, und wie wenig wissen wir.
Tusch. Lehnert erteilte Banggartz das Wort. Banggartz ließ den Blick von Tisch zu Tisch schweifen, zog seine Notizen aus der Tasche, begann schließlich, obwohl noch geredet und gelacht wurde. Die Stimme trug, stellte Witte fest; Banggartz war einst Seemann gewesen und hatte gelernt, in den Wind zu rufen.
Banggartz sprach von den Schönheiten der Natur, in welche sie der Betriebsausflug geführt hatte, und kam von diesen auf die allgemeinen sozialen Errungenschaften, die das Ergebnis der dauernden Sorge um den Menschen seitens Partei und Regierung und ein wesentlicher Bestandteil sozialistischer Politik waren. Eine solche Politik wiederum war nur möglich dank der Freundschaft der großen Sowjetunion, mit deren Hilfe auch die Wiedervereinigung Deutschlands unter sozialistischem Vorzeichen zustande kommen würde; wie verfault das kapitalistische System war, sah man besonders in Amerika, wo die herrschende Klasse dabei war, zwei

unschuldige Menschen, die Rosenbergs, auf den elektrischen Stuhl zu schicken. Bei uns dagegen war der neue Kurs verkündet worden, der auf wichtigen Gebieten große Erleichterungen bringen und ein noch schnelleres Ansteigen des Lebensstandards der Werktätigen zur Folge haben würde, wofür eine der Voraussetzungen allerdings die Erhöhung der Normen war, die jetzt in Kraft trat.
Stille, plötzlich.
Banggartz blickte auf von seinem Zettel. Das Schweigen, unterbrochen nur von dem leisen Klirren der Biergläser, die irgendwo gewaschen wurden, war schlimmer als die Lärmkulisse, gegen die er angekämpft hatte. Er suchte nach Worten.
Er wußte, sie standen auf seinem Zettel, sorgfältig ausgewählte, hundertfach als richtig erwiesene, stichhaltige Worte; er brauchte nur nachzulesen. Er sah Witte, winzig, wie durch ein umgekehrtes Fernrohr. Witte saß da und fischte etwas aus seinem Bierglas, eine Fliege wohl. Ein Gefühl des Zorns stieg auf in Banggartz und drückte ihm von innen her gegen den Schädel.
In diesem Augenblick segelte ein Ballon, prall aufgeblasen, durch die Luft, schwankte im Zickzack und hauchte, ein obszönes Geräusch produzierend, sein Leben aus.
Kichern und Prusten. »Karlchen«, kreischte Paula Priest, »hach, Karlchen, hör bloß auf.«
Ein zweiter Ballon schwirrte hoch, dann mehrere. Banggartz' Stimme war plötzlich schrill: »Ich muß doch sehr bitten, Genossen und Kollegen, ja?«
O Gott, dachte Witte – warum fängt er das nicht mit einem Witz auf, warum kann er nicht lachen, jetzt hat er alle gegen sich.
Langsam, widerwillig, ließ das Gelächter nach. Banggartz spürte den Zettel zwischen seinen Fingern, aber der bot auch keine Garantie mehr. »Ich wollte sowieso Schluß machen«, sagte er heiser.
Beifall schlug ihm entgegen.
Er lächelte verwirrt. Zu spät merkte er, daß das Klatschen nicht ihm galt, sondern Mosigkeit. Willy Mosigkeit, der Komiker des Betriebs, Mittelpunkt und Seele aller Kulturprogramme, kam trotz seines Fetts mit geradezu elegant wirkender Beweglichkeit angehüpft, das Handwerkszeug seiner Zauberkunst überm Arm. Bevor Banggartz zurücktreten konnte, hatte Mosigkeit ihm ein schwarzweißes Kaninchen unter der Jacke hervorgeholt.
Bravorufe.
»Willst mich wohl lächerlich machen!« fauchte Banggartz.
Mosigkeit hielt das zappelnde Tier in die Höhe. »Sei mir lieber dankbar«, sagte er zu Banggartz, »daß ich dir aus der Patsche geholfen hab.«

Aus einer Erklärung von Jakob Kaiser, Bundesminister für Innerdeutsche Fragen, vom 24. März 1952

... Es liegt durchaus im Bereich der Möglichkeit, daß der Tag X rascher kommt, als Skeptiker zu hoffen wagen. Es ist unsere Aufgabe, für die Probleme bestmöglich vorbereitet zu sein. Der Generalstabsplan ist so gut wie fertig ...

3

Sonntag, 14. Juni 1953, 16.00 Uhr

kehrte Heinz Hofer, Ehegatte der Anna Hofer, nach Ost-Berlin zurück und betrat die Wohnung seiner Mutter, der Witwe Hofer. Anna war zu der Zeit abwesend. Die Begrüßung von Mutter und Sohn war tränenreich von ihrer, äußerlich herzlich von seiner Seite. Im Wohnzimmer dann servierte die Witwe französischen Kognak, den er mitgebracht, und Zigarren, die sie für eine solche Gelegenheit aufgehoben hatte, sowie Schokoladenplätzchen. Hofer versicherte ihr, es sei ihm, wie sie selbst sehen könne, im Westen nicht schlecht ergangen; er habe drüben vom ersten Tag an gut verdient; man wisse dort tüchtige Leute zu schätzen; auch reise er viel. Weshalb er viel reise und durch welche Arbeit er sein Geld verdiene, erklärte er nicht; auch befragte die Mutter ihn dieserhalb nicht, sondern erging sich in Klagen: über Anna; über den Untermieter, einen Kommunisten, mit dem Anna übrigens gestern ausgegangen wäre; über die Behörden, die einen des Rechts auf die eigene Wohnung beraubten und dem Menschen, wenn sie nur könnten, die Bissen im Mund nachzählen würden. Dann sprach sie von ihren Befürchtungen mit Bezug auf die Rückkehr ihres Sohnes; die Behörden erführen so manches; hätten sie nicht auch in Erfahrung gebracht, daß Annas seliger Onkel nach der Kristallnacht seinerzeit die Thüringer Puppenfabrik, in welche Heinz Hofer eingeheiratet, einem Juden abgenommen hatte, was dann unter dem SED-Regime zur Verstaatlichung der Fabrik und allerhand Unannehmlichkeiten führte. Man sei damals verraten worden an die Behörde, erwiderte Sohn Hofer; was aber gäbe es diesmal zu verraten; die übertriebene Besorgnis seiner Mutter erkläre sich aus der Tatsache, daß sie viel zu lange schon unter östlichen Bedingungen lebe. Sie wiederum betonte, auch sie hätte sich längst nach dem Westen begeben, wenn sie nur sicher wäre, daß der Tod ihres Mannes, welcher als SS-Offizier während des Krieges in Amsterdam unter mysteriösen Umständen umgekommen, in der Bundesrepublik als ausreichend zur Zahlung einer angemessenen Rente sowie Entschädigung anerkannt werden würde. Heinz weigere sich ja leider, sie zu sich zu holen, immer nur vertröste er sie auf später.

Darauf der SOHN: Was würdest du sagen, wenn du in etwa einer Woche die ganze Wohnung für dich hättest?

WITWE: Und wohin mit Anna?

SOHN: Die junge Frau Hofer und ich, wir nehmen uns ein Haus. Eine Villa. Eine Bonzenvilla. Und für den Untermieter findet sich ein Laternenpfahl. Für alle dieser Couleur.

WITWE: Aber bis es soweit ist, trägst *du* den Hals in der Schlinge.

SOHN: Was willst du, so weiterleben wie jetzt? Glaubst du, mir macht mein Job Spaß? Immer auf dem Sprung, klein-klein, das, jenes. Aber das wird bald vorbei sein und erledigt. Außerdem habe ich Pläne. Was meinst du, wird man Geschäfte machen können, sobald sich das hier ändert!

Weniger der Gedanke an die geschäftlichen Möglichkeiten des Sohnes als an das Ende ihrer Widerwärtigkeiten, wozu der Untermieter gehörte, ferner Herr Thiel aus der Mansardenwohnung, der, obwohl blind, sich in alles einmischte, die Dame vom Wohnungsamt, der Kerl, der am 1. Mai bei ihr geklingelt und das Heraushängen einer Fahne gefordert hatte, usw., erzeugte im Herzen der Witwe eine Anwandlung mütterlicher Zärtlichkeit. Sie erhob sich, um ihrem Sohn das Haar zu streicheln.

SOHN: Nur wenige Tage, glaub mir, dann kracht es in Ost-Berlin und der Zone. Inzwischen werd ich dich öfters besuchen kommen, bleib vielleicht auch mal die Nacht.

Auf diese Ankündigung hin verflüchtigte sich der zärtliche Impuls; die Angst kehrte zurück.

SOHN: Ich habe mehrere Adressen. Aber die Wohnung liegt günstig und hat den Vorteil, daß ich bei der eignen Frau ins Bett hüpfen kann.

WITWE: Hier werden sie dich doch zuerst suchen.

SOHN: Du möchtest wohl nicht, daß ich bleibe?

WITWE: Du kannst immer weglaufen. Aber ich bin eine alte Frau.

SOHN: Ich brauche diese Wohnung, und ich werde sie benutzen. Und hier im Haus wirst du allen gegenüber tun, als ob du dich freust, daß ich wieder da bin.

WITWE: Ich freu mich ja auch.

SOHN: Ich weiß, ich weiß.

WITWE: Aber der Untermieter? Und Anna? Sicher treibt sie's mit ihm. Ich habe ihr nie getraut.

SOHN: Hast du dem Untermieter was über mich erzählt?

WITWE: Nie! Wie käm ich dazu.

SOHN: Von Anna kann er höchstens erfahren haben, daß ich lange drüben war, das ist nicht verboten. Überhaupt, Anna überlaß mir, die kippt flach auf den Rücken, sobald sie mich sieht, und hat nur einen Gedanken im Kopf. Lehr du mich die Weiber kennen . . .

4

Sonntag, 14. Juni 1953, 17.00 Uhr
schob sich der Dampfer Urania zwischen zwei Bojen hindurch in den Kanal. Zur Linken, zwischen dem satten Grün der Bäume, wurde ein Kirchturm sichtbar, ziegelrot, Sonne auf Dach und schmalen Fenstern. Dann lag alles wieder im Schatten zwischen dem Dorf auf dem einen Ufer und den Wochenendhäuschen, halb versteckt hinter Hecken und Gesträuch, auf dem anderen.
Auf der Titania, die ihrem Schwesterschiff folgte, juchzten sie über Mosigkeits Witze; Greta hörte es über das Wasser herüber, hörte Paula Priests spitze Schreie, als ob sie einer kitzelte. Drüben auf der Titania fuhr auch Witte. Es hatte sich so ergeben. Plötzlich war er nicht mehr an ihrer Seite; sie aber war schon an Bord und konnte nicht mehr zurück.
»Ach«, sagte Frau Kallmann und lächelte verständnisvoll, »Männer wollen auch mal allein sein.« Sie wies auf das niedere Deck, wo achtern ihr Mann saß, sein Bier auf dem Schoße, im Gespräch vertieft mit Gadebusch und Wiesener und Csisek und Pietrzuch. Kallmann, als fühle er sich beobachtet, blickte auf und tippte Gadebusch an, der sich unauffällig interessiert zeigte. Dann winkte Kallmann seiner Frau und warf Greta eine Kußhand zu. »Sonst ist er nicht so galant«, sagte Frau Kallmann. »Wahrscheinlich hat er schon einen in der Krone.«
Der Teil der Kapelle, welcher der Urania zubemessen war, begann wieder zu spielen. »Jetzt wird geschunkelt!« rief der alte Schreyer und zog Greta und Frau Kallmann weg von der Reling, hinein in die schwitzende Gemütlichkeit. Greta fand sich neben Banggartz. Der hatte die Jacke ausgezogen; die Krawatte saß ihm volkstümlich schief; er faßte Greta um die Hüfte, »Na, kommst du auch mal zu mir?« und schunkelte mit ihr und sang lauthals:

»Das kommt nur einmal,
das kehrt nicht wieder,
das ist zu schön . . .«

Greta hätte ihn gerne gefragt, was eigentlich vorgefallen war zwischen ihm und Witte, aber er hielt die Augen geschlossen und lächelte so glückselig, daß sie nicht das Herz hatte dazu.
Auf dem Heck, über der quirlenden Schraube, war das Getöse der Musik erträglich. Man mußte nicht einmal laut sprechen, um

einander zu verstehen. Gadebusch saß bescheiden auf einer Ecke seiner Bank, klemmte seine Bierflasche zwischen die Füße, damit sie nicht umkippe, und fragte: »Also warum hat der Banggartz gesprochen und nicht, wie jedes andre Jahr, der Witte?«
»Darfst dreimal raten«, sagte Kallmann. Gadebusch hatte mindestens so gute Informationsquellen wie er, Gadebusch saß in der Werkzeugausgabe, zu Gadebusch kamen sie aus allen Abteilungen des Betriebs.
»Der Witte spielt nicht mit«, erklärte Wiesener, »bei der Normerhöhung.«
Gadebusch hob den Kopf.
»Woher weißt du«, fragte Csisek, »warst du dabei?«
Wiesener nahm seinen Papierhut ab und wischte sich den Schweiß von der buckligen Glatze. »Daß da Krach gewesen ist, leuchtet doch ein.«
Pietrzuchs eines Auge blickte listig in die Runde. Mit Genuß zitierte er, was der Dreher Bartel mittags gesagt hatte: »Es ist dafür gesorgt, daß die Bäume nicht in den Himmel wachsen.«
»Banggartz ist ein Dummkopf«, meinte Csisek. »Witte ist doch ihr bester Mann. Auf Witte hören die Kollegen noch, auch die Parteilosen.«
»Aber wenn der Witte nicht mitspielt«, sagte Wiesener, »bei der Normerhöhung?«
»Das bedeutet noch lange nicht, daß er mit uns geht«, warnte Gadebusch. »Solche Genossen kennt man doch. Am Schluß heißt's bei denen immer: die Partei.«
Kallmann rieb sich das Kinn. Natürlich hatte Gadebusch recht, wie meistens, wenn man sich mit ihm unterhielt. Trotzdem wäre es gut, man hätte so einen wie Witte auf seiner Seite, oder könnte wenigstens einmal mit ihm reden, von Mensch zu Mensch. Witte hatte ein Verhältnis zu den Leuten, und er nützte seine Macht nicht aus. Wären sie alle wie der, dachte Kallmann, ich pfiffe auf die ganze Korona hier, ich wär sogar selber in ihrer Partei, möglicherweise.
»Wir sitzen nicht hier, um über Witte zu reden«, sagte Csisek.
Kallmann trank und wischte sich den Mund. Er wußte, was von ihm erwartet wurde. Viele suchten seinen Rat, schon seit je. Vielleicht lag es an seinem Wesen, bestimmt an den Jahren im Betrieb, die er hinter sich hatte. Er hatte mit eigener Hand zugepackt, um aus den Trümmern des Krieges zu retten, was zu retten war, und hatte geholfen, aus dem verbogenen Schrott wieder etwas zusammenzubauen, was sich benutzen ließ, und hatte angefangen zu arbeiten, in noch nicht einmal notdürftig geflickten Werkhallen, während andere an ihrem Land und sich selbst verzweifelten und nur den

Hunger und die Ruinen sahen. Warum er das getan hatte, wußte der Teufel – aus Pflichtbewußtsein, oder weil er sich ein Leben außerhalb seiner Sielen nicht vorstellen konnte, oder weil sein Gewissen ihn plagte.
So begann er denn, über die Lage zu sprechen, und darüber, was die Kollegen dachten, seines Wissens, und darüber, was sich vielleicht tun ließe, seiner Einschätzung nach. Er redete wie über ein Werkstück, das herzustellen war, ruhig, fachgerecht. Gadebusch merkte wohl, wie viele von Kallmanns Worten und Gedanken eigentlich von ihm stammten; aber bei Kallmann klang alles ursprünglicher, kräftiger, volkstümlicher. Gadebusch stellte das neidlos fest, voller Anerkennung; es lag ihm auch nicht, sich in den Vordergrund zu spielen, er gönnte Kallmann die Führerrolle.
»Nun, was haltet ihr davon?«
Kallmanns Ton deutete an, daß er weniger an Meinungen interessiert war als daran, daß man ihn begriffen hatte.
»Solidarität«, sagte Gadebusch, bückte sich nach seiner Flasche und trank einen Schluck. »Solidarität ist die Waffe des Arbeiters.«
Auf dem Oberdeck spielte die Kapelle *Ach ich hab sie ja nur auf die Schulter geküßt.*
»Aber was ich denke, ist nicht so wichtig«, fügte Gadebusch hinzu. »Ihr« – er blickte Csisek ins Gesicht, dann Wiesener, Pietrzuch, Kallmann – »ihr seid die Leute mit Einfluß. Ihr kennt die Kollegen in euren Abteilungen, ihr wißt, Punkt eins, wo sie der Schuh drückt, Punkt zwei, wie man sie in Bewegung bringt . . .«
Ein Segel glitt vorbei. Gadebusch winkte der Kleinen zu, die oben auf Deck ihren Bauch in die Sonne hielt. Das erste Mal, dachte Kallmann, daß der eine menschliche Regung zeigt: war wohl in Laune; sonst schloß er sich eher ab, einer der Stillen im Lande, schwärmte höchstens mal von seiner Laube, die er sich ausbaute, sonn- und feiertags, mit allen Schikanen.
Man sprach wieder von Alltäglichem. Kallmann schloß die Augen. Die Marmeladenpreise waren erhöht und vor wenigen Tagen wieder herabgesetzt worden; Pietrzuch hatte einen Vetter, bei dem hatten sie die Steuern aufs Häuschen zwangsweise eingetrieben; und der Frau, die den Blumenladen am Friedhof betrieb, waren die Lebensmittelkarten entzogen worden, jetzt mußte sie das Vielfache zahlen für alles; und was gab es schon in den Läden; und Wohnungen, nicht dran zu denken; aber Csiseks Nachbar war eingelocht worden, weil er ein paar Dutzend Eier nach West-Berlin verbrachte, so was nannte sich Arbeiterregierung, in großen Limousinen herumfahren, das konnten sie; das müßte sich alles ändern.
Ändern, dachte Kallmann: und dann? Wiesener, Csisek, Pietrzuch, überhaupt die meisten, sahen nur das eigne Portemonnaie, und das

Geld darin stimmte eben nicht. Was aber sah so einer wie Gadebusch?
Auf einmal redete niemand mehr. Kallmann öffnete die Augen: Lehnert. Lehnert lächelte, ein Mann, der seine Pflichten zu aller Zufriedenheit hinter sich gebracht hat, und der nun Entspannung sucht im Kreise der Kollegen.
»Gut, daß du kommst«, grüßte Kallmann. »Wir sprechen gerade von den Normen. Setz dich.«
»Normen?« Lehnert zerknüllte seine Papiermütze. »Laßt mich bloß damit in Ruhe!«
Und machte kehrt, die eiserne Treppe hinauf, zum Oberdeck, wo die Kapelle jetzt *Am Rhein am Rhein am deutschen Rhein* spielte und wo Greta Dahlewitz wieder an der Reling stand und hinüberblickte zu dem Schwesterschiff Titania.
»Also wir fordern, daß sie die Normerhöhungen zurücknehmen«, sagte Csisek. »Und wenn sie uns nein sagen?«
»Und sie werden nein sagen«, prophezeite Pietrzuch.
»Vielleicht könnte man über die Gewerkschaft . . .«
Wiesener zögerte. Es war nur ein Vorschlag. »In der Gewerkschaft sitzt der Witte . . .«
»Früher«, sagte Kallmann, »früher haben wir Gewerkschaften gehabt. Früher kämpften die Gewerkschaften für die Rechte der Kollegen, und für ihre Löhne, und die Unternehmer horchten auf, wenn die Gewerkschaft sprach . . .« Er schloß die Faust um seine Flasche. »Witte hin, Witte her – jetzt verlangt auch noch deine Gewerkschaft, daß du schneller arbeiten sollst. Und für was?«
»Jawohl!« sagte Csisek und griff sich ein Bier aus dem Kasten. Gadebusch schwieg.
»Für was!« wiederholte Kallmann. In Fragen der Ökonomie kannte er sich aus; man war nicht umsonst zwanzig Jahre und mehr in diesem Betrieb, und Bücher hatte er auch gelesen und Vorträge gehört. »Sie haben Leistung weit über Norm aus uns herausgekitzelt, indem sie uns das Zweifache und Dreifache dafür zahlten; und dann drehen sie sich herum und sagen: Ihr habt ja gezeigt, daß ihr's könnt – und erhöhen die Norm.«
Das war die Rechnung, dachte Gadebusch, die jeder Arbeiter verstand.
»Wir Arbeiter sind immer die Ausgebeuteten.« Kallmann zuckte die Achseln. »Das ist seit je so gewesen, überall in der Welt, und das wird wohl auch so bleiben, Kapitalismus oder Kommunismus. Oder glaubt einer, daß er wirklich den Wert wieder rauskriegt, den er produziert?«
Der geborene Volksredner, dachte Gadebusch. Wenn der Mann in den nächsten Tagen auch so sprach, und bei der Stange blieb, und

nicht weich wurde, dann ließ sich vielleicht etwas machen in dem Betrieb.
»Wenn aber die Ausbeutung auch noch von Leuten besorgt wird«, Empörung schwellte Kallmanns Stimme, so daß Wiesener die Hand mahnend hob, »von Leuten, die behaupten, sie wären nicht mehr wie wir, und eine Arbeiterregierung, und wenn sie die Schraube dabei so hart anziehen – dann sollten wir uns doch wenigstens erlauben dürfen, ihnen mitzuteilen, daß uns das nicht paßt, und was uns nicht paßt . . .«
Er brach ab. Das Gurgeln des Kielwassers, das Gelächter auf dem Oberdeck klangen überlaut. Vielleicht, dachte Gadebusch, war Kallmann erschrocken vor der Konsequenz seiner Gedanken.
Er klopfte Kallmann aufs Knie. »Recht hast du. Sie *sind* eine Arbeiterregierung. Wir *sind* Arbeiter. Es kann ihnen nur helfen, wenn wir ihnen zeigen, daß sie zu weit gegangen sind.«
Kallmann nickte.
»Wenn sie uns aber doch nein sagen?« beharrte Csisek.
»Dann« – Kallmann holte tief Atem – »Streik.«
Das Wort, bisher von keinem ausgesprochen, fiel wie heißes Blei.
»Aber dazu wird es nicht kommen«, fügte Kallmann sofort hinzu.
»Sowie sie sehen, daß wir's ernst meinen . . .«
»Das ist klar«, tröstete Gadebusch und ließ sich von Csisek ein Bier reichen. »Trotzdem sollte man sich baldmöglichst unterhalten, was da im einzelnen zu tun wäre.«
Kallmann schien nicht zu hören. Er rief hinauf zum Oberdeck: »Greta, Mädchen, willst du nicht ein paar einsamen Männern Gesellschaft leisten?«
Greta blickte noch einmal hinüber zur Titania, dann kam sie die Treppe herunter, zögernd noch, mißtrauisch ob der plötzlichen Freundschaft. Gadebusch schob Csisek zur Seite. Greta setzte sich, die Handtasche auf dem Schoß, und strich sich den Rock glatt.
Die Genossin Dahlewitz, dachte Gadebusch, Wittes Ehemalige, in diesem Kreis – das war etwas fürs Album. Im übrigen war sie für ihr Alter nicht so übel, wenn man von den faltigen, verarbeiteten Händen absah.

5

Sonntag, 14. Juni 1953, 19.00 Uhr
stellte Gudrun Kasischke alias Goodie Cass, Berlins begnadetster Stripper, die in einem Westberliner Nachtlokal arbeitete, jedoch in einem Ostberliner Vorort auf einem Wochenendgrundstück zusammen mit ihrem Geliebten Fred Gadebusch hauste, das Wasser

ab, rollte den Gartenschlauch auf und begab sich unter die Dusche, um sich in Vorbereitung ihrer nächtlichen Tätigkeit zu säubern. Dabei bedachte sie

in bezug auf Gadebusch:

daß du mir bei der Hitze nicht vergißt abends zu sprengen hat er gesagt ich will nicht daß mir der Rasen verbrennt bloß weil ich mit muß auf den verdammten Ausflug und du deine Flausen im Kopf hast er tut sich was zugute mein Fred auf seine Gründlichkeit immer systematisch sagt er Punkt eins zwei drei und immer schön abgehakt nur ich bin ihm zufällig hereingeschneit ganz schön durcheinandergebracht hab ich Punkt eins zwei drei Goodie hat er gesagt so eine wie dich gibt's nur einmal bleib bei mir ich hab eine Laube die ist nicht erfaßt vom Wohnungsamt die hab ich mir ausgebaut Wohnzimmer Schlafstube Küche Duschraum Klo mit Sickergrube und ich habe noch allerhand vor damit mein Fred das muß ihm der Neid lassen der schafft sich was hat stets Leute an der Hand die ihm verpflichtet besorgt ihnen dies und das leiht auch Geld aus oder lotst sie hin wo sie hinmüssen mit ihren Anliegen Verbindungen sagt er immer Verbindungen muß der Mensch haben aber selbst nicht hervortreten meine Laube die ist unauffällig und die Hecke ist dicht und wächst jedes Jahr höher ich sagt er immer bin gelaufen von Stalingrad bis nach Berlin ich hab mein Stück Welt gesehen jetzt möcht ich seßhaft bleiben my home is my castle Eigenheim bringt Glück allein aber still und bescheiden wer sich hervortut hat Feinde die Menschen sind ein neidisch Volk

in bezug auf sich selbst:

die Haut muß ich noch cremen eine Haut hab ich wie Sahne sagt er immer er hat eine poetische Ader mein Fred und meine Füße sagt er sind ein Gedicht ist ein Fußfetischist oder so was und mit Recht was meine betrifft auch wenn ich vom Dorf komm bin ich kein Bauerntrampel Goodie früher Gudrun Tochter des Bauern Kasischke was hat mich mein Alter geprügelt erstens überhaupt und dann wegen der Sache damals wo ich doch gar nichts dafürkonnte sie ist doch noch ein Kind hat die Frau selber gesagt meinen Alten haben sie eingesperrt und dann ist er abgehaun nach dem Westen nie mehr gehört von ihm vielleicht ist er tot aber ich leb hab mich auch durchkämpfen müssen die Arbeit geht jetzt nur Samstag Sonntag immer drei Shows das ermüdet aber sonst ich fühl mich ganz wohl hier mein Fred sagt ich hab hier Wurzeln geschlagen er liebt so Vergleiche als wär ich ein Radieschen oder eine von seinen Zierstauden die er reinsteckt in die Erde und Torfmull drauf

Gudrun Kasischke alias Goodie Cass schlüpfte in ihr Negligé, kochte sich Kaffee, machte sich eine Schnitte mit Salami, fester, ungarischer, blickte auf die Uhr, erkannte, daß ihr Zeit blieb, um in Ruhe zu essen, und setzte sich hin, dieses zu tun.
Dabei bedachte sie

in bezug auf Verschiedenes:
komisch die sozialistischen Länder sagt mein Fred immer da exportieren sie die feinsten Sachen Salami zum Beispiel aber beileibe nicht zu ihren sozialistischen Brüdern nein in den Westen zum Klassenfeind von wo wirs dann wieder herüberholen in den Sozialismus mit der S-Bahn sei so lieb hat er gesagt und nimm mir den Brief mit hinüber heut abend und gib ihn dem Herrn Quelle ich komm heut nicht dazu bei mir wirds spät werden bei so einem Betriebsausflug da sitzt man hinterher noch mit den Kollegen Herr Quelle wird ins Lokal kommen und sich umschaun nach mir dann gibst du's ihm aber vergiß nicht ich prügel dich windelweich wenn du's vergißt so wahr ich hier stehe einmal hat er mich geschlagen das war wie der junge Maler mir nachgelaufen ist mit seinen traurigen Augen und ich mich hätt beinah erweichen lassen der Maler ist nicht wiedergekommen dafür hat Fred gesorgt mein ganzes Gesicht war kaputt eine Woche lang konnt ich mich nicht sehen lassen im Lokal nirgends

in bezug auf Geheimnisse:
ein dicker Brief ich bin seit je eine gewesen für Geheimnisse noch keine sechs Jahre war ich da hatte ich raus wo mein Alter das Geld aufhob wenn aber der Mann von der Steuer kam stand der Alte da ein armer Mann bin ich total ruiniert das ganze Dorf ist mein Zeuge zum Totlachen und dann unter dem losen Dachziegel ein ganzes Bündel Briefe der Mutter die hat sie aufgehoben nämlich und vor dem Alten versteckt und wie ich eine Andeutung gemacht hab was unter dem Dachziegel steckt da hat sie geheult und mir Geld gegeben und Schokoladenbonbons und nachher wenn ich Geld hab haben wollen oder Schokoladenbonbons oder sonst was hab ich nur was sagen brauchen wegen der Briefe dabei war der von dem die Briefe waren längst tot mein Fred ist da ausgefuchster wenn der so dahintippt mit seinen zwei Fingern auf der kleinen alten Schreibmaschine die er angeschleppt gebracht hat und ich ihm nur mal über die Schultern kucke sofort jagt er mich weg und droht mir was hast du schon für Geheimnisse frag ich was geht's dich an sagt er aber man denkt doch nach darüber wenn der Mann mit dem man lebt dauernd Sachen schreibt und mitnimmt oder verkutet muß ihm wohl dringlich sein um den Brief sonst hätt er bis morgen gewartet und ihn selbst abgeliefert andrerseits ist es doch auch schön von meinem Fred

daß er mich schickt und zeigt sein Vertrauen ich könnt ihm was Gutes tun dafür wirklich ich könnt

Gudrun Kasischke alias Goodie Cass öffnete das Kuvert vermittels Wasserdampf und entnahm diesem einen Brief, datiert vom gleichen Tage, dem 14. Juni 1953, und bestehend aus fünf eng betippten Bogen, welche sie zu lesen begann, zunächst ohne großes Interesse, da von Dingen wie abfallender Produktion, schlechter Materialversorgung, Normen und Normerhöhung die Rede war. Als sie jedoch den Namen Martin Witte erwähnt fand, änderte sich ihr Verhalten. Ihr Puls beschleunigte sich von 78 auf 96, ihr Atem wurde hastig, zum Teil unregelmäßig, später war ein deutliches Zittern der Finger feststellbar.

Dabei bedachte sie

in bezug auf Martin Witte:

unmöglich wieviel Wittes gibt es selbst mit dem Vornamen Martin es muß nicht der sein wo ich gedient hab damals aber alles stimmt haargenau 1947 taucht er auf in dem Betrieb 1947 haben sie meinen Alten eingelocht 1947 hat Herr Witte die Frau begraben und ist fort auch das andere trifft zu daß er Unruhe verbreitet wo er ist und keine Angst hat als Dreher steht hier hat er angefangen bei VEB Merkur bei uns vorher war er Landrat gewesen der und Angst der hat sich aufs Fahrrad gesetzt und allein in die Dorfkneipen hat die Bauern gezwungen hartgesottene Kerle alle die Kartoffeln rauszurücken und das Fleisch und ihr Liefersoll zu erfüllen für die Städte und wenn er dann nach Haus kam todmüde spät in der Nacht oder auch morgens herein ins Herrenhaus wo früher die Herren von Throta das Land von denen hat er auch verteilt an Knechte und Mägde und Landarbeiter trat er an das große Bett wo die Frau lag Ruth hat sie geheißen und ganz klein und blaß und geschrumpft war sie lag im Sterben alle wußtens nur Herr Witte hats nicht glauben wollen und hielt ihr die Hand als möcht er ihr Kraft geben können von seiner Kraft ja das ist er hier stehts wie sie ihn gewählt haben zu einem Posten in der Gewerkschaft damit er schon Ruhe gibt und verschwindet hinter dem Dienstschreibtisch aber der nicht jetzt erst recht nicht hier stehts

half den Arbeitern, wenn sie in Schwierigkeiten gerieten, besuchte sie, wenn sie krank waren, verteidigte sie, wenn sie ungerecht behandelt wurden, und steigerte so seinen Einfluß

stimmt so ist der das hat auch meinen Alten so wütend gemacht wie er merkte daß Herr Witte auf einmal die Kätner hinter sich hatte und die kleinen Bauern da ging er zum Bezirksarzt und redete mit dem und nachher ist er nach Berlin gefahren mit vier Schinken die waren Gold wert damals und hat sie eingetauscht gegen Armbanduhren und die Armbanduhren eingetauscht gegen die Medizin ganz seltene Medizin war das bei einem Armeearzt von den Amis sieh an

dennoch Wittes Stellung in der Partei nicht gesichert. Banggartz, 1. Sekretär der BPO, und teilweise auch Sonneberg, 2. Sekretär, zeigen Mißtrauen wegen der Parteivergangenheit von Witte und weil ein Parteiverfahren war gegen ihn wegen Schwarzmarktgeschäften und Medikamenten

Gudrun Kasischke alias Goodie Cass legte die fünf Bogen beiseite, da sie eine leichte Übelkeit spürte. Sie goß sich hastig Wodka, Marke Adlershof, in ein Gläschen und trank diesen in einem Schluck. Dann saß sie geschlossenen Auges etwa zwei Minuten und dreißig Sekunden bewegungslos, ohne sich anzulehnen.

Dabei sah sie die folgenden Bilder: *sich selbst, noch ein halbes Kind, Witte ihr gegenüberstehend, drohend, auf den Nachttisch neben dem Bett der Frau deutend, wo die Medizin steht*

ihre klobigen Schuhe, verschwimmend

Witte, sein Taschentuch ihr vor die Nase haltend, damit sie hineinschneuze

die Frau im Bett, beschwichtigend den Arm hebend, welcher sogleich auf die Bettdecke zurücksinkt

Witte, sich abwendend und hilflos mit den Schultern zuckend

und bedachte, nachdem die Bilder verblaßten

in bezug auf sich selbst:

nur ein Kind bitte sehr das hat die Frau selber zu ihm gesagt sie ist nur ein Kind Martin aber gewußt hab ich warum mein Alter und die andern Großbauern mich ins Herrenhaus gesteckt haben als Bedienerin wir müssen jemand dort haben der aufpaßt was vorgeht dort und was geplant wird haben sie gesagt und die Eier geliefert und Butter und Sahne für die Frau die fragte nicht woher war auch viel zu krank sich Gedanken zu machen mein Alter und die andern aber die warteten ab bis der Tag kam und sie Herrn Witte sagen könnten so und so und eine Hand wäscht die andre die Medizin das sollte der Anfang sein für den Handel war aber das Ende und dann starb die Frau und das Begräbnis und der Trubel mit der Partei in der Stadt

und sah ein letztes Bild

Witte, auf der Straße auf sie zukommend, unausweichlich

Gudrun Kasischke alias Goodie Cass erhob sich, trat zum Spiegel, erschrak, zwang sich jedoch, sich das Gesicht zu bemalen.

Dabei bedachte sie

in bezug auf das Schicksal:

hab mich geduckt ob er mich gesehn hat weiß ich nicht er war wie blind und jetzt mein Fred der diesen Brief schreibt das ist

Schicksal das ist ein Fingerzeig Gottes nachdem ich schon gedacht hab es wär alles vorbei und vergessen über der Flucht nach Berlin und den Nissenhütten Straßen Lichtern Musik und den Männern tritt er wieder in mein Leben der Herr Witte ich bin nur ein Kind gewesen die Frau selber hats doch bestätigt und den Eltern muß man gehorchen und die Medizin vielleicht hätts ihr wirklich geholfen dankbar hätt er mir sein sollen statt mich anzublicken so als wär ich eine neue Art Judas besser sorgen hätt er sollen für seine Frau und ihr selber Butter Eier Sahne verschaffen sollen und Medizin statt die Bauern zu piesacken im ganzen Kreis und mir dann die Schuld aufzupacken als hätt ich den Tod an ihr Bett gebracht daß sie starb wie er in der Stadt war bei seiner Partei und verhört wurde

Gudrun Kasischke alias Goodie Cass, fertig zum Ausgehen, las, bevor sie die Bogen ins Kuvert zurücktat und dieses verschloß, auf der letzten Seite des Briefes die folgenden Zeilen:

ist Witte für uns der gefährlichste Mann. Sollte er nach seinem Streit mit Banggartz nicht von der Partei kaltgestellt werden, so müßten wir das tun, wenn nötig mit Gewalt

Danach bedachte sie

in bezug auf Gott:

warum o Gott tust du mir das an was will ich denn auf der Welt stell ich vielleicht Ansprüche ein bißchen Wärme und versorgt sein will ich aber jetzt bin ich wieder mitten in solcher Geschichte und wieder gegen Herrn Witte da ist nichts zu deuteln wenn nötig mit Gewalt unterstreicht er noch mein gründlicher Fred mit blauer Tinte o Gott was soll ich bloß tun hilf mir doch Gott du bist gerecht du bist weise hilf mir in meinem Kopf ist alles so durcheinander ich weiß nicht.

6

Sonntag, 14. Juni 1953, 23.00 Uhr

blieb der Arbeiter Kallmann stehen, prüfte: den Mond, der fest am Himmel stand; die Hauswand, hohle Fenster, aber immer noch senkrecht; die Laterne, die keinerlei Neigung zeigte zu kreisen. Vielleicht hatten die Schnäpse, die die Abmachungen des Tages besiegelten, ihn sogar ernüchtert, und es war nicht der Alkohol, der seine Gedankensprünge veranlaßte, sondern Übermüdung, innere Spannung, böse Vorahnung. »Schließlich bin ich ja auch ein Arbeiter!« haderte er mit sich selbst. Und dann, hörbar fluchend: »Kann keiner sagen, ich hätte meine Pflicht nicht getan!«

Er tappte weiter. Die Hausnummer stimmte; nur das Haus war

nicht da, zerbombt, gespenstische Schatten auf geborstenen Mauern, ein hohler Durchgang, Echo, Ratten, die über Mülltonnen huschten; dann doch ein Tor, eine Klinke. Kallmann atmete schwer. Wenn abgeschlossen ist, dachte er, dann geh ich wieder.
Das Tor war offen. Er tastete nach dem Lichtschalter. Eine Birne flammte auf, schwächliches Gelb, das die Namen der Mieter auf dem gerahmten Verzeichnis kaum erkennen ließ. Kallmann entzifferte die Bleistiftzüge unter den verblaßten Druckbuchstaben. Bei Hofer, vierte Etage, wohnte er also.
Das Licht verlosch. Kallmann begann den Aufstieg, vorsichtig, die Treppe knarrte, das Geländer war morsch. Das wär schon ein Spaß, dachte er, wenn ich ihn mit einem Weibsstück überraschte, mit der Greta Dahlewitz vielleicht; aber das war wohl vorbei; die Greta hatte nicht ausgesehen wie eine, die einen Mann hat und Glück in der Liebe.
Er fand den nächsten Lichtschalter. Geflickte Wände, feucht, die Farbe abgeblättert: in einem Palast lebte Witte nicht. Und wenn er nun tatsächlich nicht allein ist, dachte Kallmann, was sage ich dann? Was sag ich überhaupt? Da kommt ein Mensch zu nachtschlafender Zeit, er muß doch einen Grund angeben.
Wieder ging das Licht aus. Kallmann starrte in die Finsternis. Was sollte ihm passieren? Ihm war nie was passiert, nicht einmal in der Hitlerzeit, obwohl da genug Leute gewesen wären, auch solche an führender Stelle im Betrieb, die gewußt hatten, daß er gegen die Nazis und ihre Politik war. Warum sollte einem guten Arbeiter, der seine Pflicht gewissenhaft tat, etwas passieren?
Noch einmal die Suche nach dem Schalter. Dann sah er den zartlila gestrichenen Blechbriefkasten und das Schild *Hofer* und die Klingel und drückte auf den Knopf.
Nichts.
Er klingelte noch einmal.
Hinter der Tür ging eine Klappe hoch; ein Lichtpunkt blinkte auf im Spion. Kallmann griente freundlich. Dann wurde geöffnet, einen Spalt breit. Eine Stimme, verärgert, mißtrauisch: »Sie wünschen?«
»Ich hätte gern mit Herrn Witte gesprochen.«
»Um diese Zeit?« Doch klang die Stimme erleichtert. »Nicht genug, daß man Scherereien hat am Tage, jetzt geht's auch noch bis tief in die Nacht . . .«
»Ist etwas, Frau Hofer?«
Das war Witte, aus der Tiefe des Korridors. Die Witwe riß die Tür auf und trottete davon, Kallmann sah nur den Rücken des Schlafrocks, gestreift, und das Haar, gewickelte Mäuseschwänzchen. Witte, in Hemdsärmeln, trat aus dem Dunkel.
»Schönen guten Abend«, sagte Kallmann, und lehnte sich gegen

den Türpfosten. Ich bin doch besoffen, dachte er, so ein verfluchtes Elend. »Ein bißchen spät komm ich. Du kannst mich ja rausschmeißen.«
»Komm rein«, sagte Witte, »aber red nicht so laut.«
Kallmann überließ sich der führenden Hand. Im Zimmer dann war es hell, Lichtkegel einer Schreibtischlampe auf irgendwelchen Papieren; Kallmann kam sich riesig vor zwischen den engen Wänden mit den Bücherregalen.
»Setz dich.«
Kallmann gehorchte, der Kopf dröhnte ihm. Witte hockte sich aufs Bett. Kallmann bemerkte den prüfenden Blick.
»Ich seh wohl nicht besonders aus, was?«
»Hast noch gefeiert?«
»Wir waren zusammen, ein paar von uns.«
»So.«
»Du weißt ja, wie es ist. Kollegen. Man trennt sich nicht gern nach so einem schönen Tag.«
»Und das hat dich veranlaßt, noch zu mir zu kommen?«
»Ich will dir mal was sagen, Kollege Witte« – Kallmann durchwühlte seine Taschen nach einer Zigarette – »ich habe Vertrauen zu dir.«
Witte hielt ihm Zigaretten hin, bot ihm Feuer.
»Weil du erkannt hast, was los ist. Weil du dich erinnert hast, daß du selber ein Kumpel bist.« Kallmann sog den ersten Rauch in die Lunge. »Stimmt's?«
Die Augen, unruhig, unter wulstigen Brauen. Witte schob sich sein Kissen ins Kreuz, lehnte den Kopf gegen die Wand, schlug die Beine übereinander. »Ich habe nie vergessen, daß ich ein Arbeiter bin.«
Kallmann nickte anerkennend. »Es vergißt sich nämlich leicht, sobald einer eine Funktion kriegt und im Büro sitzt und mit dem Hintern arbeitet statt mit seinen Händen. Dir kann ich's ja sagen: ihr Genossen kapselt euch zu sehr ab; ihr habt schon keine Fühlung mehr, ihr wißt schon nicht mehr, was vor sich geht.«
»Aber du weißt es?«
Kallmann schwieg. Was wollte er von Witte? Absolution?
»Natürlich machen wir auch Fehler«, sagte Witte versöhnlich. »Wer ist schon fehlerfrei?«
»Sicher wollen viele von euch das Beste für die Arbeiterklasse«, sagte Kallmann, plötzlich eifrig geworden. »Aber ihr geht falsch an die Sache heran, nach der russischen Methode. Bei den Sowjetmenschen funktioniert das vielleicht – ich kann es nicht beurteilen, bin nie dort gewesen, ich hab nur gehört, wie sie sich im Krieg verhalten haben: es hat ihnen einen Dreck bedeutet, zu sterben. Aber unser deutscher Arbeiter, das ist ein Fachmann, ein denkender Mensch, den kann man nicht so behandeln.«

»Die Deutschen«, sagte Witte, »haben eine empfindsame Seele.«
Kallmann drückte seine Zigarette aus. »Ich will nicht behaupten, wir Deutsche wären besser als die anderen. Aber eines sind wir: geduldig und fleißig. Wir arbeiten. Wir haben unter dem Kaiser gearbeitet, unter der Republik, unter Hitler. Wir werden sogar unter Ulbricht arbeiten, nur dürft ihr uns nicht so ausquetschen. Es muß was rausspringen bei der Arbeit, und auch für den deutschen Arbeiter.«
Witte musterte seinen Besucher. Was da vor ihm saß, gesund, kräftig, mit fähiger Hand, das hatte tatsächlich unter dem Kaiser gearbeitet, unter der Republik, und unter Hitler – statt die Gesellschaftsordnung zu beseitigen, deren Ausdruck alle drei gewesen waren.
»Wir beuten dich also zu sehr aus, Kollege Kallmann.«
»Hat die Regierung selbst zugegeben! Sogar den Preis für die lausige Marmelade haben sie erhöht, die wir uns aufs Brot schmieren, und für die Arbeiterrückfahrkarte.«
»Es ist dir bekannt, daß das vor ein paar Tagen in Ordnung gebracht wurde?«
»Es ist mir bekannt.« Kallmann erhob sich und hielt sich an der Tischkante fest. Wittes Gesicht war eine fahle Scheibe, auf der sich kein Ausdruck erkennen ließ. »Es ist mir bekannt. Jawohl. Alles ist nur ein Irrtum gewesen, erfahre ich, und wir haben den neuen Kurs, und jeder kriegt sein Geschenkchen, die Bauern ihre Höfe, die Ladenbesitzer ihre Lebensmittelkarten, für jeden ist was da – nur nicht für den Arbeiter, dem werden die Normen noch erhöht . . .«
» . . . der wird ausgebeutet.«
»Bist doch selber dagegen.« Kallmann ließ den Tisch los. Seine Stirn hatte sich gerötet, seine Pupillen gehorchten ihm nicht mehr, aber in seinem Gehirn war eine große Klarheit. »So sag's doch! Oder hast du Angst?«
Witte lachte. Heilige Dialektik! Da brachte ihn seine richtige Erkenntnis auf die Seite der falschen Leute.
»Was lachst du?«
»Das werde ich dir erklären. Also du wirst ausgebeutet. Für wen, bitte? Wer kriegt's denn? Wer frißt die Profite? Irgendein Unternehmer? Ein Millionär?«
Kallmann war plötzlich müde. Er wußte jetzt, zu welchem Zweck er gekommen war: um eine Entschuldigung zu finden, die es ihm erlaubte, sich auf moralisch tragbare Weise aus dem Ganzen zurückzuziehen.
»Für wen, bitte?«
»Was interessiert's mich, wohin das Geld geht«, knurrte Kallmann. »Kindergärten, Volkspolizei, Hochöfen, Stalinallee – sollen sie's hernehmen, wo sie wollen, aber nicht aus meiner Haut.«

»Es kann aber nur aus deiner Haut kommen.«
Kallmann fuhr auf. »Die sollen nur nicht zu weit gehen! Die sollen lieber hören, was wir zu sagen haben!«
»Wer ist *wir*?«
Kallmann blieb stumm.
»Wenn sie aber nicht hören wollen«, sagte Witte, »was dann?«
»Du bist doch unser Gewerkschaftsvorsitzender.« Kallmann ließ sich neben Witte aufs Bett fallen und faßte ihn liebevoll um die Schulter. »Du mußt doch von früher noch wissen, was passiert, wenn von oben zu stark gedrückt wird . . .«
»Du meinst – Streik?«
»Das hast du gesagt, nicht ich!« Kallmann rutschte ein Stück zur Seite, weg von Witte. Die Partei, hatte Gadebusch gewarnt, am Schluß heißt's bei denen immer: die Partei. »Ich hab nur gesagt, es ist nicht richtig, wenn alles immer aus den Arbeitern herausgeholt wird, und wenn ihr nicht auf die Rede der Leute hören wollt . . .«
Witte war aufgestanden. »Streik gegen wen? Gegen euch selber?«
»Ich«, Kallmann duckte sich, »habe überhaupt nicht von Streik gesprochen.«
»Das ist doch Widersinn!« sagte Witte erregt. »In einem Arbeiterstaat, wo die Produktionsmittel wem gehören – den Arbeitern! Bist du dir darüber im klaren?«
In Kallmanns Hirn verschmolzen Angst und Alkohol. Er sah sich auf dem Rücksitz eines geschlossenen Autos, eingekeilt zwischen zwei Gestalten von der Staatssicherheit.
»Ich habe dich etwas gefragt, Kollege Kallmann! Wie siehst du es selber? Wie siehst du deine Stellung zu diesem Staat? Ist es dein Staat, ist dir bewußt, daß die Maschine dir gehört, an der du stehst, oder ist da eine Kluft?«
Kallmann mümmelte vor sich hin.
»Das ist eine entscheidende Frage. Hast du keine Meinung dazu?«
»Du denkst dir was aus«, sagte Kallmann mit schwerer Zunge, »und dann versuchst du, mich hineinzuverwickeln.«
»Das Sein formt das Bewußtsein, Kollege Kallmann, das neue gesellschaftliche Sein. Aber das vollzieht sich nicht glatt und einfach, und nicht bei allen Menschen gleichmäßig, und es gibt Schwierigkeiten bei der Bewußtseinsbildung. Du bist heut abend hergekommen, um mit mir zu sprechen; das ist dir anzurechnen, das beweist doch . . .«
Witte brach ab. Es war sinnlos. Der Mann war nicht imstande zu verarbeiten, was er ihm da sagte; hörte wohl auch gar nicht hin.
»Wir reden morgen darüber.«
Auf einmal war Kallmann lebendig. Er schob sich in die Höhe, war mit drei schwankenden Schritten an der Tür, stieß sie auf, kollidier-

te mit einem Kleiderschrank im Flur, schimpfte auf die Finsternis.
»Warte«, rief Witte, »ich begleite dich hinaus.«
Er schloß die Wohnungstür auf. Das Licht im Treppenhaus brannte. Kallmann, bereits auf der Treppe, wandte sich noch einmal um. »Bist – bist ein Mensch, Kollege Witte«, sagte er gerührt. »Nichts für ungut.«
Witte blickte ihm nach, hörte, wie er eine Etage tiefer jemandem begegnete, »Guten Abend«, »Guten Abend«, dann ging das Licht aus. Witte, besorgt um Kallmann im dunklen Treppenhaus, drückte auf den Lichtknopf; der wollte zunächst nicht funktionieren. Als das Licht endlich aufflammte, stand Anna vor ihm, Anna in Begleitung eines Mannes.
»Mein Mann«, sagte sie hastig. »Heinz, kann ich dir Herrn Witte vorstellen.«
Heinz Hofer, mit einladender Geste, ließ seiner Frau und Witte den Vortritt, wollte nicht dulden, daß Witte sich sofort in sein Zimmer zurückziehe, erklärte, während er seiner Frau ablegen half, Herr Witte sei ihm kein Unbekannter, Anna habe des längeren von Herrn Witte gesprochen; es sei ihm eine Ehre, einen Mann kennenzulernen, der so viel durchleiden mußte und nun an verantwortlicher Stelle stünde; er und seine Frau hätten ein wenig gefeiert, verständlich nach so langer Trennung; möchte Herr Witte ein Gläschen mit ihnen beiden noch trinken; er habe da einen Kognak mitgebracht, sehr zu empfehlen.
»Heinz«, sagte Anna, »Herr Witte wird müde sein; er muß früh zur Arbeit.«
Heinz Hofer hob bedauernd die Schultern: die kleine Frau habe offensichtlich den Wunsch, mit ihm allein zu sein, gleichfalls verständlich nach so langer Trennung; es werde sich bestimmt noch Gelegenheit finden, das Gläschen Kognak miteinander zu leeren.
»Dann gute Nacht«, sagte Witte.
Wieder in seinem Zimmer, wo es nach Zigarettenasche roch und nach dem Fuseldunst, der um Kallmann geschwebt hatte, trat er ans Waschbecken, ließ das Wasser laufen, bis es ihm genügend kalt erschien, und wusch sich das Gesicht.

7

Montag, 15. Juni 1953, 0.30 Uhr
wandte sich Heinz Hofer von seiner Ehefrau Anna ab, rollte auf die Seite, murmelte deutlich hörbar: »Stück Holz!«, seufzte und fiel in den tiefen Schlaf eines Mannes, der einen langen Tag voll seelischer und körperlicher Anspannungen hinter sich hat.

Anna lag auf dem Rücken, bewegungslos, die Arme vor der Brust gekreuzt: nur nicht den Körper berühren, der sich in ihrem Bett breitmachte mit seiner feuchten Wärme und seinen Ausdünstungen.

Von nebenan, wo Witte, wie sie hoffte, schlief, kein Laut. Daß das hatte sein müssen, diese Begegnung an der Wohnungstür, die Besitzergeste, die ganze plumpe Schau; dabei hatte sie ihm während des Abends wiederholt klargemacht, zuerst andeutungsweise, dann, da er tat, als verstünde er nicht, klipp und klar: ich will dich nicht, ich mag dich nicht, glaubst du, das geht spurlos vorbei, die lange Zeit, und nie ein Wort, und wann war das je, daß wir überhaupt gelebt haben, wie man leben sollte als Mann und Frau. Warum dann, hatte er spöttisch gefragt, war sie mitgegangen mit ihm? Und sie hatte geantwortet: Vielleicht, um dir das zu sagen. Aber das war es nicht, oder nicht gänzlich. Hatte sie Mitleid gehabt? Die Fassade konnte nicht täuschen, das teure Parfüm, das er ihr mitgebracht, die Luxuswäsche: er war völlig heruntergekommen, da war kaum noch Substanz; hinter dem großspurigen Wesen, den Anspielungen auf wichtige Geschäfte, an denen er beteiligt sei, lag, spürbar für sie, die Unsicherheit. Oder war sie neugierig gewesen, hatte wissen wollen: was er getrieben hatte die Zeit über, und was ihn veranlaßt hatte zurückzukommen, und ob er sich einbildete, daß man die Scherben so einfach auflesen und tun könnte, als wäre der Krug nie zerbrochen; neugierig auch darauf, wie er sich verhalten würde, wenn sie ihm nein sagte und bei ihrem Nein blieb, Frauen sagten ihm selten nein, auch bei ihr hatte er es nie erlebt, selbst damals nicht, als er auf Geschäftsreise war, mit einer andern, wie sie prompt erfuhr, und nach Haus kam und sie hatte die Frühgeburt gehabt, selbst damals hatte sie sich erweichen lassen, als er sie bestürmte, und hatte ihm verziehen und ihn in die Arme genommen, aber damals hatte sie noch Illusionen.

Nebenan knarrte das Bett. Die Wand war irgendwann einmal eingezogen worden; die Wand war eigentlich schuld, daß es so gekommen war, eine Wand, durch die jeder Schritt hörbar war, jeder unvorsichtige Laut.

Für einen Kommunisten, hatte er gesagt, nach der Begegnung an der Wohnungstür, ein ganz netter Mensch; aber jetzt ist Schluß damit, hörst du? Dann waren sie ins Wohnzimmer gegangen, wo die Witwe noch wach saß und auf den Sohn wartete, und er hatte einen Kognak in sich hineingeschüttet und einen zweiten, und das nach den Bieren und dem Wodka, die er schon intus hatte, und sie hatte ihm gesagt: Du schläfst hier auf dem Kanapee, damit du es weißt. Er hatte gegrinst. Ich, sagte er, schlafe bei meiner Frau. Du hast keine Frau mehr, hatte sie ihm gesagt. Er machte ihr lärmende

Liebeserklärungen: sie wäre die einzige, die etwas bedeute in seinem Leben, und wie er sich gesehnt hätte nach ihr und wie toll er es tun würde mit ihr. Dann brach er in betrunkenes Schluchzen aus, und als sie sich angewidert abwandte, packte er sie und drohte, er würde die Axt holen und ihr die Tür einschlagen, wenn sie ihn nicht zu sich ließe. Sie riß sich los und ging, während die Witwe hinter ihr herzeterte. Und dann kam er und rüttelte an ihrer verschlossenen Tür, und alles ohne Rücksicht auf Witte nebenan, der jedes, auch das intimste Wort hören mußte; sie wußte nicht mehr, was sie tun sollte, sie machte die Tür auf.
Der Mann in ihrem Bett stöhnte im Schlaf und wälzte sich unruhig; er träumte wohl. Anna machte sich noch schmaler und drückte sich gegen die Wand, die kalt und rauh war, die Wand, an deren andrer Seite das Bett stand, in dem Witte, wie sie hoffte, schlief.
Siehst du, hatte er gelacht, ich hab's ja gewußt. Ich will mit dir reden, hatte sie gesagt. Rede, hatte er gesagt, das stört nicht; und hatte sie bei den Schultern gepackt und aufs Bett gestoßen und sich auf sie gewälzt, daß sie sich nicht rühren konnte, und ihr den Pyjama vom Leib gezerrt. Schrei doch, hatte er gesagt, vielleicht daß dein Herr Witte es hört, die Wand ist dünn genug, und es macht ihm Spaß. Und tu nicht so, hatte er gesagt, als ob du noch Jungfrau wärst; und als sie sich immer noch wehrte, sagte er überlaut: Von mir kommst du nicht los, Anna, das weißt du auch selber, Anna, weil ich dir's richtig besorg, Anna, so was vergißt sich nicht, und ist alles noch da für dich, Anna, na endlich, siehst du, wie gut das ist, Anna; und hatte wieder gelacht, ich hab's ja gewußt, Anna.
Sie grub sich die Nägel in die Handfläche. Das Schlimmste war nicht, daß sie ihn dann ertrug. Sie hatte dagelegen wie ein Stück Holz, da hatte er recht, bis er von ihr abließ. Das Schlimmste war der Moment, in dem sie sich aufbäumte und ihn zu sich nahm, und gleich darauf der Gedanke an Witte, und daß dies das Ende war.

8

Montag, 15. Juni 1953, 4.15 Uhr
wartete der Arbeiter Kallmann auf das Klingeln des Weckers. Da das frühe Tageslicht durch den Vorhang am Schlafzimmerfenster drang, konnte er die ihm noch bleibenden Minuten am Zifferblatt ablesen.
Von seiner Frau, die mit dem Rücken zu ihm lag, sah er nur den grauen, wirren Haarschopf. Kein wohltuender Anblick auf nüchternen Magen, dachte er. Nein, dachte er dann, er war ungerecht. Dora war eine gute Frau, hatte ihm seine Kinder geboren, setzte ihm

seine Mahlzeiten vor und half ihm, wo sie konnte; allerdings kümmerte sie sich zuviel um Angelegenheiten, die ihr Verständnis überschritten.
Letzte Nacht wieder – nicht, wie er hereinkam und über den Hocker vor dem Frisiertisch stolperte, sondern später, wie sie das zweite Mal aufwachte: Warum schläfst du nicht, August? Warum packst du den Koffer?
Dumm kann so eine Frau fragen.
Willst du wegfahren? Warum denn? Wohin?
Als ob er das selber wüßte. Fragen, immerzu fragen, hatte er sie angefaucht, immerzu alles wissen müssen! Und hatte weitergepackt, wild durcheinander, hinein in das elende Pappding und hatte den Deckel zugeknallt und das Schloß zuschnappen lassen, daß sie zusammenzuckte. Als ob er der einzige wäre in diesem Teil Deutschlands, der sein Köfferchen gepackt dastehen hatte.
Gott sei Dank, daß die Nacht vorbei war. Nachts erschien alles dunkler und schrecklicher, und vielleicht sah er wirklich nur Gespenster. Wieviel eigentlich hatte er Witte erzählt? Das Wort Streik stammte von Witte, aber wie war es hineingeraten in das Gespräch? Und war Witte einer, der auf eine Andeutung hin zur Polizei lief? Und wo stand es im Gesetz, daß an Streik denken ein Verbrechen war?
Der Zeiger auf dem Zifferblatt hatte sich um nichts bewegt; der Wecker tickte, aber die Zeit stand still. Kallmann stöhnte. Sollte das nun das Ende eines Lebens sein, das nichts gewesen war als Mühe und ehrliche Arbeit? Sollte er sich von diesen Kommunisten von seinem Arbeitsplatz vertreiben lassen, aus seiner Wohnung, weg von seiner Frau und dem Sohn, der einmal seine Hoffnung gewesen war?
Sein Rechtsgefühl war verletzt. Wenn jemand schuld trug, dann die Kommunisten. Ständig trieben sie die Leute an, stellten Forderungen, zwangen einen zu Entscheidungen. Früher, als noch die Demokratie war, verlangten sie, tritt dieser Front bei und dann der, Demonstrationen, Streiks, Flugblätter, Kampagnen; und wehe, wenn man dem eignen Urteil folgte und die Lage realistisch betrachtete, dann war man ein Schuft und Verräter. Und dann, als die Gestapo einem schon im Nacken saß, was erwarteten sie da erst von einem! . . . Er wollte den Sozialismus ebensosehr wie sie. Sein Vater vor ihm schon hatte den Sozialismus gewollt und hatte dafür gearbeitet, als Gewerkschaftskassierer in seinem Betrieb. Und wenn Wahlen kamen, hatte er die Stimmen zusammengezählt, so wie er die Arbeitergroschen zusammenzählte; und wenn eines Tages genug Arbeitergroschen und Arbeiterstimmen zusammen waren, hatte der Vater gesagt, würde der Sozialismus kommen.

Manchmal an Sonntagnachmittagen, nachdem er mit der Abrechnung fertig war, sprach der Alte von diesem Sozialismus, und ein Echo klang nach in seiner Stimme von der ruhmreichen Bewegung Marx' und Bebels.
»August!«
Sie hatte sich umgedreht. Ihre Hand suchte nach seiner.
»Hast du Angst vor irgendwas, August? Willst du mir nicht sagen, wovor du Angst hast?«
Er konnte den klagenden Ausdruck nicht ertragen, den wehmütigen Blick über den Tränensäckchen. »Wer sagt, daß ich Angst habe! Ich habe vor nichts Angst und vor niemand.«
»Du hast ja auch nichts Unrechtes getan.«
»Was ist Unrecht heutzutage?« Er kehrte ihr den Rücken zu und steckte die Füße aus dem Bett. »Wie soll das einer wissen, und du schon gar nicht.«
»Aber du sagst doch immer, daß der Mensch nichts zu befürchten braucht, solange er ehrlich arbeitet und seine ehrlichen Prinzipien hat.«
Sie war nicht zu bremsen.
»Und hast es selber bewiesen, sogar unter den Nazis, und hast dir dein täglich Brot verdient und deine Kinder großgezogen, und ich konnte stolz sein auf dich . . .«
Er erhob sich und lief barfuß über den Fußboden, ohne sie anzublikken. Wenn sie doch schon Ruhe gäbe! Aber sie würde weiterschwatzen, und er wußte genau, was, denn es war ja seine eigene Geschichte, die er ihr dutzende Male erzählt hatte und auf die sie sich etwas zugute hielt.
»Hast du nicht sogar dem Herrn Heyse, dem Oberbuchhalter im Betrieb, die Meinung gesagt, als er von dir verlangt hat, du sollst ihrer Nazipartei beitreten? Und das war, nachdem der Hitler schon an der Macht war!«
»Ja«, er zog sich die Unterhosen an, »ja, ja, ja.«
»Und hast Herrn Heyse gesagt, daß du ein ehrlicher Arbeiter bist und dein Lebtag für eine gewisse Liste gestimmt hast, du hättest eben deine Prinzipien. Und was hat Herr Heyse antworten müssen?«
Sie trieb ihn zum Wahnsinn. Er wußte nicht, ob er bleiben oder weglaufen, sich an Gadebusch klammern oder sich in irgendein Loch verkriechen sollte – und sie erzählte ihm, was für ein Held er war.
»Herr Heyse mußte antworten, auch er hätte seine Prinzipien, und gerade deshalb wüßte er prinzipienfeste Menschen zu schätzen.«
Kallmann lachte höhnisch. »Da sieht man, was du schon weißt und wie gescheit du bist . . .«

»Wieso?« fragte sie erschrocken. »Hat er es denn nicht gesagt?«
»Es machte ihm Vergnügen, Plattheiten von sich zu geben. Aber dann hat er mich gezwungen, Dinge zu tun – nein, nichts, was du jetzt denkst, ich habe keinen denunziert, nie . . . Was hat es für Zweck, mit dir zu reden . . . Prinzipien! Was glaubst du denn, wie wir uns Sachen kaufen und Kinder großziehen konnten, erst in der Wirtschaftskrise und dann unter den Nazis? Ich sage dir, es gibt nur ein Prinzip im Leben: Zieh den Kopf ein und riskier den Kragen nicht.«
Der Wecker klingelte und hörte auf zu klingeln.
»August«, sagte sie leise, »das kann nicht wahr sein.« Und dann: »Außerdem ist es geschehen und vorbei, und alles ist jetzt anders, und wir können wieder atmen.«
»Was du schon weißt!«
Er machte kehrt und stapfte ab, auf die Toilette. Dösigen Auges griff er nach Pinsel und Seife. Das hatte sie nun von ihrer ewigen Fragerei und ihrem Herumwühlen in Dingen, die er von ihr ferngehalten hatte. Er setzte das Rasiermesser an.
Verflucht.
Er hatte sich geschnitten, das Blut quoll dick aus der Wunde. Er behandelte den Schnitt mit Alaun und Watte, vergeblich; überall war Blut, auf dem Becken, auf seinen Fingern. Er haßte sich selber, aber noch mehr haßte er Witte und die Kommunisten. Sie waren die Ursache des Unglücks, sie waren es, die die andern immer veranlaßten, rabiat zu werden. Ohne sie – kein Hitler und kein Krieg. Ohne sie hätte er seine zwei Söhne noch, den gefallenen und den, bei dem alles erstorben war im Kopf nach zwei Tagen und zwei Nächten Verschüttung. Ohne sie würde die Geschichte sich ruhig und demokratisch entwickelt haben, immer mehr Arbeitergroschen und Arbeiterstimmen, bis der Sozialismus eintrat. Ohne sie hätte er, August Kallmann, seine Vergangenheit längst begraben.
Versucht hatte er es. Am Kriegsende hatte er geglaubt, es würde ihm gelingen. Mitten unter den Ruinen des Betriebs hatte er gestanden und in Schrott und verbranntem Mauerwerk gewühlt – und da waren sie durchgekommen, die Sowjets, die Kommunisten, in ihren verschossenen, durchschwitzten Blusen, die Maschinenpistole vor der Brust. Ein Offizier blieb stehen und sah sich an, was er tat, und nickte: »Gut!« und zeigte auf das Wrack einer Drehbank und verkündete: »Deins!«
Seines! August Kallmanns! Ein schönes Geschenk! . . . Schon damals erriet er – heute wußte er es mit Sicherheit –, daß damit Bedingungen verknüpft waren. Sollten sie ihr Geschenk behalten, wenn man ihnen als Vergeltsgott das Herz und die Eingeweide verschreiben mußte. Sollten sie einen lieber bestrafen und fertig.

Aber lächelnd erklären: »Deins!« und einen dann verantwortlich machen für das, was man mit dem Geschenk anfing, obwohl man's gar nicht hatte haben wollen und schon überhaupt nicht aus ihrer Hand! . . . Er war ein guter und gewissenhafter Arbeiter, er hatte unter dem Kaiser gearbeitet und unter der Republik und unter Hitler, und er war bereit, es auch jetzt zu tun; aber er hatte keine Lust, sich einreden zu lassen, daß die Maschine ihm gehörte und daß das Sozialismus wäre, wenn sie gleichzeitig kamen und ihre Forderungen stellten, immer wieder Forderungen, ganz wie früher – und dabei waren sie selber nicht mehr als er, redeten aber großspurig, sie wären der Staat und die Staatsmacht.
Die Blutung hatte nachgelassen. Er band sich ein Tuch um den Hals, ging in die Küche und setzte sich an den Tisch. Der Idiot schnarchte; träumte wohl seine sonderbaren Träume.
»Was ist passiert? Hast dich geschnitten?«
Dora stand in der Tür, sein Köfferchen in der Hand.
»Was ist mit Frühstück?« raunzte er.
Sie stellte das Köfferchen in die Ecke und kam auf ihn zu in ihren ausgelatschten Pantoffeln und nahm ihm das Tuch vom Halse. »Im Betrieb«, sagte sie, »solltest du vielleicht zur Unfallstation gehen und dir vom Doktor was drauftun lassen.«
Er blickte sie an, ohne den Hals zu bewegen. Sie schien es für selbstverständlich zu halten, daß er zur Arbeit ging – trotz des Köfferchens. »Zum Doktor laufen wegen so was? Ich hab mir den halben Daumen abgeschnitten als junger Mann und hab ihn mir mit dem Taschentuch festgebunden und weitergearbeitet!« Er hielt ihr den vernarbten Daumen vors Gesicht. »Was ist mit Frühstück?«
»Heute ist aber ein Arzt im Betrieb«, sagte sie.
»Heute . . .!« spottete er und sah zu, wie sie zu dem Klappbett hinüberschlurfte und dem armen Idioten einen Kuß auf den Mund gab, denn der war aufgewacht und lächelte sein stumpfsinniges Lächeln. »Heute mußt du dreiviertel tot sein, bevor so ein Arzt dich krankschreibt.«
»Du bist ja auch nicht krank«, sagte sie. »Du hast gestern zuviel getrunken und warst zu lange aus, und jetzt ist dir elend und du redest einen Haufen Unsinn.«
»Was ist mit Frühstück!« sagte er zum dritten Mal.
Sie beeilte sich, ihm den Malzkaffee vorzusetzen, den sie morgens tranken, und Brot, und Margarine in einer Glasdose, und Marmelade – sein Frühstücksgesprächsthema, bis vorige Woche der Preis für Marmelade wieder heruntergesetzt wurde und die Sache an Interesse verlor.
Er ließ sich bedienen, aus Gewohnheit. Außerdem fühlte er sich wirklich elend. Er hatte Stiche im Herzen und Hitze im Kopf und der

Magen verkrampfte sich ihm. Er sehnte sich ins Bett zurück, er wollte nicht denken und sich nicht erinnern müssen, die Decke über die Ohren ziehen und die Welt draußen ausschalten. Aber wer würde ihm glauben, daß er krank war?
Die Frau setzte sich neben ihn, der Junge ihm gegenüber. »Guten Morgen, Junge!« sagte er. Der Idiot kaute an seinem Stück Brot. Kallmann zuckte die Achseln; er hatte keine Antwort erwartet, aber es deprimierte ihn doch, etwas um sich zu haben, das aussah wie ein Mensch und dabei fühllos war wie die Wand. Alles deprimierte ihn. Selbst wenn der Arzt ihn krankschrieb, die andern würden ihm die Krankheit nie glauben; noch schlimmer, das Bett würde ihm zur Falle werden, sollte Witte zur Staatssicherheit gerannt sein und Besuch von der Seite her eintreffen.
»Soll ich dir Stullen machen?« fragte Dora.
»Hab ich dir gesagt, du sollst keine machen? Soll ich vielleicht mein hartverdientes Geld für den Fraß in der Kantine ausgeben?«
»Ich dachte, du wolltest wegfahren«, sagte sie.
»Du dachtest! . . .«
Der Idiot, der für den Ton in der Stimme empfindlich war, reckte den Hals, als suchte ein kümmerlicher Rest von Verstand nach Ausdruck.
»Ob ich fahre oder nicht«, sagte Kallmann, »zu essen haben muß ich.«
Sie strich ihm seine Stullen. Er sah ihr zu und überlegte dabei, wie das wohl sein würde: die Fahrt nach drüben und seine Ankunft dort mit seinem Köfferchen und seinen Margarinestullen. Es gab da gewisse Anlaufstellen. Er würde seinen Namen nennen und erklären, warum er gekommen war, und sie würden nachprüfen und ihm sagen: Aber Herr Kallmann, wie können Sie erwarten, daß wir Sie als politischen Flüchtling betrachten und unterstützen, wenn Sie gar nichts getan haben für Ihre Prinzipien?
»August«, sagte sie, »willst du denn wirklich fort?«
Er sah die Furchen auf ihrem Gesicht und die lose Haut um die welken Lippen. Es war besser, daß er fortging – selbst wenn er auf Parkbänken schlafen und sich sein bißchen Essen zusammenbetteln müßte. Dieser Gadebusch wußte mehr, als er sagte, und was er angedeutet hatte, genügte: drei, vier Tage noch, eine Woche höchstens, dann kam der große Schlag. Dann würde der Kommunistenspuk vorbei sein, und man würde zurückkehren können zu seiner Familie und seiner Arbeit und wieder normal leben, ohne Referate und Aufrufe und Losungen und Entscheidungen – ruhig und bescheiden leben und gewissenhaft und ehrlich arbeiten . . .
»Du würdest ja doch nichts verstehen, Dora«, sagte er. »Sei froh, daß du von nichts weißt.«

Der Idiot reckte wieder den Hals. Dann bewegte er die Lippen, brachte aber nur ein Krächzen zustande.
»Ich verstehe nichts.« Die Frau verpackte die Stullen. »Es ist auch schwer, dich zu verstehen, August. Zieh den Kopf ein und riskier den Kragen nicht, das wär dein Prinzip, hast du gesagt. Also hast du den Kopf nie hingehalten und nichts riskiert und hast nie weglaufen müssen und dich verstecken vor der Polizei, auch bei den Nazis nicht. Warum mußt du dann jetzt damit anfangen, unter dieser Regierung, die eine Arbeiterregierung ist, wie man sagt?«
Kallmann starrte sie an. Sie wußte von nichts, und sie verstand nichts, und doch stellte sie ihm die Frage, die Witte ihm auch gestellt hatte: *Gegen wen? Gegen euch selbst?* Er stand schwerfällig auf und trat dicht vor sie hin und hielt ihr die Faust unter die Nase. »Hast du mir nachspioniert, oder was?«
Sie wich nicht zurück. Sie steckte das Stullenpaket in seine Aktentasche und sagte: »Du hast mich nie in deinem Leben geschlagen, August. Bitte fang jetzt nicht damit an.«
»Ich habe dich nie geschlagen«, sagte er zwischen den Zähnen hindurch, »aber du treibst mich dazu. Ich habe nie was Unrechtes getan, ich bin ein ehrlicher Arbeiter gewesen, ich habe meine Prinzipien –«
Er unterbrach sich. Er hatte tatsächlich nichts Unrechtes getan. Er war betrunken gewesen und hatte wild dahergeredet, auf dem Ausflug, und später dann bei Witte. Man durfte sich doch wohl noch besaufen! Und genau das würde er dem Gadebusch sagen, und daß er sich an nichts erinnerte, an keine Normen, keine Abmachungen, keinen Streik. Nur daß er Unterstützung brauchen würde, wenn er Gadebusch so kam, und diese Unterstützung konnte nur von Witte kommen, von den Kommunisten, die an seinem ganzen Jammer schuld waren und die in drei, vier Tagen, einer Woche höchstens, erledigt sein würden und die er haßte, wie er seine Frau haßte, die ihm das Köfferchen hinhielt und die Aktentasche, beides, als wollte sie ihm nur ja deutlich machen, daß er nicht wußte, wohin er sich wenden und was er tun und auf welche Seite er sich schlagen sollte.
»Gott verflucht noch mal«, brüllte er, »du wirst mir doch nicht vorschreiben, was ich zu tun und zu lassen habe!«
Er sah, wie der Junge zusammenzuckte. Er nahm seinen Sohn bei den Schultern und brummte etwas, das ihn trösten sollte, und dann riß er seiner Frau die Aktentasche aus der Hand und stelzte aus der Tür.

9

Montag, 15. Juni 1953, 5.00 Uhr
betrat Witte, von kurzem, unruhigem Schlaf nur wenig erquickt, die Küche der Witwe Hofer, wo er zu seiner Überraschung Anna vorfand. Die sprang vom Stuhl auf, nahm ihm, bevor er abwehren konnte, das kleine Tablett ab, auf dem sein Brot, die Packung Tee usw. lagen, und stellte den Wasserkessel aufs Gas.
Er bemerkte die grauen Schatten unter ihren Augen, die geröteten, leicht geschwollenen Lider. Auf einem der Küchenstühle stand griffbereit ihre Handtasche, Kunstleder, bauchig, an den Rändern abgewetzt; daneben lag ein verschnürtes Paket in der Größe eines Schuhkartons.
»Sie erlauben, daß ich mich nützlich mache«, sagte sie ein wenig verspätet.
»Wenn Sie durchaus wollen.« Er setzte sich an den Tisch und stützte den Kopf in die Hände. »Ich stehe nicht immer so früh auf, aber heute wird es viel zu tun geben im Betrieb.«
»Ich habe eine Bitte an Sie. Können Sie ein paar Sachen für mich aufheben?«
Er blickte auf.
»Es ist nicht viel.« Sie deutete auf das Paket. »Eine Brosche, ein Ring, ein paar Bücher; ich habe nichts sicher Verschließbares in meinem Zimmer, und ich möchte das nicht mit mir herumschleppen müssen.«
Das Wasser im Kessel kochte.
Während sie sich um den Tee kümmerte, sagte sie: »Ich mache Schluß. Ich gehe fort.«
»Handeln Sie da nicht ein wenig zu hastig? Er ist doch eben erst zurückgekommen. Vielleicht renkt es sich wieder ein.«
Sie schüttelte den Kopf.
»Aber wo wollen Sie hin?«
»Ich werde mir etwas suchen.«
»Das wird bestimmt nicht leicht sein. In Berlin! Haben Sie Freunde?«
»Kolleginnen.«
Die Sonnenkringel, die auf den Küchenkacheln tanzten, Gratisvorstellung der Natur, freuten ihn: der Mensch ist dankbar auch für Kleinigkeiten.
»Ich komme schon unter«, versicherte sie. »Ich wäre nur froh, wenn Sie das Paket da ...«
»Aber selbstverständlich«, sagte er. »Ich lege es in meinen Koffer.«
Sie goß ihm den Tee ein. Er forderte sie mit einer Handbewegung auf, sich auch selbst zu bedienen, trank, erwähnte: »Ich bin in

meinem Betrieb erreichbar – VEB Merkur, Gewerkschaftsleitung. Aber wo erreiche ich Sie, sollte sich's notwendig machen?«
Sie nahm Papier und Bleistift aus der Tischschublade, schrieb ihm die Adresse ihrer Verkaufsstelle auf, die Telefonnummer; er las, steckte den Zettel in die Jackentasche, neben Ausweis, andere Zettel, Krimskrams. Alltagsworte, dachte er, Alltagshandlungen, ist auch am besten so, weshalb dramatisieren, was jeden Tag vorkommt. Es geht ja alles ganz glatt, dachte sie, und ich habe solche Befürchtungen gehabt, wieviel Schalen hat der Mensch, darin er seine Gefühle verkapselt. Sie gab ihm das Paket in die Hand und sagte: »Nein, nein, das Geschirr, das erledige ich schon.«
Er ging. Sie lauschte: Schritte, Schnappen der Kofferschlösser. Vielleicht kommt er noch einmal herein, dachte sie; aber er blieb nur kurz in der Tür stehen, sagte: »Also dann . . .«
»Also dann«, sagte sie.
Um 5.20 Uhr hastete Witte die S-Bahn-Treppen hinauf zum Perron, der Zug fuhr gerade ein, der übliche Kampf begann, sich einkeilen in die Fülle, Fuß fassen, Gleichgewicht halten, Atem holen, vorsichtig, um nicht zuviel jener Mischung aus Staub und menschlicher Ausdünstung in die Lungen zu bekommen, die der sommerlichen S-Bahn eigen. Dabei dachte er an sein Gespräch mit Anna, und ob ihr Schritt das Resultat momentaner Aufwallung war oder mehr: es war nicht schwer zu erraten, was sich da abgespielt hatte zwischen ihr und dem Manne; dies und das hatte er nicht vermeiden können zu hören, er hatte keine Lust, sich Einzelheiten vorzustellen; jedenfalls hatte sie ruhig und überlegt gesprochen, es sah nicht aus, als sei ihr Entschluß das Resultat einer Augenblickslaune.
Das letzte Stück Wegs zum Betrieb legte Witte zu Fuß zurück, in einem Strom, der sich dem Haupttor zu verdichtete. Er grüßte und wurde gegrüßt, bemerkte aber auch zurückhaltende Blicke, prüfende, skeptische. Panowsky schloß sich ihm an, später der große Klaus und der kleine; man sprach vom Betriebsausflug, vom Wetter, vom Sport, von Ethel und Julius Rosenberg, die in Amerika unschuldig hingerichtet werden sollten; dann kam der Meister Hellwege dazu, Aktentasche mit Stullen und Thermosflasche unterm Arm; seiner Frau ginge es gar nicht gut, die Leber, darum sei er beim Betriebsausflug gestern nicht mitgekommen. Es beunruhigte Witte, daß keiner die Normfrage anschnitt.
Um 5.55 Uhr betrat Witte das Betriebsgelände, begab sich in die Räumlichkeiten der Gewerkschaftsleitung, in denen sich zu der Zeit noch niemand befand, auch Fränzchen nicht, die Sekretärin, stieß ein Fenster auf, blickte hinaus auf die Werksstraße, bedachte sich kurz, hinterlegte auf seinem Schreibtisch einen Zettel mit der

Angabe, wo man ihn erreichen könne, verließ sein Büro, begegnete draußen zunächst dem Arbeiter Kallmann, der ihn sah und sofort weitereilte, und kurz darauf der Greta Dahlewitz. Diese trug einen ölverschmierten Monteuranzug und hatte ein blaues Kopftuch übers Haar gebunden.
Beide, Witte wie Greta, blieben stehen. Greta verzichtete auf die Frage, wie es denn gekommen sei, daß sie sich plötzlich allein auf dem Dampfer Urania fand, Witte dagegen die Rückreise vom Ausflug auf der Titania antrat; sie sagte nur: »Schade, daß du gestern auf dem andern Schiff warst.«
»Wieso?« fragte Witte.
»Auf meinem haben da ein paar zusammengehockt – der Csisek und der Wiesener, der Pietrzuch, der Gadebusch, der Kallmann . . .«
»Kallmann auch?«
»Ja.«
»Sonst noch welche?«
»Ich glaub nicht.«
»Du hast nicht zufällig gehört, Greta, was sie beredet haben?«
»Wie ich dazukam, war alles eitel Bierseligkeit.«
»Auf einem Ausflug finden sich immer Gruppen zusammen.«
»Kann sein. Aber mir ist es aufgefallen. Überhaupt hab ich ein Gefühl, daß komische Dinge vorgehen. Überall wird getuschelt, stecken die Köpfe zusammen, wird mehr noch als sonst geschimpft, herrscht Spannung.«
»Bist ein gescheites Mädchen, Greta«, sagte Witte. »Du weißt, wo ich zu finden bin.«. Und trennte sich von ihr, sowohl um zu vermeiden, daß die Unterhaltung sich persönlicheren Dingen zuwende, als auch um seinen Vorsatz, die nächsten Stunden in intensivem Gespräch mit möglichst vielen Kollegen in den Werkhallen zu verbringen, nicht länger aufschieben zu müssen.
Um 6.20 Uhr betrat er Halle sieben und fand nach einigem Suchen den Vorsitzenden der dortigen Abteilungsgewerkschaftsleitung, Leonhard Lehnert, der damit beschäftigt war, eine Drehbank einzurichten. Auf Wittes direkte Frage erklärte Lehnert, ihm sei nicht bekannt, daß einer in seiner Abteilung von Streik gesprochen hätte; allerdings habe er seine Ohren nicht überall und wisse auch nicht, ob er das volle Vertrauen aller Kollegen genieße; doch sei ihm durch einen Bekannten mitgeteilt worden, dessen Neffe als Hucker an der Stalinallee arbeite, daß dort auf dem Abschnitt G-Nord die Zimmerleute schon im Vormonat die Arbeit verschiedentlich niedergelegt hätten, und zwar wegen Unstimmigkeiten in der Normfrage.
Wittes Anwesenheit sprach sich rasch herum; bald gesellten sich ihm und Lehnert eine Anzahl Arbeiter hinzu, darunter auch mehrere aus der Nachbarhalle neun. Witte bemerkte im Kreise Panowsky

(FDJ), Teterow, Dronke (beide SED), Wiesener, Bartel, Pietrzuch, den großen sowie den kleinen Klaus (sämtlich parteilos), Kallmann, obwohl in Halle sieben beschäftigt, fehlte. Witte brauchte weder Geschick noch Geduld aufzuwenden, um das Gespräch auf das gewünschte Thema zu lenken; vielmehr wurde er sofort von Bartel gefragt, ob er etwa so früh käme, um wieder eine Verpflichtung zur Normerhöhung zu ergattern. »Bei allem guten Willen«, erklärte Bartel, »da hört die Gemütlichkeit jetzt auf.«
»Ich bin nicht gekommen, um zu agitieren«, sagte Witte.
»Wozu denn?« fragte der kleine Klaus. »Etwa um was für uns zu tun?«
»Na, na, na«, warf Teterow ein, »wenn du erst so viel für die Arbeiterklasse getan hast wie der Genosse Witte, dann kannst du das Maul aufreißen.«
»Wir wollen niemandem über den Mund fahren«, sagte Witte. »Ich bin gekommen, um zunächst zu hören.«
»Dann wollen wir dich mal was hören lassen«, sagte Pietrzuch, das Glasauge starr auf Witte gerichtet, aber Wiesener fiel ihm sofort ins Wort, man wisse ja, wo der Kollege Witte in dieser Frage stünde, und der einzelne könne sowieso nichts tun.
»Vielleicht doch?« sagte Witte. »Ich könnte mich jedenfalls bemühen.«
Dronke sprach, ruhig, tiefe Stimme: »Die Kollegen sind so gut wie alle verärgert. Sie haben nicht schlechter gearbeitet als sonst, und plötzlich ist da weniger in der Lohntüte. Ich bin in der Partei, und ich weiß, warum ich drin bin, aber bei mir waren's vierunddreißig Pfennig die Stunde, das spürst du.«
»Du mußt deine Arbeit besser organisieren«, ereiferte sich Teterow. »Da ist doch keiner, der nicht noch seine stillen Reserven hat. Die will die Partei haben. Was ich verloren hab, das schaff ich wieder in der nächsten Dekade.«
»Du vielleicht«, höhnte der große Klaus. »Vielleicht steckst du dir auch noch 'nen Besenstiel hinten rein und wackelst mit dem Arsch bei der Arbeit; das fegt den Fußboden.«
Darauf sagte Panowsky mit Überzeugung: »Der Betrieb gehört uns. Wenn wir heut besser arbeiten, werden wir morgen besser leben.«
»Der Betrieb gehört uns«, sagte Bartel. »Die Maschinen gehören uns. Und was haben wir zu sagen in dem Betrieb, der uns gehört? Da kommt so ein Normarbeiter und stellt sich neben mich. Ich arbeite, wie ich immer arbeite, ruhig, ohne Ausschuß; und dann kommt raus bei ihm, ich kann zwanzig Prozent schneller arbeiten. Und mit wieviel Prozent Ausschuß? Und wer zahlt das? Und das war auch nicht schön von dir, Kollege Witte, daß du uns damals erzählt hast,

die in Halle fünf hätten ihre Normen schon erhöht, und es wäre doch eine Ehrensache für uns auch. Dabei hat's gar nicht gestimmt.«
»Ich weiß«, antwortete Witte. »Aber mir selber ist es damals so gesagt worden.« Den Zusatz: nämlich von Banggartz, ließ er aus.
Der große Klaus sagte: »Wir würden die Normen ja auch von uns aus erhöhen. Wir sind ja keine Unmenschen. Aber nicht unter Zwang. Und die Voraussetzungen müssen dasein.«
»Kollege Witte«, sagte Wiesener, »wenn du ein richtiger Gewerkschafter wärst, da würdest du uns führen.«
»Gegen wen?« fragte Witte.
Wiesener grinste. »Das überleg dir mal selber.«
Dronke sagte: »Du bist doch ein alter Kommunist. Du mußt doch die Interessen der Arbeiter vertreten.«
»Im Sozialismus sind die Interessen der Arbeiter sehr verschiedener Art«, erwiderte Witte. »Darum müssen wir abwägen, welche Interessen zur Zeit den Vorrang haben, die dickere Lohntüte, oder die Investierung in die Zukunft.«
»Große Versprechungen hat uns schon der Hitler gemacht«, sagte der kleine Klaus. »Ich leb heute.«
»Und ich will was darüber zu bestimmen haben, wie ich heut lebe«, forderte Wiesener. »Ich will mir nicht diktieren lassen von einem wie dem Banggartz, der nicht auf uns hört und uns das Maul verbietet.«
»So spricht nur ein Feind«, sagte Teterow. »Und ich muß mich über dich wundern, Genosse Witte, daß du dir so was sagen läßt, ohne zu –«
Eine Glocke schrillte.
»Wir können ja auch die Schnauze halten«, sagte Bartel. »Und wo seid ihr dann?«
»Wir dürfen nicht jeden, der uns kritisiert, zum Feind ernennen«, sagte Witte. »Aber unter denen, die uns kritisieren, gibt es auch Feinde.«
Wieder die Glocke. Ein Lehrling kam, flüsterte Lehnert, der der Debatte schweigend zugehört hatte, ein paar Worte zu. Lehnert sagte: »Die Werkleitung hat angerufen, Kollege Witte. Dr. Rottluff erwartet dich. Sofort.«
Nichts Gutes ahnend, entschuldigte sich Witte: »Ich komme wieder, Kollegen. Wir müssen das noch ausdiskutieren.«
Jemand lachte spöttisch.
Um 7.10 Uhr stieg Witte die Vortreppe des Verwaltungsgebäudes hinauf; sein Bein schmerzte ihn; er wunderte sich, daß Dr. Rottluff vor der üblichen Bürozeit bereits im Betrieb war; vielleicht erwies sich das sogar als günstig, man konnte die Lage besprechen, even-

tuell Maßnahmen treffen, der Bedrohung, wenn sie bestand, steuern.
Dr. Rottluff, noch ungeschützt von seiner Vorzimmerdame, erhob sich, als Witte nach kurzem Klopfen freundlich grüßend eintrat, schüttelte dem Besucher die Hand: »Ich sehe, du bist schon früh bei der Arbeit.«
»Du doch auch«, sagte Witte, und da Dr. Rottluff darauf nicht antwortete, »ich komme gerade von Halle sieben. Ich möchte unser Gespräch vom Sonnabend nicht noch einmal aufwärmen, aber die Stimmung dort ist nicht gut. Ich schlage vor, daß die leitenden Genossen im Betrieb alles andre beiseite legen und die nächsten Stunden damit verbringen, mit den Arbeitern zu sprechen und genau hinzuhören, was die zu sagen haben: und daß wir uns danach treffen und –«
Er brach ab. Das akute Unbehagen des Werkleiters war nicht zu verkennen.
Schließlich sagte Dr. Rottluff: »Ich muß dir leider eine Eröffnung machen, die dir schmerzlich sein wird. Aber du wirst selbst einsehen, daß du mit deiner Einstellung zur Normfrage hier im Betrieb zur Zeit nur schädlich wirken kannst.«
Witte stutzte. »Ich dachte: eher im Gegenteil.«
»Ich spreche mit dir in meiner Eigenschaft als Mitglied der Betriebsparteileitung.« Dr. Rottluff richtete sich auf, zum dienstlichen Gespräch die dienstliche Haltung. »Und im Auftrag des Genossen Banggartz.«
»So feierlich?«
»Ich muß dir leider mitteilen, Genosse Witte, daß du das Vertrauen der Parteileitung nicht mehr besitzt.«
»Entschuldige, ich bin selbst Mitglied der Parteileitung.« Das Groteske der Sache wurde Witte bewußt. »Und ich kann mich nicht entsinnen, daß eine Sitzung stattgefunden hätte, wo ein solcher Beschluß gefaßt wurde.«
»Die Sitzung wird stattfinden« – Dr. Rottluff warf einen Blick auf seinen Schreibtischkalender – »am Donnerstag, dem 18. Juni, um fünfzehn Uhr, in Anwesenheit von Vertretern der Betriebsgewerkschaftsleitung. Bis dahin kannst du dir überlegen, wie du deine Haltung in den letzten Wochen vertreten willst und welche Stellung zur Normfrage du dann einnehmen möchtest. Und bis dahin ersuche ich dich, das Gelände von VEB Merkur nicht mehr zu betreten.«
Witte spürte eine plötzliche Kälte in den Extremitäten, Folge der Wirkung des Vernommenen auf sein vegetatives Nervensystem. »Genosse Dr. Rottluff«, fragte er, die Stimme rauh, »seit wann weißt du das alles?«

»Seit Sonnabend nachmittag.«
»Warum hast du mir dann gestern nichts gesagt – auf dem Dampfer, oder in dem Gartenlokal? Wir saßen doch lang genug beisammen.«
»Vielleicht wollte ich dir den schönen Tag nicht verderben – und mir. Und dann hoffte ich noch . . .« Dr. Rottluff spielte mit seinem Bleistift. »Als ich allerdings heut früh erfuhr, daß du bereits in Halle sieben –«
»Und wenn ich nun nicht mitspiele bei der Farce? Wenn ich bleibe?«
»Genosse Banggartz hat mich beauftragt, dem Betriebsschutz die notwendigen Anweisungen zu erteilen.« Die Bleistiftspitze knickte ab. »Begreif doch –«
»Wenn du gestattest«, unterbrach Witte, »möchte ich mich jetzt erst mal mit Banggartz unterhalten. Wann kommt er?«
»Banggartz hat mir gesagt, falls du mit ihm zu reden wünschst, er hätte eine dringliche Besprechung außerhalb des Betriebs und wüßte nicht, wie lange sie dauern würde. Deine Argumente könntest du am Donnerstag vorbringen, vor allen Genossen der Leitung. Begreif doch –«
»Was soll ich begreifen?«
»Wie schwer das ist. Kannst du dich denn nicht ein bißchen einsichtig zeigen? So viel wird doch gar nicht verlangt von dir . . .«
Witte winkte ab. »Du mußt mir helfen, Genosse Dr. Rottluff. Helfen, im Betrieb zu bleiben.«
»Glaubst du denn, es ist mein Wunsch, dich zu entfernen?« Der Werkleiter klopfte sich auf die Herzgegend. »Ich weiß deine Arbeit und den Einfluß, den du auf die Leute hast, zu schätzen. Aber soll ich mich auch noch gegen die Partei stellen?«
Witte nickte verständnisvoll. »Nur, was machen wir, wenn gestreikt wird?«
»Gestreikt?«
»Ja.«
»Das meinst du doch nicht im Ernst. Das gibt's doch gar nicht, bei uns. Wer soll das organisieren? Deine Gewerkschaft?«
»Das wohl kaum.«
»Wie kommst du überhaupt auf den Gedanken?«
»Er liegt nahe genug. Ich bin selber Arbeiter gewesen und habe an der Maschine gestanden, im Kapitalismus, und auch jetzt. Ich weiß also, wie Arbeiter reagieren, wenn man ihnen Opfer zumutet, ohne ihnen verständlich zu machen, warum.« Witte setzte sich und akzeptierte eine von Dr. Rottluffs Zigaretten. »Außerdem ist mir's letzte Nacht unmißverständlich angedeutet worden. Darum bin ich ja heute so früh in die Halle sieben gegangen: um mit den Arbeitern

zu reden, um festzustellen, wie weit der Gedanke verbreitet ist.«
»War das nicht riskant? Der Genosse Banggartz würde dir sagen, du brächtest die Leute mit derart Fragen erst auf die Idee!«
»Unterschätz die Arbeiter doch nicht. Wir selber haben sie gelehrt: Alle Räder stehen still . . .«
»Und was haben deine Nachforschungen ergeben?«
»Schlüssiges kann ich dir noch nicht mitteilen. Dein Anruf kam dazwischen. Aber ich kann dir ungefähr sagen, wie sich's in dem oder jenem Kopf darstellt: Bei Preisen, Lebensmittelkarten und so weiter hat die Regierung schon nachgegeben, warum nicht auch bei den Normen, die Herren sind schwach auf der Brust, haben ihre Fehler bekannt, da braucht's nur ein bißchen Druck, einen kleinen Streik . . . Klingt logisch, nicht?«
»In puncto Normen sind mir die Hände gebunden.«
»Frag dich doch mal, wie viele bei VEB Merkur so denken könnten, und wie viele in wieviel anderen Betrieben, und falls es zum Streik kommt in einem Betrieb, wieviel andere anderswo mitstreiken würden, und was für politische Folgen das haben kann in einer offenen Stadt in einem offenen Lande.«
»Konkret, was meinst du, was ich tun soll, hier und jetzt?«
»Was die leitenden Genossen jetzt zu tun haben, das habe ich dir schon gesagt, als ich hereinkam. Und dann würde ich empfehlen, daß du meine Zwangsbeurlaubung zurückziehst.«
»Wie soll ich das verantworten?«
»Aber das andere kannst du verantworten?«
»Du weißt doch, wie es ist, Genosse Witte: ein Bürgerlicher, ein Fachmann, wer glaubt mir, wenn ich einen Fehler mache, und wo ende ich dann. Aber du, mit deinen langen Jahren in der Partei, du mußt doch Genossen oben kennen, die helfen können – dir, mir, uns allen. Du verstehst.«
»So jämmerlich es ist, ich verstehe.«
Um 8.30 Uhr fuhr Witte in einem betriebseigenen Wagen, von Dr. Rottluff ihm zur Verfügung gestellt, durch das Haupttor von VEB Merkur hinaus in Richtung Innenstadt.

10

Montag, 15. Juni 1953, 9.00 Uhr
durchschritt Witte einen langen Wandelgang mit getäfelten Türen zur Rechten und Linken, deren eine in das Büro des Genossen Dreesen führte. Dreesen, dachte er, anständig von ihm, daß er gesagt hat: Komm gleich herauf. Er kannte andere, die sich zunächst hinter Terminen verschanzt hätten, hinter Sitzungen, Besprechun-

gen; nicht so Dreesen. Dreesen liebte die direkte Beziehung, den Menschen, den Genossen; und Dreesen stand der Spitze nahe genug, um Informationen zu haben und raten, weiterhelfen, Einfluß nehmen zu können.
Bei der Begrüßung Wittes sagte Dreesen: »Warum hast du dich so lange nicht sehen lassen, mein Lieber. Alte Freundschaft rostet nicht, das stimmt, aber pflegen sollte man sie doch. Manchmal denke ich zurück an die Zelle im Zuchthaus, und ich frage mich, was aus dem geworden wäre oder aus dem, wenn er's überlebt hätte; und wie bitter nötig brauchten wir sie heute. Ein bißchen hager bist du um die Kiemen herum, vielleicht solltest du mal ausspannen. Ich kenne ein Sanatorium, da könnte ich dich eventuell unterbringen: Stille, Tannen, Berge, und ein Essen! Für mich ist das schon nichts, ich muß Diät halten, du könntest's genießen. Doch du bist nicht deiner Gesundheit wegen gekommen, nehme ich an . . .«
Das Haar, dachte Witte, ist ihm weiß geworden, und der rötliche Abglanz auf dem Gesicht, sein Kreislauf ist nicht in Ordnung; aber der Ausdruck der Augen hat sich nicht geändert: wach prüfend, und doch gütig.
Nachdem sie Platz genommen hatten, nicht übereck an Schreib- und Konferenztisch, sondern an dem kleinen runden Kaffeetisch am andern Ende des Raums, Gruppe mit Sesseln und Gummibaum, sagte Dreesen: »Kaffee? Zigarette? Ich rauche nicht mehr, ich nehme Pillen. Manchmal denke ich auch über dich nach. Du neigst zu wilden Sachen, machst dich unbeliebt. Aber ich meine, es sind die Schlechtesten nicht, die einen eigenen Kopf haben. Ich hab dich damals ja auch herausgehauen, wie hieß der Kerl bloß, um den es ging, Kaske, Kasischke, ein widerlicher Bursche.«
Weiß er schon, dachte Witte, und ist das ein Hilfsangebot? Jetzt schweigt er, wartet, daß ich etwas sage. Wie fang ich am besten an.
Eine Sekretärin brachte Kaffee, verschwand wieder auf leisen Sohlen.
Witte sagte: »Meinen Bericht hattest du doch bekommen?«
Dreesen sagte: »Ja, und ich habe ihn weitergegeben. Ist etwas darauf erfolgt?«
Witte sagte: »Nicht eigentlich. Nur die Lage im Betrieb hat sich zugespitzt. Außerdem habe ich Unannehmlichkeiten mit meinem Parteisekretär, dem Genossen Banggartz – andere Erfahrungen, andere Temperamente. Aber natürlich stehen unsere Meinungsverschiedenheiten in Zusammenhang mit den großen Fragen, und die sind hier wichtig, und darum bin ich gekommen.«
»Also was ist«, sagte Dreesen.
Witte, hier und da Bezug nehmend auf seinen schriftlichen Bericht, sprach von den Stimmungen im Betrieb, spürbar schon seit Mona-

ten und nun sich rapide verschärfend; er skizzierte die Auswirkungen der verschiedenen Regierungsverordnungen und deren teilweiser Rücknahme auf das Denken der Arbeiter; er zitierte konkrete Zahlen, die Normerhöhung betreffend; er schilderte Einzelheiten seines Gesprächs in der Frühe in Halle sieben.
Dreesen hörte ihn an. Harter Kurs, weicher Kurs, neuer Kurs, dachte er, wie es war, geht es nicht mehr, irgendwo schlägt eine enorme Quantität um in eine neue Qualität, da werden viele unsicher, so auch der Genosse Witte, in solchen Zeiten ist Ruhe wichtig, die Kader stützen, die sich auseinanderzusetzen haben mit dem Volke und die das ganze Gebäude tragen.
Witte sagte: »Wir haben nicht die Peitsche, die der Kapitalist über die Köpfe der Leute hält, und noch weniger das Zuckerbrot, das er bieten kann. Wir müssen mit Argumenten überzeugen, die jedem verständlich sind, und mit Fakten. Verfügungen und Verordnungen bringen uns nicht weiter. Damit erzeugen wir nur Widerstand, eventuell sogar Streik.«
Dreesen erschrak. »Streik? Unsere Arbeiter wissen doch, daß alles, was Partei und Regierung tun, zu ihrem Besten geschieht. Und denen, die es nicht wissen, sollten wir es klarmachen können.«
Witte sagte: »Unsere Arbeiter. Das besitzanzeigende Fürwort verleitet zu Selbsttäuschungen.«
Und wenn er nun recht hat, dachte Dreesen, da war der Zwischenfall an der Stalinallee gewesen, vor ein paar Tagen, das Neue Deutschland hatte gestern auch davon berichtet, fast ein Streik, der Parteisekretär von VEB Wohnungsbau war schuld, mit seinen Holzhammermethoden, sicher, aber der allein?
Witte sagte: »Der Bericht, den ich dir geschickt habe, kann doch nicht der einzige gewesen sein, den ihr bekommen habt.«
»Nein«, sagte Dreesen und dachte an die dicke Mappe, die der Genosse Pettenkofer ihm unter die Nase gehalten hatte, Selbstverpflichtungen zu weiteren Normerhöhungen, Lob der Partei, daß diese den längst fälligen Schritt zur Normerhöhung getan, Stimme der Massen.
Witte schwieg.
Dreesen sagte: »Es ist gut, daß du gekommen bist. Wir haben dann sowieso eine Sitzung, mit dem Genossen Pettenkofer, ich werde deine Warnungen vortragen. Und für dich ist doch alles klar. Du gehst zurück in deinen Betrieb; die Genossen, vor allem die leitenden, müssen mobilisiert werden, man muß mit den Arbeitern reden, sofort, eventuell Maßnahmen ergreifen, daß nichts passiert. Und wenn dein Parteisekretär, dieser Banggartz, nicht spurt, dann laß es mich wissen. Meine Unterstützung hast du.«
Witte sagte: »Gut. Die Arbeiter in Halle sieben erwarten mich.

Aber vielleicht bist du so freundlich und läßt dem Genossen Dr. Rottluff, unserem Werkleiter, die Anweisung geben, daß ich den Betrieb wieder betreten darf.«
Dreesen hob den Kopf. »Was ist das wieder für ein Unsinn?«
Witte sagte: »Ich bin zwangsbeurlaubt, weil ich mich geweigert habe, die Normerhöhungen den Arbeitern gegenüber noch weiter zu vertreten.«
»Ach, das sind deine Meinungsverschiedenheiten mit dem Genossen Banggartz!« Dreesen zog eine Pappschachtel aus der Tasche und schluckte eine gelbe Pille. »Du kannst dich nicht gegen einen ZK-Beschluß stellen.«
Witte fragte: »Und wenn auch der falsch ist?«
Es sticht in der Brust, dachte Dreesen, die Pillen wollen nicht mehr helfen. Was sagen die Ärzte, Koronarinsuffizienz, fettige Ablagerungen in den Gefäßen, Abnutzungserscheinungen. Wieso nutzt der Stuhl, auf dem ich sitze, nicht den Hintern ab, sondern das Herz? Und sagte: »Ich habe dir meine Unterstützung zugesagt, aber nicht gegen die Partei. Auch wenn du in dem oder jenem recht hast – du hast dich selber zwangsbeurlaubt.«
Witte sagte: »Es geht mir nicht um mich! Von mir aus, schick einen andern Genossen hin, aber mit den richtigen Instruktionen.«
Dreesen sagte: »Streik. Zum Streiken braucht man Organisation.«
Witte sagte: »Nicht gar so viel, wenigstens am Anfang. Und wenn eine Organisation bestünde?«
Dreesen sagte: »Der Feind hat seine Finger überall im Spiel, das ist wahr, damit muß man rechnen.«
Witte sagte: »Der Feind ist da, aber was wäre er ohne unsere Schwächen.«
Dreesen sagte: »Wenn du nur eine etwas erfreulichere Kaderakte hättest. Das würde manches erleichtern.«
Witte sagte: »Nazi müßte man gewesen sein. Dann hätte man keine Parteivergangenheit, in unsrer Partei.«
Dreesen sagte: »Das hättest du dir sparen können. Ich gehe jetzt zu Pettenkofer hinüber.«
Witte lehnte sich zurück im Sessel, schloß die Augen. Schöne Ruhe hier, dachte er, nur das Klappern der Schreibmaschine im Vorzimmer, und das kaum hörbar. Hier kann einer nachdenken. Oder verrückt werden. Ein Sanatorium kennt er, Berge, Tannen, Einsamkeit, Essen. Warum gehe ich nicht in sein Sanatorium, von mir selber zwangsbeurlaubt, das wäre auch eine Lösung. Ja, hätte ich eine erfreulichere Kaderakte für den Genossen Pettenkofer. Jetzt schweigt auch die Schreibmaschine.
Dreesen kam zurück, sagte: »Die Sache hat sich kompliziert.«

Witte sagte: »Wieso? Du hattest doch kaum Zeit, den Genossen Pettenkofer ins Bild zu setzen.«
Dreesen sagte: »Der Genosse Pettenkofer war bereits im Bilde. Banggartz war als erstes heute früh bei ihm.«
Witte sagte: »Wie im Märchen. Immer sagt der Igel zum Hasen, ich bin schon allhier, und der Hase hetzt sich zu Tode.«
Dreesen sagte: »Ich habe den Genossen Pettenkofer von deinen Befürchtungen informiert. Der Genosse Pettenkofer meinte darauf, durch deinen Widerstand gegen die Parteibeschlüsse wärst du bei VEB Merkur zum Zentrum des Widerstands gegen die Normerhöhungen geworden; darum hätte Banggartz dich aus dem Betrieb entfernt.«
Witte sagte: »Warum werde ich dann nicht verhaftet? Das langt doch.«
Dreesen dachte: Daß er immer aussprechen muß, was man selber sich nicht eingestehen möchte.
Witte fuhr fort: »Und was nun? Was gedenkst du zu tun? Nicht in meiner Sache, das ist unwesentlich. In Sachen Streik?«
Dreesen sagte: »Das muß ich mir überlegen.«
Witte sagte: »Ich bitte dich, überleg nicht zu lange.«

11

Montag, 15. Juni 1953, 11.00 Uhr
saß der Arbeiter Kallmann bei seiner zweiten Flasche Brause in der Kantine von VEB Merkur und kaute an den Stullen, die seine Frau Dora ihm mitgegeben hatte. Am gleichen Tisch, der sich etwa sechs Meter in schräger Linie vom Eingang des Speisesaals und dem dort angebrachten Schwarzen Brett befand, saßen der Arbeiter Bartel, der alte Schreyer sowie mehrere Kallmann nicht oder nur flüchtig bekannte Kollegen. Das Gespräch am Tisch war schleppend; man redete von einem mißlungenen Werkstück, und der alte Schreyer gab umständlich seine Meinung dazu kund; doch war es klar, daß die Gedanken aller Beteiligten nicht bei diesem Thema waren, sondern bei dem Anschlag am Schwarzen Brett. Kallmann hatte den Anschlag beim Betreten des Saales gelesen, und zwar zu wiederholten Malen. Der Text lautete:

Normenschinderei!

Kollegen! Arbeiter von VEB Merkur! Zehn Prozent Normerhöhung sind zehn Prozent Lohnsenkung! Zehn Prozent Normerhöhung sind zehn Prozent mehr, die aus euren Knochen herausgeschunden werden! Erinnert ihr euch an die Versprechen von Partei und Regierung? – Höhere Löhne, niedrigere Preise! Und was erhaltet ihr? – Niedrigere Löhne, höhere Preise! Das ist kein Sozialismus, das ist Blutsaugerei! Aber ihr könnt euch zur Wehr setzen! Geeint seid ihr stark! *Aktionsausschuß der Sozialisten*

Das, dachte Kallmann, unterschied sich beträchtlich von den üblichen Bekanntmachungen und den aus der Partei- und Gewerkschaftspresse abgeschriebenen Losungen und Artikeln, die sonst am Schwarzen Brett hingen. Das war die Sprache, die an die Nieren ging, und wer es auch immer verfaßt und säuberlich mit Tusche geschrieben und mit vier Reißzwecken ans Brett geheftet hatte, verstand sich auf sein Handwerk. Und das Dollste war, dachte Kallmann, daß es niemandem einfiel, selbst keinem der anwesenden Genossen, das Ding einfach abzureißen. So hing es da und wirkte, und alle, die in die Kantine kamen, lasen es. Sie lasen es, holten sich stumm ihr Essen, suchten sich irgendwo Platz und harrten der Dinge, die da geschehen mußten. Niemand ging weg, viele aßen im Stehen; die Hitze, verstärkt durch die Küchendämpfe, wurde trotz des offenen Oberlichts immer drückender. Kallmann blickte sich um. Gadebusch saß am anderen Ende des Saales, die Nase über dem Teller, in seinen Eintopf mit Nudeln vertieft; Wiesener, Csisek, Pietrzuch, jeder an einem anderen Tisch, waren gleichfalls mit sich selber beschäftigt, der eine in den Zähnen stochernd, der andre seine Nägel betrachtend. Möglich, dachte Kallmann, daß der Anschlag aus wieder anderer Quelle stammte; bei der Lage im Betrieb und wohl auch draußen mochte der Teufel wissen, wie viele unter den Kollegen den Drang zum Aufmucken verspürten und woher der Anstoß kam. Er griff nach seiner Brause, stellte die Flasche wieder hin: Greta Dahlewitz war aufgetaucht und stand vorm Schwarzen Brett.
Greta Dahlewitz las. Sie begriff sofort, was das Stück Papier da bedeutete, aber das Ganze erschien ihr so ungeheuerlich, daß sie etwa dreißig Sekunden lang fassungslos war. Dann, ohne weiter zu überlegen, griff sie nach dem Anschlag, wollte ihn abreißen. Wiesener packte sie beim Arm: »Das bleibt hängen.« »Läßt du mich los«, sagte Greta, »du Schuft.« Wiesener hielt sie fest. Greta sah sein großporiges Gesicht direkt vor dem ihren, die winzigen Pupillen in den fahlen Augen, den bösartig verkniffenen Mund. Wer wird sich um die Kinder kümmern, dachte sie, wenn mir etwas zustößt. Dann dachte sie, der Wiesener ist doch auch nur ein Arbeiter, warum soll er mir was antun. Dann sah sie die andern, die sich genähert hatten, und war nicht mehr so überzeugt von der Sanftmut ihrer Kollegen. In diesem Augenblick sagte der große Klaus zu Wiesener: »Laß los, wir schlagen uns hier nicht mit Frauen.« Wiesener ließ tatsächlich los und trat zurück und verschwand zwischen den anderen, und

Greta hoffte, der große Klaus würde auch, was den Wisch am Brett betraf, zur Vernunft mahnen, aber statt des großen sprach der kleine Klaus: »Warum willst du's nicht hängen lassen, Greta, vielleicht hilft's?« »Bist du verrückt?« sagte Greta und rückte sich das Kopftuch zurecht. »Es ist gegen die Arbeiterpartei und gegen die Arbeiterregierung, wie soll's da den Arbeitern helfen?« Bartel, der hinzugetreten war, sagte: »Vielleicht hilft's, damit sie einsehen, was sie mit Arbeitern machen können und was nicht, wir wollen doch keinen Rabatz machen, wir wollen nur, daß uns einer hört.« »Gut«, sagte Greta, »ich gehe und hole den Genossen Banggartz, der wird euch anhören.« Und wußte, kaum daß sie's gesagt hatte, daß Banggartz nicht der richtige Mann war, um andere anzuhören; er hatte seine guten Eigenschaften, zweifellos, sonst hätte die Partei ihn nicht auf seinen Platz gestellt, aber für den vorliegenden Zweck war Witte besser geeignet; nur war Witte nicht zur Verfügung, suspendiert plötzlich, hatte es geheißen, herausgeschmissen also aus dem Betrieb, auf Zeit oder für immer, und gerade jetzt, was für ein Unglück.
Kallmann war nachdenklich. Er bemerkte, daß Gadebusch nicht mehr aß; Gadebusch saß da leicht lächelnd, aber alles an ihm war gespannt wie bei einem Raubtier, das Witterung genommen hat. Und noch einer beobachtete Gadebusch: Mosigkeit. Mosigkeits Hände zuckten, Mosigkeit hatte Angst unter seinem Fett, und das wohl zu Recht. Pietrzuch und Csisek hatten sich erhoben, und noch der und jener, und strebten dem Schwarzen Brett zu. Es erinnerte Kallmann an die Saalschlachten Anfang der dreißiger Jahre, hie Braun, hie Rot, an die Minuten der Spannung, bevor es losging. Jetzt gab es eine Stauung am Eingang; aus dem Gewühl schälte sich Banggartz heraus, hinter ihm das Kopftuch, Greta Dahlewitz. Kallmann, Doras Stullen im Magen wie Bleiklumpen, wußte: die Kraftprobe. Er hatte aber keinen Plan, noch nicht.
Banggartz' erster Blick, noch von der Tür her, hatte den Genossen gegolten. Teterow war anwesend, Panowsky, doch die waren von der sich als recht tüchtig erweisenden Genossin Dahlewitz mitgeschleppt worden. Den Lehnert konnte er erkennen, den AGL-Vorsitzenden von Halle sieben, ferner den Meister Hellwege. Und die andern? Weiße Flecke, lauter weiße Flecke die Gesichter. Seit wann hing diese Sauerei am Brett, und keiner hatte etwas unternommen, sie mußten es doch gesehen haben. Banggartz ging auf das Brett zu, betrachtete das Papier, die Schrift, die sauberen Buchstaben: das war mit Liebe geschrieben. Drohend fragte er. »Wer hat das hier angeschlagen?« und dachte, falsch, dieser Ton schon zu Anfang, gleich wittern die was von Polizei und Bestrafung; und lachte, zu laut vielleicht, und rief aus: »Aktionsausschuß der Sozialisten,

saubere Sozialisten, verleumden die sozialistischen Maßnahmen von Partei und Regierung!« Niemand antwortete. Weiße Flecke, dachte Banggartz, wo sind die Gesichter, wo sind die Genossen, ich müßte zum Augenarzt; aber beeindruckt sind sie doch, man muß nur mit Entschiedenheit sprechen. »Kollegen! Hier habt ihr ein Beispiel, wie der Klassenfeind durch seine Agenten, die er einschleust in unsre Mitte, die historischen Beschlüsse der zweiten Parteikonferenz für die Schaffung der Grundlagen des Sozialismus und eines besseren Lebens für die ganze Bevölkerung zu sabotieren sucht. Sabotieren, jawohl. Der Feind ist verzweifelt, weil er erkennt, daß die Werktätigen der Deutschen Demokratischen Republik, die das Joch der Imperialisten und Monopolisten ein für allemal abgeworfen haben, mit gefestigtem Bewußtsein vorwärtsschreiten und ständig mehr und besser arbeiten, so daß –«
»Normen«, sagte jemand, sehr ruhig. »Sprich von den Normen.«
»Dazu komme ich schon!« rief Banggartz und dachte, was ist los, daß ich so viel Zeit brauche und so viel lange Sätze, früher sind mir die richtigen Worte doch eingefallen, bei jeder Auseinandersetzung, verständliche Worte, beweiskräftig, überzeugend; jetzt war alles so kompliziert geworden, gestern hüh und heute hott, und wie leicht lag man schief, am besten war ein fester Text, ein Rednerpult, das einen schützte. Ja, Witte. Witte, dachte er, hätte diesen Haufen gemeistert, Witte sagte Dinge, die nicht vorher in den Anweisungen gestanden hatten; aber gerade darin lag die Wurzel der Disziplinlosigkeit, und es ist Wittes Saat, dachte er, die da aufgeht vor meinen Augen.
»So sprich von den Normen!« Das war Wiesener, herausfordernd. »Erzähl uns mal, wieso zehn Prozent weniger Lohn das Leben verschönern und dem Sozialismus auf die Beine helfen!«
Banggartz suchte seine Gedanken zu sammeln. »Bekanntlich ist es so«, sagte er, »daß wer mehr essen will, auch mehr produzieren muß, und wer –«
»Aber je mehr wir produzieren, desto höher setzt ihr die Norm, und desto weniger kriegen wir«, sagte Wiesener. »Wie sollen wir da mehr essen?«
»Bist doch Arbeiter!« sagte Teterow, um Banggartz zu stützen. »Wenn du die Republik stärkst, stärkst du dich selber.«
Darauf Schweigen. Welche Kälte, dachte Banggartz, welche Ablehnung. »Jawohl!« rief er, »der Genosse Teterow hat es richtig gesagt, unsere Republik, dafür geben wir nicht nur ein paar Prozent Norm, dafür geben wir –«
»Immer wir!« Wieder Wiesener. »Wir haben immer opfern müssen, wir Arbeiter, unser ganzes Leben lang. Auf unserm Rücken haben sie alle gelebt. Aber jetzt, in unsrer Republik, wie du sagst, da

wollen wir's bißchen besser haben. Wir auch. Nicht nur die oben.«
Weiße Flecke. Doch jetzt begannen vor Banggartz' Augen die Gesichter sich zu formen, feindselige, höhnische, belustigte. Warum verstehen sie nicht? dachte er. Sie arbeiten doch für sich selber. Aus dem, was sie schaffen, soll der Sozialismus erwachsen; jedem ein Leben in Wohlstand; Brot und Wohnung und Kindergärten und Schulen und Krankenhäuser und Ferienheime und Bücher und Musik, für alle. Warum kann ich's ihnen nicht richtig erklären? Ich seh's doch vor mir, Paläste in Rosa und Gelb und herrliche Gärten und breite Straßen mit glänzenden Automobilen, und keine Mietskasernen mehr, keine Ruinen mehr, keinen Schmutz, keine Krankheiten, keine Schlechtigkeit, keine Kriege . . .
»Kollegen!« sagte er. »Seht mich doch an – was hab *ich* denn davon?«
»Du sitzt an deinem bequemen Schreibtisch und fährst in deinem bequemen Auto!«
Banggartz wandte sich gegen den neuen Peiniger, Pietrzuch.
»Ein werkseigener Wagen, den ich nur dienstlich benutze!«
Hohnrufe. Unter den Gesichtern erkannte Banggartz das von Mosigkeit, voller Mitgefühl. Ausgerechnet der, dachte Banggartz, ausgerechnet die Sympathie des Betriebsnarren hab ich.
»Kollegen!« sagte er gequält. »Nur wenn wir die Normen erhöhen und die Produktion steigern, werden wir vorankommen. Nur so werden wir den Sozialismus erkämpfen –«
»Zukunftsmusik! Was zahlt ihr heute?«
Banggartz konnte sich nicht mehr verständlich machen; auch wer sonst noch ihm beizustimmen beabsichtigte, Teterow, Panowsky, Greta Dahlewitz, ging unter in dem Tohuwabohu. Banggartz wurde hin und her gestoßen; in seinem Kopf verwirrten sich die Gedanken; es war wie ein böser Traum, unsinnig, unerhört, Arbeiter gegen die Arbeiterpartei und ihren Sekretär; und wer war schuld daran, Leute wie Witte: Witte, der die Normerhöhung nicht vertrat, Witte, der sich gegen die Partei stellte, Witte, der diesen Aufruhr zu verantworten hatte. Banggartz warf sich gegen die Menge, die ihn umringte, gewann Raum, drang durch bis in die unmittelbare Nähe des Schwarzen Bretts. Auf den Anschlag weisend, proklamierte er: »Agentenarbeit ist das!« und fuhr den alten Schreyer an, der direkt vor dem Brett stand: »Mach das ab und her damit, von jetzt an ist das eine Angelegenheit für die Staatssicherheit.«
Der Alte, ob erschreckt oder gekränkt, rührte sich nicht. Csisek, neben Schreyer, grinste Banggartz an: »Wenn du's haben willst, hol's dir doch selber!«

Banggartz sah das Grinsen, den Zettel am Brett, die vier Reißzwekken. Zuerst die Reißzwecken, dachte er, man darf das Papier nicht beschädigen, es wird uns den Weg weisen zu dem Täter. Er zog sein Messer aus der Tasche, ließ die Klinge aufspringen. Csisek brüllte: »Er will mich erstechen!« Banggartz wurde gepackt, zurückgerissen. Das Messer entfiel ihm. Die Knie wurden ihm weich, er sah sich am Boden liegen, zertrampelt, aus dem Mundwinkel ein Rinnsal Blut, glasig das Auge.
Da handelte Kallmann. Kallmann stellte sich vor Banggartz, fing mit der eignen Brust die Fausthiebe auf, die dem Parteisekretär galten, hob abwehrend den Arm: »Sachte, sachte, Kollegen!« Und das Taschenmesser vorzeigend, das er aufgehoben hatte: »Mit dem Ding kann einer doch höchstens den Bleistift spitzen.«
Das schuf Erleichterung für Banggartz, Erleichterung aber auch bei denen, die eben noch mit Gewalttat drohten; sie waren eher ruhige und ordnungsliebende Menschen und der Gesetzlosigkeit abhold. Banggartz spürte den Stimmungswandel. Er blickte sich um nach seinem Retter: der Genosse verdiente Anerkennung. Doch war der kein Genosse: ein Parteiloser war in die Bresche gesprungen, Kallmann hieß er wohl; ein Mann, dachte Banggartz, von dem die anwesenden Genossen lernen konnten, wie man sich enger um die Partei und deren führende Kader zusammenschließt, statt zwecklos herumzustehen, betreten und zerknittert.
»Kollege Kallmann«, sagte Banggartz, »ich danke dir.«
Kallmann seinerseits gab Banggartz zu bedenken: »Geh lieber. Zum Diskutieren ist später Zeit, wenn sie sich abgekühlt haben.« Dann nahm er den Anschlag vom Brett, und eingedenk der Drohung von Banggartz, die Sache der Staatssicherheit zu übergeben, zerstörte er das Corpus delicti, indem er es in kleine Stücke zerriß.
Banggartz war sich im Zweifel, ob er dem Rat des verdienstvollen Mannes folgen sollte. Wenn ich jetzt gehe, dachte er, sieht es nach Rückzug aus; das ist taktisch ungünstig, und außerdem habe ich mich nie gedrückt, wenn's drauf ankam. Andererseits spricht manches für Kallmanns Anschauung, daß wenig zu gewinnen ist, solange die Gemüter erhitzt sind und allgemeines Durcheinander herrscht. Eine ordentliche Versammlung, mehrere Versammlungen sogar muß man einberufen, vorher natürlich die Parteigruppen zusammenholen und die Frage prinzipiell stellen, woher der Mangel an Wachsamkeit; wir waren zu duldsam, wenn wir nicht handeln, handelt der Feind, die Lehren aus den Ereignissen müssen gezogen werden; ferner eine bessere Zusammenarbeit mit den Genossen von der Staatssicherheit, dieser Anschlag kommt nicht von ungefähr, Witte; auch Witte darf nicht ausgenommen sein von der Untersuchung, der Klassenkampf verschärft sich, je mehr die

Imperialisten in die Enge getrieben werden.
»Kollegen«, sagte er laut und deutlich, »was heut geschah, ist ein ernstes Anzeichen, und es wird noch darüber gesprochen werden müssen.«
Und verließ die Kantine.
Greta Dahlewitz hob ihr Kopftuch auf. Sie dachte nach über Banggartz: ob er nicht besser daran getan hätte, sich jetzt mit den Arbeitern an einen Tisch zu setzen und die Normfrage zu besprechen. Dann dachte sie nach über Kallmanns Verhalten; je länger sie darüber nachdachte, desto sonderbarer erschien es ihr.

12

Montag, 15. Juni 1953, 12.00 Uhr
stand Anna Hofer hinter dem Ladentisch in der Lebensmittelverkaufsstelle 144 der staatlichen Handelsorganisation (HO), Verkaufsstellenleiterin die Kollegin Wenzel, von bösen Zungen auch die Scharwenzel genannt. Anna bediente eine Anzahl Kunden meist weiblichen Geschlechts, von denen ein Teil infolge übermäßig stärkehaltiger Diät (Kartoffeln, Nährmittel, Brot) zu Fett neigte. Sie nahm die gewünschte Ware, wenn vorhanden, aus Schubfächern oder Regalen, wog ab, verpackte, schrieb Kassenzettel, verrechnete; dachte dabei jedoch an anderes, an den sanft schnarchenden Hofer, allein geblieben in ihrem Bett, an den Abschied von Witte, an das Nein der Scharwenzel, mein Mann würde das nie gestatten, da müssen Sie sich anderswo umsehen, tut mir leid.
Der wachsende Andrang erzeugte Streit. Bruchstücke drangen in Annas Bewußtsein.
». . . schubsen Sie nicht so, gefälligst . . .«
». . . immer vordrängen, ist das 'ne Art . . .«
». . . zuerst kommt, mahlt zuerst . . .«
». . . arbeitende Bevölkerung . . .«
». . . schwerbeschädigt . . .«
». . . kann jeder behaupten . . .«
Anna versuchte lächelnd zu schlichten. »Bitte, meine Damen, stellen Sie sich doch an.« Aber sie erreichte nur, daß die Verärgerung, bisher aufgesplittert, eine einheitliche Richtung erhielt.
». . . was, anstehen, immer nur anstehen . . .«
». . . haben wir nicht, haben wir nicht, wann haben Sie denn mal was? . . .«
». . . greifen Sie unter den Ladentisch, junge Frau . . .«
». . . die Karten sind weg am zwölften. Und was setz ich auf den Tisch heut am fünfzehnten, bei den Preisen? . . .«

». . . acht Jahre nach dem Krieg. Die in West-Berlin haben den Krieg wohl nicht verloren? . . .«
». . . wissen Sie, wie lang ein Maurer arbeiten muß für ein Pfund HO-Butter? . . .«
»Kollegin Wenzel!« rief Anna. Aber sie wußte, es war zwecklos, Schwierigkeiten ging die Scharwenzel aus dem Wege.
»Ich bin jetzt dran!« Eine kratzende Stimme. »Fünf Pfund Butter.« Anna sah den gefärbten Dutt, der zu der Stimme gehörte, und jenseits des Dutts, in der Tür, Witte, der sich suchend umblickte.
»Sind Sie schwerhörig, Fräulein?«
»Wie bitte?«
»Fünf Pfund Butter.«
»Ein halbes kann ich ihnen geben.«
Die Einkaufstasche knallte auf den Ladentisch. »Ein halbes? Aber große Bilder im Schaufenster, sollen wir uns den Marx aufs Brot schmieren oder Walter Ulbricht?«
Nicht mehr lange, dachte Anna, dann klirrt es. Plötzlich sah sie Witte wieder, nunmehr dicht neben dem Dutt. Witte erkundigte sich, für alle hörbar: »Und was, gute Frau, hatten Sie vor mit den fünf Pfund Butter?«
»Sie meinen wohl, Sie können Ihre Nase in alles stecken, bloß weil Sie das Bonbon an der Jacke tragen?« keifte die Frau, auf sein Parteiabzeichen weisend.
»Fünf Pfund werden doch ranzig, bei der Hitze.«
»Das ist meine Butter, das kümmert Sie einen Dreck, und überhaupt, was Sie sich einbilden, aber das geht nicht mehr lange, die Leute haben es satt.«
»Ich will Ihnen sagen, gute Frau, was Sie vorhaben mit diesen fünf Pfund Butter. Die stecken Sie hinein in Ihre Einkaufstasche zu all dem andern, was da schon drinliegt, alles hier eingekauft zum Kurs von fünf Mark Ost gegen eine West, und ab nach drüben, wo Sie's verhökern, noch unter dem Westpreis, und wer sein Geld hier ehrlich verdient, der kriegt gar nichts.«
Weg ist sie, dachte Anna, verdunstet, samt Einkaufstasche. Es war still geworden im Laden, nur die alte Frau, die jetzt an der Reihe war, sagte: »Dann geben Sie mir mal das halbe Pfund, was die hat liegen lassen, Fräuleinchen«, und Witte beugte sich über den Ladentisch und fragte halblaut: »Wann haben Sie Mittagspause?«
»Jetzt«, sagte Anna.
»Hätten Sie Lust, mit mir essen zu gehen?«
»Kollegin Wenzel!« rief Anna und dachte, wenn die mich jetzt nicht ablöst, gehe ich einfach; aber die Verkaufsstellenleiterin kam schon, überaus freundlich, und Anna begab sich in den Hinterraum des Ladens, der teils Lager war, teils Büro, teils Garderobe, und riß

sich den zerknitterten Kittel vom Leib, kämmte sich hastig, tat Lippenstift auf den Mund und ein paar Tropfen Eau de Cologne hinter die Ohrläppchen.
Witte wartete vor dem Schaufenster, den Kopf schräg geneigt, anscheinend versunken in die Betrachtung der Porträts der beiden Führer der Arbeiterbewegung, die über leeren Blechdosen und Pappepackungen den Dekor vervollständigten. Es hatte sich alles ganz zufällig ergeben, sagte er sich. Er hatte zwei Stunden Zeit, zwei unerträglich leere Stunden. Nachdem er sich von Dreesen verabschiedet hatte, ohne Konkretes erreicht zu haben, hatte er bei Solowjow angerufen; aber Solowjow konnte ihn erst um halb zwei empfangen, bis dahin war Redaktionssitzung; er war durch die Straßen gelaufen, nachdenkend über sich und seine Lage und die Lage der Partei; der Gedanke an Anna war, wenn überhaupt, nur höchst flüchtig aufgetaucht, bis er auf einmal bemerkte, daß er in der Nähe des Ladens war, dessen Adresse sie ihm aufgeschrieben hatte, und irgendwie mußte er ihr ja doch mitteilen, daß er nicht mehr in seinem Betrieb zu erreichen war.
»Dafür«, sagte Anna, »haben wir eine Auszeichnung bekommen von der Kreisdirektion der HO, und die Frau Wenzel, unsere Verkaufsstellenleiterin, bemüht sich nun um kolorierte Bilder.«
»Wohin gehen wir?« fragte er.
Anna sagte: »Ich weiß nicht. Um die Ecke ist ein Restaurant, nichts Besonderes, im Grunde ist das Essen überall gleich, und überall riechen die Lokale nach Bratfett.«
»Also gehen wir um die Ecke«, sagte er und dachte, vielleicht ist es doch ein Fehler gewesen, daß ich gekommen bin, es wird ihr peinlich sein nach allem, was geschehen ist, und was will ich denn von ihr.
Das Restaurant war voll schwitzender Menschen, die auf Bedienung warteten oder mißmutig kauten, und dem Bratfettdunst war ein Hauch von Lysol beigemischt, von der Toilette her. Im Obergeschoß standen zwei Männer auf. Witte eilte die Treppe hinauf und beschlagnahmte das wacklige Tischchen, von dem aus man durch ein halbrundes Fenster hindurch die Aussicht auf ein Ruinengrundstück hatte.
Er wartete, bis sie Platz genommen hatte. Anna saß, die Hände im Schoß, und blickte auf einen Soßenfleck auf der Tischdecke. Schließlich sagte sie: »Sie haben uns da aus einer bösen Situation gerettet. Haben Sie das Gesicht der Frau gesehen, den Haß? Und die andern Gesichter? Ich hab daran denken müssen, was Sie neulich sagten: die würden Sie mit Vergnügen wieder umbringen wollen, und kaputtmachen, was Sie aufzubauen versuchen.«
»Erleben Sie solche Szenen öfters?«
»Es häuft sich in der letzten Zeit.« Ihr Zeigefinger verfolgte die

Umrisse des Soßenflecks. »Und was soll man auch erwidern, wenn es das nicht gibt und jenes nicht, und wenn was da ist, ist es teuer und taugt nicht viel, und die Leute stehen vor einem mit diesem Grinsen. Soll ich die Zeitung zitieren, die Leitartikel? Ich habe Sie um Ihre Antworten beneidet. Das saß.«
»Bei fünf Pfund Butter auf einmal ist es leicht, die allgemeine Empörung umzudirigieren.«
»Und wenn es keine fünf Pfund gewesen wären?«
»Etwas wäre mir schon eingefallen. Man darf sich nicht von solchen Kleinbürgern terrorisieren lassen. Die sind auf alle Fälle im Unrecht.«
»Aber es gibt so viele von ihnen.«
Sie hatte den Gedanken an ihren Mann mit Erfolg verdrängt; jetzt kam er ihr wieder in den Sinn, unvermittelt; Heinz war keiner von dieser Art Kleinbürgern, er führte ein ganz anderes Leben, aber der gleiche Haß war auch bei ihm deutlich gewesen, wenn das Gespräch gewisse Punkte berührte; weiß Gott, weshalb er wieder aufgetaucht war und was in Wirklichkeit seine Geschäfte waren, er hatte sich höchst nebulös ausgedrückt in Antwort auf ihre Fragen.
Der Kellner kam, ein mürrischer Mensch, räumte das schmutzige Geschirr ab, ließ eine Speisekarte auf den Tisch fallen und erklärte: »Nur noch Bockwurst da, mit Kartoffelsalat.«
»Dann zweimal Bockwurst«, bestellte Witte, »und zwei Bier.«
Der Kellner nahm seine zwecklose Speisekarte wieder mit und verschwand. Anna mußte lachen.
»Gut, daß Sie lachen können«, sagte Witte.
»Was bleibt mir sonst?«
Das hatte bitter geklungen. »Hat es geklappt mit Ihrem Nachtquartier?« fragte er.
Sie schüttelte den Kopf. »Die beiden Lehrmädchen wohnen bei den Eltern, die eine schläft selbst auf der Couch. Die andre Verkäuferin möchte mir helfen, nächste Woche gerne, sagte sie, aber diese Woche ist ihr Verehrer da. Und Frau Wenzel hat mir erklärt, ihr Mann würde das nie gestatten; in Wahrheit hat sie wohl Angst, ihr Mann würde was mit mir anfangen wollen, er ist so ein Kleiner, Spacker, aber sie hütet ihn wie einen Schatz.«
»Und was nun?«
»Ich weiß nicht. Bleibt immer noch eine Bank im Park. Die Nächte sind warm.«
»Unsinn. Und wenn Sie wieder zurückgingen in die Wohnung Ihrer Schwiegermutter? Es ist doch Ihr Zimmer, Sie zahlen dafür.«
»Und es ist mein Mann. Das meinten Sie doch.«
Er schwieg. Er hatte es nicht so gemeint; aber der Mann war schließlich da.

Der Kellner brachte das Essen und die Biere. Witte hob sein Glas. »Na denn.«
Sie trank, setzte das Glas ab und lächelte, da sie bemerkte, mit welchem Ausdruck er den verkümmerten Kartoffelsalat und die blaßrosa Wursthaut betrachtete.
»Ich hätte mir für unser erstes gemeinsames Mittagessen etwas Schöneres gewünscht«, sagte er, »etwas irgendwo am See . . .«
Der Ausflug am Sonntag fiel ihm ein, weiße Dampfer, das Gartenlokal, Greta, Banggartz, Kallmann, der abendliche Besuch, Streik, und wieder der Ehegatte. » . . . aber ich bin ja nur kurz vorbeigekommen, zwischen zwei Verabredungen.«
Sie spürte den Stimmungsumschlag, sagte hastig: »Vielleicht hätte ich Sie heute noch angerufen, in Ihrem Betrieb, Sie um Rat zu bitten . . .«
»Da hätten Sie kein Glück gehabt.« Er schob seinen Teller beiseite. »Ich bin dort nicht mehr erreichbar.«
»Wieso?«
»Es ist zu schwierig, das alles zu erzählen.« Er ärgerte sich, daß er das Thema überhaupt berührt hatte. »Ich bin eben nicht mehr in meinem Betrieb. Zeitweilig. Und eigentlich habe ich Sie nur aufgesucht, Ihnen das mitzuteilen – damit Sie nicht umsonst anrufen oder gar hinlaufen.«
Darum also war er gekommen. »Lieb von Ihnen«, sagte sie, »daß Sie bei allem, was Sie belastet, auch noch an mich gedacht haben.«
Er blickte sie an. »In Fragen Ihres Nachtquartiers ließe sich möglicherweise etwas tun«, sagte er unsicher, »auch wenn es nur ein Klappbett ist, das zur Verfügung stünde . . .« Er zögerte: es war das Klappbett, auf dem er geschlafen hatte, wenn er über Nacht bei Greta blieb. »Eine Arbeitskollegin von mir, eine Genossin . . .« Und da der Kellner kam, zu kassieren: »Sie hätten wohl nicht einen Bogen Papier und ein Kuvert?«
»Wir sind keine Papierhandlung«, sagte der Mann. »Das wären neun Mark achtzig.«
Witte zahlte. Dann durchsuchte er seine Taschen, fand eine längst bezahlte Rechnung und schrieb auf deren Rückseite die Adresse von Greta Dahlewitz, und dazu: *Liebe Greta, die Überbringerin dieser Zeilen, Frau Anna Hofer, hat keine Unterkunft. Kannst Du sie ein paar Nächte bei Dir schlafen lassen? Dank im voraus – M. W.*
»Und Sie?« fragte Anna, nachdem sie seine Zeilen gelesen und den Zettel in ihrer Handtasche verstaut hatte.
»Ich? Ich habe doch ein Dach überm Kopf.«
Sie ergriff seine Hand, die auf dem Tisch lag. »Ich habe Angst.«
»Wieso denn. Bei Greta sind Sie sicher untergebracht.«
»Angst um Sie.«

»Was soll mir denn passieren?«
»Ich weiß nicht . . .« Sie stand auf. »Vielleicht sehe ich Gespenster. Und es wird Zeit, daß ich gehe.«
»Ja«, sagte er, »ich muß auch weiter.«

Aus dem Leitartikel der »Täglichen Rundschau«, von der Sowjetarmee herausgegebene Tageszeitung für die deutsche Bevölkerung, vom 12. Juni 1953
. . . das Politbüro des ZK der SED und die Regierung der DDR geben offen und ehrlich vor der ganzen Bevölkerung der DDR zu, in der Vergangenheit Fehler begangen zu haben . . . Gegenüber einzelnen Schichten der Bevölkerung . . . war ein falsches Verhalten zu verzeichnen; ihre Interessen wurden nicht genügend berücksichtigt. Die ehemalige Sowjetische Kontrollkommission ist in gewissem Grade ebenfalls für die begangenen Fehler verantwortlich . . .
. . . der bedeutsame politische Sinn der Beschlüsse der Regierung der DDR . . . Sie sind auf das große Ziel der Wiedervereinigung des deutschen Volkes in einem geeinten nationalen deutschen Staat ausgerichtet. In den Beschlüssen der Regierung der DDR kommt der gute Wille und der Wunsch zum Ausdruck, in nächster Zeit entscheidende Fortschritte im Kampf für die friedliche Wiedervereinigung Deutschlands, für die Schaffung eines geeinten, souveränen und wirtschaftlich starken deutschen demokratischen Staates zu erzielen.

13

Montag, 15. Juni, 13.30 Uhr
sagte die Sekretärin im Vorzimmer: »Der Genosse Solowjow läßt bitten.«
Witte erhob sich aus dem ledernen Polstersessel, in dem er versunken war wie in einer Badewanne. Die Tür zum Arbeitszimmer öffnete sich; Solowjow trat ihm entgegen, die Schultern leicht gerundet; der Zivilanzug hing ihm am Leibe genau wie die Obersten-uniform, die er nur trug, wenn es sich nicht vermeiden ließ.
»Genosse Witte«, die stählernen Kronen auf den Vorderzähnen blinkten durch das Lächeln hindurch, »willkommen.«
Die Wärme, mit der das gesagt wurde, rief in Witte Erinnerungen wach an das Jahr nach dem Kriege, da sie gemeinsam gearbeitet hatten, er als Landrat, Solowjow in der Militärverwaltung.
»Das letzte Mal haben wir uns hier in Berlin im Theater gesehen«, sagte Solowjow, »in der Pause von Macbeth.«
Witte nickte bestätigend. »Und Sie sprachen von der unheimlichen

Aktualität des Stückes.«
»*Wenn ihr durchschauen könnt die Saat der Zeit und sagen: dies Korn sprießt und jenes nicht*«, zitierte vom Fenster her der andere Mann im Zimmer, und fügte hinzu: »Banquo zu den Hexen.«
»Mein Stellvertreter, Oberstleutnant Bjelin«, stellte Solowjow vor. »Genosse Bjelin ist Professor für Literaturgeschichte, spezialisiert sich auf die deutschen Romantiker.«
»Zur Zeit eher auf deutsche Kulturpolitik«, lachte Bjelin; dabei kniffen sich seine Augen zusammen, und die Pausbäckchen glänzten, so daß er mit seinem glattrasierten Schädel aussah wie ein zufriedenes Baby.
Der Zeuge des Gesprächs, dachte Witte, und sagte: »Ich glaube doch, daß die Dinge etwas durchschaubarer geworden sind seit Banquo.«
»So?« sagte Bjelin.
Witte fühlte sich unsicher. Solowjow sagte: »Genosse Witte hat lange Erfahrungen und ist ein guter Marxist.«
»So.« Bjelin löste sich vom Fenster und nahm sich eine von den Zigaretten auf Solowjows Rauchtischchen. »Dann können Sie uns vielleicht Auskunft geben, Genosse Witte. Gestern lasen wir im Zentralorgan Ihrer Partei, dem Neuen Deutschland, einen Artikel, in dem von Arbeitsniederlegungen an der Stalinallee die Rede war. Halten Sie es für möglich, daß hier im Lande gestreikt werden könnte?«
Witte warf einen Blick auf Solowjow, doch von dessen Gesicht war wenig abzulesen. »Bekommen Sie denn keine Berichte«, fragte er vorsichtig, »von unsern Stellen, und von Ihren eigenen?«
»Wir interessieren uns aber für Ihre Einschätzung.«
»Ich gestehe«, sagte Witte, »das war einer der Gründe, weshalb ich mit Ihnen sprechen wollte, Genosse Solowjow.«
»Ah«, sagte Bjelin, »also doch.«
»Sie haben uns befreit«, sagte Witte. »Sie haben uns die Revolution geschenkt, die wir weder 1918 noch 1945 die Kraft hatten zu machen. Vielleicht war das Geschenk zu groß.«
»Was sollten wir denn tun«, sagte Solowjow. »Man kann sich die Bedingungen nicht aussuchen, unter denen man handeln muß.« Er wandte sich dem Stalin in Öl zu, der an der Wand hing, den goldnen Stern des Helden der Sowjetunion auf der breiten Brust. »Die Widersprüche waren immer da, aber seit der tot ist, brechen sie auf.«
Welch ungewohnte Töne, dachte Witte. Hier wenigstens hatte er gehofft, den ruhenden Pol zu finden, die innere Sicherheit, deren er so dringend bedurfte.
»Was glauben Sie, Genosse Witte« – Bjelin zog die fast unsichtba-

ren Brauen in die Höhe – »soll man die Normerhöhungen zurücknehmen?«
»Wie kann ich Ihnen da raten«, sagte Witte. »Ich kenne nur meinen Betrieb, und den darf ich zur Zeit nicht betreten, weil ich in dieser Frage anders denke als die Partei. Aber eines weiß ich: tödlich ist das Hin- und Herschwanken, mal die gepanzerte Faust und mal das Samtpfötchen, Proklamierung des Aufbaus des Sozialismus gestern und Fehlerbekenntnisse heute.«
»Wenn aber ein Kurswechsel sich nötig macht?« wandte Solowjow ein.
»Dann konsequent«, sagte Witte, »keine halben Schritte. Dann weg auch mit den Normerhöhungen – wenn es nicht schon zu spät ist.«
»Zu spät?« Bjelins Gesicht hatte nichts Babyhaftes mehr an sich. »In welchem Sinne?«
»Von einem Punkt an entwickeln die Dinge ihre Eigenbewegung«, sagte Witte. »Und wir haben eine Arbeiterregierung. Kann eine solche Regierung auf Arbeiter schießen lassen?«
»Also wir?« sagte Solowjow. »Was muten Sie uns da zu. Nein, das wäre unerträglich. Auch wir sind eine Arbeitermacht.«
»Der dort« – Bjelin wies mit dem Daumen auf das Bildnis – »wäre nicht so zimperlich gewesen.«
»Der dort . . .« Solowjow brach ab und lächelte gequält. »Ich denke politisch. Wir rufen Frieden, Verhandlung, alle Deutschen an einen Tisch! – und dann so etwas?«
»Berlin ist Krieg oder Frieden«, konstatierte Bjelin.
»Wenn die Besatzungsmacht eingreifen müßte . . .« Witte überlegte. War er nicht eigentlich froh, daß da jemand war, auf den sich die letzte Verantwortung abwälzen ließ? »Nein, nein«, fügte er hastig hinzu, »es würde uns um Jahre zurückwerfen, und es könnte denen drüben nicht gelegener kommen. Man muß unter allen Umständen zu verhüten suchen, daß es notwendig wird. Was mich betrifft . . .«
»Nun?« fragte Bjelin.
»Mich erleichtert es schon, daß Sie die Bedrohlichkeit der Lage sehen und daß ich hier ein offeneres Ohr gefunden zu haben scheine als bei – bei . . .«
» . . . bei Ihren Stellen?« Bjelin drückte seine Zigarette aus. »Und damit wäre Ihr Gewissen entlastet, was?«
»Ich bin Gewerkschaftsfunktionär, zur Zeit leider ohne Gewerkschaft.«
Bjelins Pausbäckchen blähten sich. »Pah.«
»Sie haben recht, ich muß zurück in meinen Betrieb«, sagte Witte. »Ich muß meine Funktion dort erfüllen können. Aber ich muß auch darauf rechnen können, daß meine Partei die Augen nicht länger

vor der Gefahr verschließt. Wäre es Ihnen nicht möglich –«
Er geriet ins Stocken. Vielleicht forderte er zuviel.
»Ihre Stellen, Genosse Witte«, Solowjows Stimme klang müde, »wir haben sie nach unserm Ebenbilde geformt. Außerdem vergessen Sie doch nicht, daß es auch bei uns geteilte Meinungen geben könnte.«
Bjelin lachte. »*Wenn ihr durchschauen könnt die Saat der Zeit . . .*«
Solowjow straffte sich plötzlich. »Sie ist durchschaubar, Teufel noch mal!« Und zu Witte gewandt: »Sie und ich, wir haben beide schon Schlimmeres durchlebt. Am Ende wird auch dies uns stärken.«

14

Montag, 15. Juni 1953, 14.30 Uhr
betrat Gudrun Kasischke alias Goodie Cass die Pförtnerbude am Haupttor von VEB Merkur. Befragt, was sie denn wünsche, erklärte sie, Herrn Witte sprechen zu wollen, wenn möglich, Martin Witte, ihres Wissens tätig in der Betriebsgewerkschaftsleitung. Der diensthabenden Pförtnerin, einer korpulenten Frau im Rentenalter (SED), fiel die Besucherin durch deren deutlich westliches Äußeres auf, und es entging ihr auch nicht, daß diese eine innere Unruhe zu verbergen suchte. Da ihr außerdem bekannt war, daß Witte ab heute seiner Funktion entbunden war und den Betrieb nicht mehr betreten sollte, hielt die Pförtnerin es für ratsam, Goodie vor dem Pförtnerhäuschen warten zu lassen, während sie den Genossen Banggartz telefonisch informierte und dessen Instruktionen erhielt. Um 14.40 Uhr fand sich der Genosse Baltusch vom Betriebsschutz am Tor ein und forderte Goodie auf: »Kommen Sie mit, Fräulein.« Goodie folgte ihm.
Dabei bedachte sie

in bezug auf die Risiken ihres Vorhabens:

glotzt der blöd hat wohl im Leben noch keinen ordentlichen Hintern gesehen ist das eine Welt hier das zischt hämmert pfeift klirrt stinkt rußt ich versau mir das ganze Kostüm aber große Transparente Normerhöhung und mannshohe Bilder unsere Bestarbeiter da ist mein Fred nicht drunter wieso auch und die Mauern drücken auf Brust und Kehle ich möcht hier nicht arbeiten müssen obwohl drei Shows die Nacht am Wochenende sind auch kein Spaß alle glotzen sie hier wenn mich nun einer erkennt wer hier soll mich erkennen nur mein Fred wenn ich dem in die Hände lief der würde sofort Verdacht schöpfen des Briefs wegen der Herr Quelle ist auch so'n Typ danke schön Fräulein Goodie und väterlich tätscheln wenn mein Fred mich hier säh aber das hab ich bedacht um 14 Uhr hat er Schichtschluß also muß er längst raus sein und zu Haus liegt mein Zettel bin einkaufen aber wenn nun und der Teufel will's es gibt solche Zufälle das wär das Ende und alles wegen Herrn Witte was hat der je getan für mich daß ich mein ruhiges Dasein riskier wo ich endlich Wurzeln ich muß verrückt sein es ist wohl weil ich den Blick nicht vergessen kann wie die Frau dalag und sagt aber sie ist doch nur ein Kind Martin und meine Schuhe ruinier ich auch noch in dem Dreck hier Sie Herr Wachmann wohin führen Sie mich eigentlich Sie Herr der hört nicht überhaupt ist alles unheimlich hier Sie Herr so sagen Sie doch endlich was

Um 14.45 Uhr, auf der Werksstraße in unmittelbarer Nähe des Verwaltungsgebäudes, begegnete Goodie dem Arbeiter Kallmann. Dieser kam aus dem Büro der Parteileitung, wo Banggartz ihm nun auch offiziell seinen Dank für die geleistete Hilfe ausgesprochen und ihm als Dankesgabe ein Exemplar eines von einem mehrfach preisgekrönten Schriftsteller verfaßten Romans über das Arbeiterleben überreicht hatte; an der kleinen Zeremonie hatte auch der soeben von seinem Jahresurlaub zurückgekehrte zweite Sekretär der Parteileitung, der Genosse Sonneberg, teilgenommen. Kallmann hatte sich trotz vorgeschrittenen Alters und jahrelanger getreuer Ehe einen Blick für weiblichen Charme bewahrt; er lüftete also die Mütze, blinzelte dem Kollegen Baltusch vom Betriebsschutz zu und grüßte: »Na, junges Fräulein?« Goodie ihrerseits verzog verächtlich den Mund und eilte die Vortreppe des Verwaltungsgebäudes hinauf. Die Begegnung prägte sich Kallmann nicht nur der Umstände halber, sondern auch wegen seines Aberglaubens ein: er betrachtete sie als ein gutes Vorzeichen für seine nähere Zukunft und besonders für die auf den Abend festgelegte Unterredung mit Gadebusch, der er mit einigem Mißbehagen entgegensah.

Goodie maß der Episode keine Bedeutung bei und vergaß sie völlig, als sie in dem Zimmer, in dem ihr Begleiter sie ablieferte, statt Wittes zwei ihr fremde Männer vorfand. Der eine, untersetzt, das Gesicht eher grau als fleischfarben, prüfte den Passierschein, den Baltusch ihm ausgehändigt hatte, und sagte: »Sie sind also Fräulein Gudrun Kasischke, laut Personalausweis auch Goodie Cass, von Beruf Tänzerin?«

Goodie sah sich nach ihrem Begleiter um, doch der war verschwunden. »Wo ist Herr Witte?« fragte sie. »Bitte, führen Sie mich zu ihm oder rufen Sie ihn.«

»Mein Name ist Banggartz«, sagte der Untersetzte. »Der Kollege dort«, auf den Hageren weisend, der sorgenvoll neben dem Bücher-

schrank stand, »heißt Sonneberg.«
»Hier liegt wohl ein Irrtum vor«, sagte Goodie. »Ich wollte zu Herrn Witte, Martin Witte. Sie kennen ihn doch?«
Dabei bedachte sie

in bezug auf ihre neue Lage:

schöner Irrtum schon wie die Dicke im Pförtnerhaus mich hat warten lassen da hat was nicht gestimmt sollten die etwa auch mit meinem Fred unter einer Decke Banggartz den Namen kenn ich doch natürlich aus dem Brief an Herrn Quelle Banggartz zeigt Mißtrauen gegen Witte oder hat Streit mit ihm das sind die Parteionkels und ich komm her und mitten hinein in die Nesseln das gibt doch ein Gerede Kasischke Cass Witte und wenn mein Fred was erfährt ich muß hier raschest raus

»Wir kennen Herrn Witte«, bestätigte Banggartz. »Ist er ein Freund von Ihnen?«
»Ich habe für ihn gearbeitet.«
»Gearbeitet.«
»Ich war die Dienstmagd im Haus.«
»Dienstmagd.«
»Die Frau war krank.«
»Da haben Sie sich aber verändert, Fräulein.«
»Haben Sie was dagegen, wenn eine was Besseres wird?«
Sonneberg schaltete sich ein. »Genosse Witte ist zur Zeit nicht im Betrieb. Aber vielleicht können wir Ihnen helfen? Wenn Sie ihm etwas auszurichten haben . . .«
Darauf bedachte Goodie

in bezug auf das freundliche Angebot:

euch Brüder kennt man und eure Methoden zu euch sprechen die Menschen eines ins Gesicht und ein anderes hinter eurem Rükken und warum weil ihr nicht merkt wer ein anständiger Mensch ist und wer ein Halunke

»Ist Herr Witte denn krank?« erkundigte sie sich.
»Da kann ich Sie beruhigen.« Banggartz bot ihr einen Stuhl. »Sie wollten zu ihm in einer persönlichen Angelegenheit?«
»Die alte Bekanntschaft erneuern. Er war immer so gut zu mir. Vielleicht ist er morgen hier?«
»Woher wußten Sie eigentlich, Fräulein, daß Ihr Freund Witte bei uns im Betrieb zu finden wäre?«
Sie zuckte die Achseln. »Wie das Leben so spielt. Ein Brief von einem Bekannten, da war er erwähnt. Und wie ist's mit übermorgen?«
Banggartz erhob sich. Gegen den Schreibtisch gelehnt, die Arme verschränkt, blickte er mit einer Mischung von Wohlwollen und Strenge auf Goodie herab. »Sie sind also Tänzerin, Fräulein. In

unserem Teil von Berlin?«
»Drüben, leider. Sie wissen ja, in meinem Beruf, da gibt es hier nicht viele Gelegenheiten.«
»In ihrem Beruf, Fräulein, kenne ich mich weniger aus.« Sein Lächeln geriet schief. »Reden wir mal offen miteinander. Sie befinden sich nämlich bei der Leitung der Partei, zu der auch Ihr Freund Witte gehört. Sie können also ruhig sprechen: nichts Menschliches ist uns fremd.«
»Dann müssen Sie doch verstehen, Herr – Herr Banggartz«, sagte Goodie, »wo der Herr Witte immer so gut war zu mir . . .« Und bedachte, während sie Banggartz' nächste Fragen eine nach der andern parierte,

in bezug auf das Menschliche:

das glaub ich nichts Menschliches ist dem fremd wenn ich solche schon seh der hat eine Frau zu Hause die er heimlich kujoniert und die Menschen möcht er sollen alle nach seiner Pfeife tanzen aber wenn ich ihn allein vor mir hätte würd er mir an die Wäsche und herumbalzen vor mir und wär zwischen meinen Fingern wie Knete wär der

Schließlich hatte sie das Antworten satt und stellte selbst wieder eine Frage: »Herr Witte ist im Urlaub?«
Banggartz, überrascht, dachte einen Augenblick nach. Dann nickte er: »Beurlaubt, ja, könnte man sagen, beurlaubt.«
Darauf atmete Goodie auf und bedachte

in bezug auf Banggartz' Auskunft:

beurlaubt das heißt nicht mehr hier bei VEB Merkur das heißt außer Gefahr Dank sei Gott da brauch ich mich nicht länger abstrampeln und alles hat sich zum Besten gewendet ja warum soll eine auch bestraft werden weil sie tut was ihr das Herz eingibt na dann tschüß Genosse Banggartz tschüß Genosse Sonneberg

Doch Banggartz stieß sich von seinem Schreibtisch ab und trat auf sie zu: »Und nun sagen Sie mal, Fräulein, was ist wirklich Ihre Beziehung zu Witte?«
Goodie stand auf. »Sie meinen, Herr Witte und ich, wir hätten was miteinander? Da täuschen Sie sich. Und jetzt, wenn Sie gestatten, möchte ich gehen. Vielleicht hätten Sie noch die Güte und geben mir seine Wohnungsadresse, damit ich ihn aufsuchen kann.«
»So nun doch nicht, Fräulein Kasischke oder Cass.« Was Banggartz an Freundlichkeit gezeigt hatte, war weggewischt. »Bitte teilen Sie uns jetzt mit: Was wollten Sie bei Witte?«
»Ihm was sagen.«
»Was wollten Sie ihm sagen?«
»Etwas, was ihn betrifft.«
»Und das wäre?«

Goodie lächelte liebenswürdig.
»Wer hat sie zu ihm geschickt?«
Das Lächeln wurde starr.
»Also entweder Sie sprechen jetzt, Fräulein, oder –«
Goodie leckte sich die Lippen. Die Furcht war wieder da, die sie empfunden hatte, während der Mann vom Betriebsschutz sie durchs Werk geleitete, und ihre Stimme war plötzlich ganz hoch:
» – oder was?«
Sonneberg beschwichtigte. »Genosse Banggartz hat Sie nicht bedrohen wollen, Fräulein. Aber Sie werden verstehen: Ihr Besuch in unserm Werk ist etwas ungewöhnlich, und wir leben in schwierigen Zeiten. Hier ist Wittes Adresse, die Sie haben wollten. Wir werden alles, was wir wissen möchten, von ihm erfahren. Im übrigen nehme ich an, daß er bald wieder im Betrieb sein wird.«
Goodie erschrak und bedachte

> *in bezug auf die Eitelkeit menschlicher Hoffnungen:*
> bei mir geht eben alles schief da glaubt man es ist alles erledigt aber was stellt sich heraus daß er bald wieder im Betrieb sein wird was mach ich jetzt

»Sie sind so blaß geworden«, sagte Sonneberg. »Ein Glas Wasser?«
»Nein danke, es ist nichts.« Goodie nahm ein Tüchlein aus ihrer Handtasche und betupfte sich die Oberlippe. »Und jetzt geh ich, mit Ihrer gütigen Erlaubnis.«
Sonneberg unterzeichnete den Passierschein und trug die Zeit ein: 15.10 Uhr. Banggartz, mißgelaunt, hob den Hörer vom Telefon und gab eine kurze Anweisung. Bald darauf erschien Baltusch an der Tür. Sonneberg sagte: »Bring die Dame zum Haupttor.« Baltusch nickte. Sonneberg wartete, bis das Echo der hohen Absätze im Korridor verhallt war, dann schloß er die Tür.
Nach einer Weile sagte Banggartz: »Wer hätte das vermutet. Aber es erklärt so manches.«
Sonnebergs Gedanken waren in der gleichen Richtung gelaufen, aber er wehrte sich gegen die Schlußfolgerungen, zu denen Banggartz gekommen zu sein schien, und sagte schroff: »Das glaubst du doch selber nicht.«
»Was glaubst du denn?« fragte Banggartz. »Und warum hast du sie laufenlassen? Mit etwas mehr Ausdauer hätten wir –«
»Wenn mir etwas fraglich erscheint bei einem Genossen«, fiel Sonneberg ihm ins Wort, »dann frag ich zunächst ihn selber.«
»Du hast das nicht miterlebt in der Kantine.«
»Leider.«
»Ich will nur sagen, es wäre ein rauher Schock gewesen nach deiner Ferienruhe, und du würdest wahrscheinlich anders urteilen, wenn du da gestanden hättest. Das hängt doch alles zusammen: Wittes

Stellung in der Normfrage, der Anschlag am Schwarzen Brett, der Aufruhr, der Besuch der jungen Dame. Die drüben haben noch nicht gewußt, daß wir Witte an die Luft gesetzt haben, also läuft sie hier noch an.«
»Bleib auf dem Teppich, Mensch.«
»Erinnere dich an die Prozesse in Moskau, in Budapest, in Prag. Wer sich gegen die Partei stellt, ist zu allem fähig.«
Witte, dachte Sonneberg, und dann: nein, der nicht, nie.
»Gefällt dir die Sache etwa?« fragte Banggartz.
»Das nicht«, gab Sonneberg zu. »Aber deine Maßnahmen gegen Witte gefallen mir ebensowenig.«
»Es sind nicht nur meine.«
»Ach so.«
»Drei Wochen warst du weg, nicht mal.« Banggartz zeigte Verständnis. »In der kurzen Zeit hat sich vieles verschärft. Wir haben eine Situation, da muß man sich auf die Genossen verlassen können, besonders auf die führenden. Ich habe Witte jede Gelegenheit gegeben zu besserer Einsicht, aber kein Wort der Selbstkritik von ihm. Sehr bedenklich, das Ganze, sehr böse.«
Sonneberg sah ihn an. Banggartz, dessen Vater ein Säufer gewesen war und die Mutter zugrunde gerichtet hatte, und der sich als Kind nach nichts so gesehnt hatte wie nach geordneten Familienverhältnissen, betrachtete die Partei als seine wahre Familie, und zwar eine Familie, wie er sie im eignen Haus auch erstrebte – Vater, Mutter, Kinder in einem festgelegten Autoritätsverhältnis.
Banggartz griff wieder nach dem Telefon.
»Wen rufst du da an?«
»Den Genossen Pettenkofer. Soll er entscheiden, ob wir die Staatssicherheit jetzt einschalten.«
Sonneberg seufzte. »Möchtest du nicht lieber erst mit Witte reden?«
»Das werden andere schon tun«, sagte Banggartz.

15

Montag, 15. Juni 1953, 15.30 Uhr
saß Witte im Dampfbad, leicht vorwärtsgeneigt, und spürte, wie ihm der Dampf in die Lungen biß und wie ihm das Wasser von Stirn, Nase, Schultern, Brust auf die Schenkel tropfte.
Die Idee, ins Dampfbad zu gehen, war ihm ganz plötzlich gekommen, wahrscheinlich weil er, zum ersten Mal seit wie langer Zeit, keinen Auftrag hatte, keine Verpflichtungen, keine Termine – bis man ihn irgendwann rief. Ein Arbeitsloser, schlurfte er ziellos

durch die Straßen; aber die Spannung war geblieben, das Uhrwerk konnte nicht ablaufen.
Da erinnerte er sich. Auch damals, vor 1933, in einer andern Arbeitslosigkeit, war er, so er sich's leisten konnte, in dieses Dampfbad gegangen, und nicht nur, weil man das Gefühl haben durfte, daß die hier verbrachten Stunden nützlich angewandt waren; nein, da war auch die schöne Anonymität nackter Menschen im heißen Nebel, und die allmähliche Entkrampfung und, nachher, die Gelöstheit.
Die schemenhaften Gestalten um ihn herum berührten ihn nicht, auch sie anonym. Abschalten, dachte er, mit der Schlacke, die ihm durch die Poren abfloß, auch den Druck loswerden, der ihm auf der Seele saß: Normen, Streik, Banggartz; er war bei Dreesen gewesen und bei den Russen, was noch sollte er tun.
Jemand stolperte ihm über die Füße, blaffte ihn an. Witte überlegte, sollte er zurückschimpfen, vielleicht wäre das jetzt gut, eine Prügelei, zwei nackte glitschige Männer, die aufeinander einschlugen, aber der andere war schon verschwunden im Dampf; wer handeln will, muß handeln, die Philosophen interpretieren nur, sie verändern nicht; wie angenehm hatte es sich doch philosophiert, erst mit Dreesen, und dann mit den sowjetischen Freunden.
Er stand auf, ertastete den Weg zur Tür und trat hinaus in den gekachelten Vorraum mit den Duschen und dem Kaltwasserbecken. Das eisige Wasser benahm ihm den Atem; es war ihm, als zögen die Nerven seiner Haut sich zusammen. Er schwamm ein paar Stöße, dann stieg er aus dem Becken, schüttelte sich, griff nach dem Handtuch, das er an der Kasse geborgt hatte, und begab sich in den Heißluftraum.
Hier war alles still und klar und von merkwürdiger Transparenz. Er legte sich flach auf die hölzerne Pritsche und lauschte seinem Puls; der schlug rasch noch, aber regelmäßig. Eine Weile war nur das dumpfe Pochen in seinem Kopf, dann kehrten die Gedanken zurück, auch sie mit der Transparenz, die dem Raum das Gepräge gab. Er hatte getan, was er konnte, dachte er, Philosophie oder nicht; was blieb ihm, als abzuwarten, bis der Stein, einmal ins Wasser geworfen, seine Kreise zog. Dreesen war zu klug, um nicht zu sehen, daß etwas geschehen mußte; und Solowjow – der kleine Dicke, der mit ihm gewesen war, wohl auch – gehörte zu der Sorte von Menschen, die genau wußten, wo man anzusetzen hatte, damit etwas geschah. Aber war es wirklich so einfach?
Sein Blut hatte sich beruhigt; die Transparenz blieb. Schon im Gespräch mit Dreesen, und zwar noch bevor der sich aufmachte und hinüberging zu Pettenkofer, hatte er den Eindruck gehabt, daß da mehr war, als sich in den Worten äußerte, mehr selbst, als in ihrer

beider Gedanken gelegen hatte: eine erschreckende Unsicherheit, ein Schwanken des Bodens, auf dem man so lange gebaut hatte. Und bei Solowjow dann erst recht – wann hatte er je erlebt, daß der Mann ihn mit einem Zuspruch entließ statt einer klaren Antwort und Entscheidung? Das ging tiefer als Normen und Streik, das berührte das Wesen des Ganzen, und was war er, Martin Witte, in diesem Zusammenhang: ein Narr, der herumsprang und Alarm klingelte mit seinem Glöckchen, während der Berg ins Rutschen kam?
Er lag ganz still und sah zu, wie die winzigen Schweißtröpfchen auf seinem Bein größer wurden und ineinanderrannen und die Haut bedeckten, dort, wo der Schenkel die Beule hatte über dem schlecht zusammengewachsenen Knochen. Es gab keine Anonymität für ihn, und er war nicht arbeitslos, und es gab niemanden, der Entscheidungen für ihn treffen konnte, nicht Dreesen, und nicht Solowjow: niemanden.
Er schloß die Augen. Morgen früh würde er zurückkehren in den Betrieb. Der Puls im Ohr wurde ganz langsam. Witte spürte, wie alles in ihm sich entspannte und löste, und er dachte, gleich werd ich einschlafen.

16

Montag, 15. Juni 1953, 16.30 Uhr
nachdem er mit verschiedenen zuverlässigen, in Ost-Berlin wohnhaften Bekannten von früher sowie mit Kontaktpersonen, deren Adressen ihm genannt worden waren, Gespräche geführt und Abmachungen über ihr Verhalten in den nächsten Tagen getroffen hatte, lenkte Heinz Hofer zufrieden seine Schritte der mütterlichen Wohnung zu. Dem Gedanken abhold, daß eine Frau ihn aus eigenem von sich stoßen könnte, und durch den erfolgreich durchgeführten Koitus mit Anna in seiner Anschauung bestärkt, nahm er ihre Erklärung, sie werde ihn nunmehr verlassen, zehn Zeilen auf schlechtem Briefpapier, nicht übermäßig ernst; er würde versuchen, entschied er, wenigstens für die Zeit seines Ostberliner Aufenthalts ein erträgliches Nebeneinander herzustellen, gelegentliche angenehme Zwischenspiele einbegriffen. Seine Überlegungen wurden durch den Anblick einer jungen Dame unterbrochen, die, reizvoll gekleidet, nach kurzem Zögern den leeren Torbogen betrat, den auch er durchschreiten mußte; in dem nur von einigen lärmenden Kindern belebten Hof konnte er sie kurz vor der Teppichstange einholen. Die Nähe bestätigte den ersten Eindruck: wohl wiesen Form und Züge des Gesichts keine besonderen Feinheiten auf, doch entschädigten dafür die Farbe der Augen, das Haar,

Echtheit vorausgesetzt, und die sich klar abzeichnende Rundung des Busens.
Bei den Mülltonnen blieb sie stehen und musterte ihn. »Wollen Sie was von mir?«
Hofer lüftete den Hut. »Wenn ich Ihnen behilflich sein kann?«
Sie schien das Angebot zu überdenken. Dann fragte sie: »Wissen Sie Bescheid hier?«
Er lächelte, sein bestes Zu-mir-können-Sie-Vertrauen-haben-Lächeln.
»Können Sie mir sagen, wo hier Herr Witte wohnt?«
»Das trifft sich, Fräulein.« Er hielt ihr die Haustür auf. »Ich muß in die gleiche Wohnung, vierte Etage, rechts.«
Sie nickte dankbar. Nach ihren Erfahrungen bei VEB Merkur war schon die simple Freundlichkeit wohltuend.
»Herr Witte wohnt nämlich in Untermiete bei meiner Mutter«, erläuterte er, »deshalb. Hier geht's hinauf, Fräulein, und Vorsicht mit dem Geländer, alles kaputt, Sie wissen vielleicht nicht, wie das ist, hier im Osten, bevor die was reparieren.«
»Doch, ich weiß.«
Er hielt sich hinter ihr, um so in den Genuß der Ansicht ihrer Hüften zu kommen, die sich beim Treppenaufstieg ganz apart bewegten, und der Waden, die um eine Idee zu prall und wohl gerade deshalb verlockend waren.
»Dann kommen Sie also öfters her, da Sie die Verhältnisse kennen.« Er wartete, erhielt aber keine Antwort. »Herr Witte ist auch wirklich ein liebenswürdiger Mensch, meine Frau findet das ganz besonders, und so gütig, Sie sollten nur hören, wie meine alte Mutter über ihn spricht.«
»Die Güte in Person«, bestätigte sie und blickte, da gerade ein Absatz erreicht war und die Treppe sich kehrte, mit wieder erwecktem Mißtrauen herab auf ihren Begleiter.
Der mäßigte sich sofort. »Na ja, Frauen sind eben leicht beeindruckt. Aber hier wären wir.« Er schloß die Tür auf. »Hoffentlich ist Herr Witte auch da.«
»Anna?« Die quälende Stimme.
»Nein, ich bin's!« rief er. »Und ich hab Besuch mitgebracht für Herrn Witte. Herr Witte zu Hause?«
Aus dem Halbdunkel des Korridors die Witwe, unförmig, hängendes Fleisch.
»Mutter«, stellte er vor, »das ist Fräulein – Fräulein –«
»Kasischke«, ergänzte Goodie.
»Fräulein Kasischke«, wiederholte die Witwe. »Und zu Herrn Witte möchten Sie. Leider weiß man bei ihm nie, wann er kommt.« Und zu ihrem Sohn: »Bei deiner Frau ja auch nicht. Vielleicht sind sie beide

zusammen, irgendwo.«
»Dann warten wir doch gemeinsam, Fräulein Kasischke«, schlug er vor.
Bevor Goodie widersprechen konnte, hatte er sie beim Arm genommen und führte sie in die gute Stube. Er hatte etwas in seinem Wesen, das war wie der Leim auf dem Fliegenpapier. Auch fühlte sie sich auf einmal schrecklich müde: die beiden Genossen bei VEB Merkur; und immerzu die Furcht, ihr Fred könnte etwas erfahren; und der Sessel, in den sie sich fallen ließ, war so schön weich; und dann wußte sie auch, wenn sie jetzt von hier aufbrach, würde sie nie wieder die Courage finden, zu Witte zu gehen.
Sie öffnete die Augen. Hofer stand vor ihr, taxierte ihren Busen und hielt ihr ein bauchiges Gläschen hin.
»Kaffee wär mir lieber.«
»Für Seelenschmerz«, sagte er, »immer Kognak.«
Sie trank.
Er goß nach. »Genieren Sie sich nicht, Fräulein Kasischke. Herr Witte geniert sich auch nicht.«
Sie hatte einen bitteren Geschmack im Munde, der nicht von dem Kognak stammte. Gewiß, das edle Bild von Witte, das sie sich bewahrt hatte, mußte der Wirklichkeit nicht unbedingt entsprechen; trotzdem war es ihr ein Trost gewesen.
Zwei Finger schoben sich ihr unters Kinn. Er hob ihr Profil ins Licht.
»Der Herr Witte weiß schon, was er sich anlacht, nicht, Mutter?«
Die Alte nickte.
Goodie stieß seine Hand beiseite. »Bleib mir von der Wäsche, Bubi.«
»Na gut, reden wir in dem Ton.« Er gab sich belustigt. »Und jetzt erzähl mal: du bist seine Westpuppe?«
Goodie blieb stumm. Erst die zwei Gestalten im Betrieb, die sie aushorchten, und nun dieser Wißbegierige. Die Alte saß ihr gegenüber wie eine Gefangenenaufseherin, bewegungslos. Und wo blieb Witte, und wie lange konnte sie noch auf ihn warten?
»Du interessierst mich«, fuhr Hofer fort. »Ist doch wohl nicht ganz dein Typ, einer wie Witte. Und er wieder kann sich gar nicht erlauben, sich mit dir blicken zu lassen. Die Genossen sind da eigenartig, von wegen Westverbindungen und so.«
»Ich bin von hier.«
»Ah«, sagte er, »Ostpuppe! Das macht es ja noch spannender.«
»Ich hab keine Zeit mehr.« Goodie erhob sich halb.
Seine Hand legte sich ihr schwer auf die Schulter. »Aber unsere Bekanntschaft hat doch eben erst begonnen!«
Sie sank zurück in den Sessel.
»Also wie ist das mit dir und Witte?«

»Wie ich fünfzehn war«, sagte sie, »hab ich bei ihm gedient. Dann ist ihm die Frau gestorben, und ich ging weg. Und nun hab ich gehört, daß er in Berlin ist und daß er hier wohnt, und da wollte ich ihn besuchen.«
»Sie hat gedient bei ihm und nun will sie ihn besuchen«, sagte er. »Ist das nicht rührend, Mutter?«
Die Alte wiegte den Kopf.
Goodie gab sich einen Ruck und stand auf.
»Aber nein!« Wieder die Hand. »Das wollen wir doch nicht versäumen, die große Wiedersehensfreude!«
Goodie machte sich frei. Sie packte ihre Handtasche, schob Hofer zur Seite, rammte sich das Knie an einer Stuhlkante, stürzte hinaus in den Korridor, stieß noch einmal gegen irgendein Möbel, erreichte die Wohnungstür und floh, die Treppe hinunter.
Erst in der S-Bahn atmete sie auf. Langsam ordneten sich ihre Gedanken. Sich so ins Bockshorn jagen zu lassen von einem Halbgewalkten, wie sie jeden Abend in den Club kamen und versuchten, sie zu befingern. Was war denn so Unheimliches an dem Dutzendgesicht mit den trüben Augen und dem dünnen Schnurrbärtchen? Es war die Häufung gewesen, die sie nervös machte, die Drohung von überall her, schon in dem Bericht, den ihr Fred geschrieben und den sie dem Herrn Quelle überbracht hatte, und dann war eins auf das andre gefolgt. Und überhaupt, wozu war sie noch in die Wohnung gegangen zu Witte? Gab es kein Postamt? Nachdem sie seine Adresse hatte, genügte ein Brief nicht, ein Brief unterschrieben *Freund von früher* oder *langjährige Bekannte*?
Sie schrak zusammen.
Das Dutzendgesicht mit dem Hut darüber. Er stand da in der Ecke des S-Bahn-Wagens, nickte ihr zu, die Freundlichkeit in Person, und faltete seine Zeitung zusammen.
Auf der nächsten Station müßte sie aussteigen, wenn sie zum Häuschen wollte. Der Waggon war jetzt schon fast leer. Die Furcht vor etwas Vagem, die die ganze Zeit schon in ihr gehockt hatte, nahm bestimmte Form an: wie, wenn dieser Mensch sie bis hin zu dem Häuschen verfolgte und sich an ihren Fred heranmachte und so und so zu ihm sprach, einen gewissen Herrn Witte hat sie besuchen wollen, interessant, was?
Ihre Station. Sie wartete, bis der Rotbemützte das Signal gab und sprang ab, die automatische Tür schloß sich bereits. Auf der Plattform keine Seele. Sie hatte den Verfolger abgeschüttelt.
Aber auf dem Bahnhofsvorplatz trat er aus dem Schatten, lachte lautlos: »Mir läuft keine weg.«
Die wenigen Leute, die den Platz vor dem Bahnhof bevölkert hatten, verliefen sich; es war eine einsame Gegend. Sie drehte sich um und

hastete davon.
Er hielt Schritt mit ihr.
Sie bog in einen Seitenweg ein, Zäune rechts und links, Gartenlauben, die ersten Rosen in Blüte.
»Laß mich los!«
»Aber wieso denn.«
»Ich hab Freunde hier!«
Er grinste. »Habt wohl eure Schlummerbude in der Siedlung, du und dein Witte?«
Links begann der Wald. Nur ein paar hundert Meter noch bis zum Häuschen.
Er sah die Schweißtropfen auf ihrer Stirn. »Hast du Angst?«
Sie schluckte.
Er verstellte ihr den Weg. »Hast doch gehört, wie es ist. Dein Witte hat was mit meiner Frau angefangen. Also gut, ich biete ein Tauschgeschäft, eins zu eins.«
Sie blickte sich um: kein Mensch. »Vielleicht«, sagte sie.
Er fischte nach ihrem Busen. Sie riß sich los. Jetzt rechts der Pfad, das Häuschen kam schon in Sicht, Schornstein, Dach, der Rest war Hecke. Er holte sie ein, packte sie.
Sie schlug ihm die Handtasche ins Gesicht, rief gellend: »Hilf–ä–ä –äh!«
Am Gartentor erschien Gadebusch.
»Fred! Hilf – äh!«
Gadebusch riß das Tor auf. Hofer retirierte. Goodie sah ihren Fred an sich vorbeischießen, er schwang eine Zaunlatte, aber die Pantinen hemmten ihn, reiner Sand, der Boden, und Hofer war bereits um die Ecke, weg.
Goodie sammelte ihre Schlüssel ein, den Lippenstift, den Spiegel und anderen Kram, der ihr aus der Handtasche gefallen war. Ihr Fred, leicht außer Atem, kehrte zurück. »Ein Glück, daß ich im Garten war.« Er bemerkte die offene Handtasche, die noch auf dem Boden verstreuten Münzen, und blickte Goodie fragend an.
»Ich hab ihm eins um den Schädel gehauen.«
»Wer war der Kerl?«
Sie zuckte die Achseln. »Er hat mich schon auf der S-Bahn so angeglotzt. Dann ist er mir nachgestiegen. Und hier hat er mir an den Busen gewollt.«
»Saukerl!« Gadebusch schüttelte die Faust. Dann sagte er: »Das ist der Nachteil hier draußen. Ich mach mir manchmal Sorgen, wenn du im Dunkeln weggehst und im Dunkeln wiederkommst.«
Sie spitzte den Mund und küßte ihn aufs Ohr. »Du siehst doch, wie er abgebüchst ist.«
»Und wenn ich mal nicht da bin? Nein, nein, ich hab das schon lange

im Sinn. Ich hab da eine extra Knallschote, hübsches kleines Ding, paßt in die Handtasche. Ich zeig dir, wie man's benutzt.«
Extra Knallschote, dachte sie. Folglich besaß er eine andere noch, eine größere wohl. Sie dachte an Witte, den Brief an Herrn Quelle: *wenn nötig mit Gewalt.*
»Komm jetzt«, sagte er, »ich hab Hunger.«
Er legte ihr seinen Arm um die Schulter. Gestern noch hätte sie sich geborgen gefühlt bei ihm. Zu ihr war er ja auch immer gut gewesen.

Meldung des Rundfunks im Amerikanischen Sektor (RIAS) am Montag, 15. Juni, um 19.30 Uhr und wiederholt um 22.00 Uhr sowie am 16. Juni um 0.00 Uhr, 6.30 Uhr und 7.30 Uhr
In Ost-Berlin kam es heute auf drei Baustellen des volkseigenen Betriebs Industrie-Bau zu Proteststreiks gegen die von der Regierung angeordnete Normerhöhung um zehn Prozent. Auf der Baustelle Krankenhaus Friedrichshain wurde um 9 Uhr die Arbeit niedergelegt, während die Arbeiter auf den Baustellen Stalin-Allee Block 40 und Volkspolizei-Inspektion Friedrichshain von 14 und 15 Uhr an in den Ausstand traten. In Protestresolutionen an die Zonenregierung wurde die Zurückziehung der Anordnung über die Erhöhung der Normen gefordert.

17

Montag, 15. Juni 1953, 19.30 Uhr
drehte die Witwe Hofer am Knopf ihres Radiogeräts, bis sie die vertraute Stimme des Ansagers (West) vernahm, der den Beginn der Nachrichtensendung ankündigte. Zugleich vermerkte ihr für derlei Laute geschultes Ohr das Schlüsselgeräusch in der Wohnungstür und kurz darauf die Schritte des Untermieters im Korridor, spürbar zögernder als sonst. Sie lächelte, den linken Mundwinkel nach unten verzogen, und begab sich zum Spiegel. Kritischen Blicks korrigierte sie mit befeuchteten Fingerspitzen den Sitz der Löckchen über der Stirn. In diesem Augenblick sagte der Sprecher:
... kam es heute auf drei Baustellen des volkseigenen Betriebs Industrie-Bau zu Proteststreiks gegen die von der Regierung ...
Die Witwe ließ die Hand sinken, starrte auf ihr Spiegelbild, das umrahmt war vom Gedräng der schweren Möbel, und verfiel in Nachdenken. Dann ging sie zum Tisch, auf dem noch der Kognak stand, und genehmigte sich ein zusätzliches Gläschen.
Auch Witte, in seinem Zimmer, empfand den Wunsch, sich zu informieren. Er schlug die Abendzeitung auf, die er sich unterwegs gekauft hatte, und überflog die Nachrichten; doch diese widerspie-

gelten eine heile Welt, säuberlich eingeteilt in Gute und Böse, und es war ersichtlich, daß die Bösen dauernd Niederlagen erlitten.
Es klopfte.
Witte legte das Blatt zur Seite, öffnete die Tür. »Ach Sie, Frau Hofer.«
»Darf ich?«
»Aber ja.« Sie hatte sich feingemacht, stellte er fest, rosa Tupfer auf den Bäckchen, auch wir sind noch jugendlich. »Vielleicht möchten Sie Platz nehmen?«
Der Korbsessel bog sich unter ihrem Gewicht. Sie blickte Witte an, von unten herauf, kokett. »Sie gehen noch aus?«
»Ich weiß nicht. Vielleicht.«
»Stille Wasser«, sagte sie, »sind tief.«
»Sie wollten mir etwas mitteilen, Frau Hofer? Um die Miete kann es sich nicht handeln, die ist bezahlt für diesen Monat. Kommen wir zum Punkt.«
»Mein Sohn«, sagte sie, »ist zurückgekehrt.«
»Sie wollen mein Zimmer haben? Ich werde mich umsehen. Aber das wird etwas dauern.«
»Zimmer«, sagte sie. »Sie waren mir immer mehr wie ein Gast als ein Untermieter. So ein ruhiger, angenehmer Herr. Nein, mit dem Zimmer, das ist nicht so dringend.«
»Ihr Sohn«, sagte er, »bleibt nicht?«
»Nein«, sagte sie, »jetzt wird er wohl bleiben. Er hat große Pläne, ein Haus, ein eignes, zusammen mit seiner Anna. Sie wissen ja gar nicht, wie sehr er sie liebt, und wie es ihn getroffen hat, daß sie . . . daß sie . . .«
»Frau Hofer«, sagte er ungeduldig, »sind Sie darum zu mir gekommen?«
»Sie könnten Einfluß nehmen. Auf Sie hört doch die Anna.«
»Tut mir leid.«
Die Witwe klang bekümmert. »Was kann denn der Junge dafür, daß er so lange weg war. Es muß doch jeder seinen Geschäften nachgehen.«
»Was für Geschäfte betreibt er denn?«
Sie überhörte das. »Ich hab ja Verständnis, Herr Witte. Die Anna hat was, das wirkt auf die Männer, und wenn man so wohnt, dicht nebeneinander, und sich immerzu sieht . . .« Der Sessel quietschte. »Herr Witte«, sagte sie, »Sie sind ein Schwerenöter.«
»Also gut, Frau Hofer.« Er knöpfte sich das Hemd zu. »Ich habe noch andere Sorgen als das Zusammenleben Ihres Sohnes mit Ihrer Schwiegertochter. Wenn Sie mir weiter nichts zu sagen haben . . .«
»Doch hab ich.« Der Kognak, nachmittags in Gesellschaft des Sohns und der Besucherin genossen und abends allein, beseitigte gewisse

Hemmungen. »Die Anna ist weg, das ist Ihre Schuld. Und was interessiert Sie, was für Geschäfte mein Sohn macht? Wir sind ehrliche Leute hier, die ins Unglück gestürzt worden sind. Mein Mann ist umgebracht worden, von den Kommunisten, jawohl, aus dem Kanal haben sie ihn herausgefischt in Amsterdam, man hat ihn kaum erkennen können, nach der Zeit im Wasser. Dabei haben Sie ganz andere Damen zur Verfügung, was brauchen Sie die Anna, ein Fräulein Kasischke war hier, das ist Ihnen peinlich, Herr Witte, was, es hat nicht jeder so ein Fräulein Kasischke zur Hand und treibt's dazu noch mit den Ehefrauen anderer Männer und –«
»Entschuldigen Sie – wer war hier?«
»Aber tun Sie doch nicht so, Herr Witte, als ob Sie nicht wüßten, Fräulein Gudrun Kasischke, sogar mein Sohn war beeindruckt.«
Kasischke, dachte Witte, und sah sich sitzen in dem Parteibüro in der Kreisstadt, und die Gesichter der Genossen, die das Urteil fällten.
»Was hat sie gewollt?«
»Das wissen Sie doch am besten.« Die Witwe kicherte, wurde abrupt wieder ernst. »Aber das sag ich Ihnen, das hört auf, alles. Und jetzt will ich wissen, wo die Anna steckt, die gehört hierher, und Sie werden's mir sagen, Herr Witte, Sie wollen doch nicht, daß –«
Die Klingel.
»Ich geh schon«, sagte er.
Die Witwe kam ihm zuvor. »Wenn's Fräulein Kasischke ist, ich bring sie Ihnen.«
Witte setzte sich aufs Bett. Verrückt: die alte Sache, die er längst begraben glaubte, verfolgte ihn – als hätte er nicht genug, was ihn bedrückte.
Die Witwe stand in der Tür, triumphierend. »Sie werden abgeholt, Herr Witte!«
Hinter ihr zwei Männer. Der eine trat ins Zimmer, grüßte, sagte: »Ich bin der Fahrer vom Genossen Dreesen. Ich bringe einen Brief.«
Der andere, jünger, hellblond, ausdrucksloses Gesicht, blieb in der Tür stehen, neben der Witwe, beobachtend.
Witte erbrach das Kuvert, las: *Ich habe Dir meinen Fahrer geschickt. Es ist wichtig, daß Du sofort mitkommst. Ich erwarte Dich. Dreesen.*
»Ich zieh mir nur die Jacke an«, sagte Witte und ging zum Schrank.
Die Witwe, erleichtert, daß der Besuch nicht ihrem Sohn galt, sondern dem Untermieter, fühlte den Drang, sich zu äußern. »Gestern noch auf hohen Rossen«, sagte sie, zu dem Blonden gewandt. »Aber denen auf dem Wohnungsamt werd ich's klarmachen, mir jemanden ins Haus zu setzen, der dann von der Polizei

abgeholt wird.«
»Wieso Polizei?« sagte der Fahrer.
Witte schwieg.
»Und ihr Freund da?« nickte die Witwe. »Ich will Ihnen nur sagen, wir haben nichts zu schaffen mit diesem Herrn Witte, mein Sohn und ich. Ich bin nur die Vermieterin, und mein Sohn ist gerad erst zurückgekommen, der hat nicht mal hier gewohnt, der kennt den Herrn Witte gar nicht. Wenn Sie wollen, schließ ich das Zimmer ab hinter Ihnen, Sie können den Schlüssel mitnehmen, es gibt nur den einen, damit keiner denkt, wenn die Haussuchung dann kommt, hier wäre was beiseite geschafft worden.«
»Machen Sie sich keine Umstände, Frau Hofer.« Witte lächelte. »In ein paar Stunden bin ich wieder da.«

Aus einem Bericht des »Neuen Vorwärts«, Organ der Sozialdemokratischen Partei Deutschlands, vom 23. September 1952

... Eine besondere Rolle im Widerstandskampf gegen das kommunistische Regime ist dem Ostbüro der SPD zugefallen, das im Mittelpunkt der kommunistischen Diffamierungsversuche steht. Die Wahrheit über die Tätigkeit dieses Büros ist, daß es mit allen im illegalen Kampf geeignet erscheinenden Mitteln in der Sowjetzone eine entsprechende Aufklärung betreibt und eine aktive Unterstützung für die Widerstandgruppen in den Hochburgen der deutschen Arbeiterbewegung in Sachsen, Thüringen, Sachsen-Anhalt, Mecklenburg und Brandenburg ist. Es soll hier nicht über die Methoden des Kampfes und über spektakuläre Erfolge berichtet werden. Die Tätigkeit des Ostbüros wird von den politischen Richtlinien des Parteivorstandes bestimmt ... Erst wenn das kommunistische Regime der Sowjetzone durch andere politisch wirksam gewordene Faktoren gestürzt werden kann, erst dann wird sich das Ausmaß und der Sinn der illegalen Widerstandsarbeit der Sozialdemokratischen Partei in der Sowjetzone erweisen und bestätigen. Auf diesen Tag wird systematisch hingearbeitet ...

18

Montag, 15. Juni 1953, 20.45 Uhr
fuhr der Arbeiter Kallmann zusammen mit seinem Kollegen Gadebusch in einem Westtaxi den Kurfürstendamm entlang. Mit der U-Bahn, hatte er gemeint, gehe es doch auch. Aber Gadebusch hatte gesagt: Das laß mal meine Sorge sein.
Kallmann war lange nicht mehr am Kurfürstendamm gewesen; die Lichter, die vorbeifunkelnden Autos beunruhigten ihn. Dazu kam, daß Gadebusch wie ausgewechselt war: nicht nur äußerlich die feine

Schale; in seinem Wesen war auf einmal etwas Lauerndes und zugleich Herrisches.
»Wo fahren wir hin?« fragte Kallmann, nun schon das zweite Mal. »Du hast gesagt, wir treffen einen Genossen von mir.«
»Sei froh, daß du mal was von der Welt siehst. Du versauerst ja dort drüben, zwischen deiner Maschine und deinen Filzlatschen.« Gadebusch blickte auf seine Uhr, entdeckte eine Telefonzelle an der nächsten Ecke, ließ den Fahrer anhalten. Und klopfte, während er ausstieg, Kallmann auf den Schenkel: »Schön hierbleiben!«
Schön hierbleiben. Kallmann zerrte an seiner zerknitterten Krawatte; das schweißnasse Hemd klebte ihm am Rücken. Daß nicht herauszubekommen war von diesem Gadebusch, was er eigentlich von der Sache in der Kantine hielt. Den ganzen Weg von zu Haus bis zum Bahnhof Zoo hatte er ihm sein Verhalten zu erklären versucht, soweit es ihm selbst klar war; aber Gadebusch hatte geschwiegen und gegrinst.
Gadebusch telefonierte noch immer.
Schön hierbleiben. Wenn ich noch aussteigen will, dachte Kallmann, jetzt ist die Gelegenheit, wahrscheinlich die letzte. Dora hatte sofort was gemerkt, wie Gadebusch kam. Wohin schleppen Sie meinen Mann, hatte sie wissen wollen. Und als Gadebusch etwas von Verabredung sagte, hatte sie ihn angekeift: Mein August hat genug Trubel gehabt für einen Tag, der bleibt hier. Gadebusch hatte ihn spöttisch angeblickt; und er, als Herr im Haus, hatte ein Machtwort sprechen müssen.
Die Taxiuhr tickte. Teures Telefongespräch, dachte Kallmann, und dann: Aussteigen, aus dem Ungewissen ins noch Ungewissere? Die Dinge nahmen ihren Lauf auch ohne ihn, soviel war sicher, und er stak bereits viel zu tief drin, um noch aussteigen zu können.
Der Schatten in der Telefonzelle bewegte sich.
Gadebusch öffnete den Schlag, ließ sich auf den Sitz fallen, nannte dem Fahrer eine Adresse und klopfte Kallmann wieder auf den Schenkel. »Alles bestens, Freund und Kollege! Und wenn wir dann fertig sind, und dein Genosse ist zufrieden mit dir, dann nehm ich dich vielleicht noch woandershin mit, wo du was Besseres zu sehen kriegst als deine Dora.«
Der Wagen bog in eine der stillen Seitenstraßen des Kurfürstendamms ein, hielt vor einem diskret gekennzeichneten Restaurant. Drinnen schien man Gadebusch zu kennen oder ihn wenigstens zu erwarten; sie wurden zu einem Tisch in einer Nische geführt, blankgescheuertes Holz, solide, ein wenig bäuerlich; wäre nicht seine Spannung, Kallmann hätte sich sofort behaglich gefühlt. »Herr Quelle«, sagte der Oberkellner, »läßt ausrichten, Sie sollten inzwischen schon was bestellen, er käme bald.«

»Das Eisbein«, sagte Gadebusch, »ist gut hier.«
»Das Eisbein«, sagte der Oberkellner, »ist vorzüglich. Aber gedämpfte Rindsbrust ist auch zu empfehlen, mit Meerrettichsauce.«
»Eisbein«, sagte Kallmann.
»Und zwei Bierchen«, sagte Gadebusch.
Kallmann betrachtete die Zinnteller auf den Regalen, die alten Krüge, buntbemalt, den Bretterfußboden, blitzsauber; so etwas gab es schon nicht mehr im Osten, alles verkam dort, man konnte sich noch so sehr anstrengen. Und das Bier! – er schmatzte mit den Lippen.
Der Mann, der dann an den Tisch trat, sah aus, als wäre er einem der Bilder an der Wand entstiegen: etwas korpulent, gutmütig rundes Gesicht unter eisengrauen Igelhaaren. »Das also ist der Genosse«, sagte er, »von dem ich so viel Gutes gehört habe.«
Gadebusch beeilte sich aufzustehen, stellte vor: »Mein Freund, Herr Quelle.«
»*Genosse* Quelle«, verbesserte dieser, »für den Genossen Kallmann.« Eine Handbewegung bedeutete Kallmann, sitzen zu bleiben: keine Förmlichkeiten zwischen Gleichgesinnten. »Auch wenn unsre Partei drüben zwangsvereinigt wurde, das ändert nichts an unsern Grundsätzen, oder?« Er klemmte sich auf die Sitzbank links von Kallmann. »Was habt ihr bestellt?«
»Eisbein«, sagte Gadebusch; aber da brachte der Kellner bereits zwei große Platten; Kallmann lief das Wasser im Munde zusammen. »Eßt nur, eßt!« ermutigte Quelle, und zu dem Kellner: »Dasselbe für mich«, und zu Kallmann: »Schmeckt's?«
Kallmann nickte dankbar.
Gadebusch sagte: »Nach dem Kantinenfraß heute!«
Kantinenfraß. Kantine. Das Erbspüree klebte Kallmann in der Kehle. Bei aller Nettigkeit – wie, wenn sie ihn nun in Verdacht hatten, mit beiden Seiten zu techteln? Was wußte er selbst, warum er sich in dem Augenblick schützend vor Banggartz gestellt hatte.
Quelle faltete die Hände vorm Bauch, weiche, etwas plumpe Hände mit weißlichen Härchen auf dem Rücken. »Nervös, Genosse Kallmann? Kann ich verstehen. Bei euch drüben ist's ja schon so weit, daß keiner keinem mehr traut. Aber hier sind wir unter uns, und mit mir kannst du reden wie ein Arbeiter zum andern.«
Kallmann sah ihn an: warum sollten es Arbeiter nicht auch mal zu was bringen, hier im Westen.
»Familie?« fragte Quelle.
»Jawohl.« Kallmann schälte den Rest des Fleischs vom Knochen; der Appetit kehrte zurück. »Eine gute Frau. Ein Junge ist gefallen, der andre schwer kriegsbeschädigt.« Er tippte mit dem Finger gegen

die Schläfe. »Hier oben.«
»Schlimm«, sagte Quelle.
Kallmann befühlte das frische, perlende Glas Bier, das der Kellner auf Quelles Wink gebracht hatte. Da war einer, und gewiß kein unwichtiger Mann, der sich nicht zu groß vorkam, sich nach den Sorgen eines einfachen Arbeiters zu erkundigen.
»Kannst du mir erklären, Genosse Quelle« – Kallmann ging zu dem kollegialen Du über, das der andere von Anfang an benutzt hatte – »warum es einem bei uns drüben so schwer gemacht wird? Was will ich denn! Ich mach meine ehrliche Arbeit und ich will meinen ehrlichen Lohn, und keinen Pfennig drüber. Das ist mein Grundsatz gewesen mein Leben lang. So hab ich schon unter dem Kaiser gearbeitet und dann in der Weimarer Republik und unter Hitler und –«
Er hielt inne, trank.
»Warum genierst du dich«, sagte Quelle. »Und du würdest auch unter Ulbricht so arbeiten. Aber die lassen dich nicht. Immer kommen sie mit ihren Wettbewerben und Selbstverpflichtungen, noch was mehr leisten und noch weniger Lohn dafür kriegen, heute hopp-hopp und morgen rumstehen, und das Ganze eingewickelt in große Reden und rote Fahnen, und am Ende stellt sich was heraus – die neuen Herren sind schlimmer wie die alten.« Quelle steckte sich die Serviette vor den Bauch und schnitt hinein in die pralle Fettschicht seines Eisbeins, das ihm der Kellner vorgesetzt hatte. »Und jetzt noch die Normen. Da soll einer Lust haben zum Arbeiten. Oder wie denken die Kollegen bei euch im Betrieb?«
»So ungefähr denken sie«, bestätigte Kallmann, »in der großen Mehrzahl.«
Quelle kaute. »Aber wenn das so ist, wie du sagst, und wenn die Arbeiter versucht haben, dem Parteisekretär ihre Meinung begreiflich zu machen, warum hast du dich ihnen entgegengestellt?«
Träge Worte, dazwischen das leise Schmatzen. Ja, warum. Kallmann blickte hastig auf Gadebusch: der kratzte sich an der Nase.
»Ich weiß selbst nicht, warum. Alles passierte so plötzlich.«
»Sie haben ihm ein Buch geschenkt«, erwähnte Gadebusch, »für seine Verdienste um den Genossen Banggartz.«
Quelle zerdrückte seine Kartoffeln im Saft des Eisbeins.
»Aber was hätte es denn genützt«, rief Kallmann verzweifelt, »wenn sie den Banggartz zusammengeschlagen hätten! Was nützt es, wenn man was anfängt, was man nicht zu Ende führen kann?«
»Nicht so laut«, sagte Quelle, »ich hör dich auch so.«
»Ich weiß doch, wie's früher war.« Kallmann senkte die Stimme. »Was war das Wichtigste – Organisation. *Die* sind organisiert. Die kann man nur schlagen, wenn man selber auch organisiert ist.«

Quelle legte Messer und Gabel beiseite. Dieser Kallmann war, was er brauchte. Die Herrschaften von der CIA und die Gehlen-Leute und die Kampfgruppe gegen Unmenschlichkeit, und wie sie alle hießen, mit ihrer Geheimdienstspielerei, und hier mal was sabotieren und dort mal ein Flugblattballon, die entschieden einen Dreck. Eine Arbeiterpartei und ein Arbeiterstaat konnten gestürzt werden nur von Arbeitern, von organisierten Arbeitern.
Und sagte: »Recht hast du, Genosse Kallmann, und hast dich richtig verhalten.«
Kallmann atmete auf. »Ich hab schon nachts nicht mehr schlafen können«, gestand er. »Weiß denn einer immer, was richtig und was falsch ist, in dieser Situation?«
»Du hast doch Erfahrung«, sagte Quelle. »Und die Organisation ist ja auch noch da.«
Kallmann zählte an seinen Fingern auf: »Gadebusch hier, Pietrzuch, Csisek, Wiesener, vielleicht noch ein Dutzend mehr, solange es gutgeht. Organisation läßt sich nicht aus dem Boden stampfen.«
Quelle schnaufte. »Und was glaubst du, was wir die ganzen Jahre getan haben? Unsere Leute sind überall, Männer wie du, in jedem Werk, in jeder Abteilung. Oder bildest du dir ein, ein solcher Aufruf kommt von allein ans Schwarze Brett?« Kallmann murmelte Anerkennung.
»Ich will dir die Karten auf den Tisch legen, Genosse Kallmann. Der Kollege Gadebusch hat dich sehr empfohlen. Wir haben dann nachgeforscht: alles untadelig. Aber auf die Sache heut mittag hin gab es Zweifel, und ich dachte, kümmerst dich mal selber um den Mann.«
Kallmann bemerkte den wohlgefällig auf ihm ruhenden Blick: die Prüfung war günstig ausgefallen.
»Wer Arbeiter führen will«, erklärte Quelle autoritativ, »muß ihre Beweggründe kennen, ihre Sprache sprechen, ihre Nöte teilen; er muß Seite an Seite mit ihnen gestanden haben, in guten wie in bösen Zeiten; kurz, er muß anerkannt sein als einer von ihnen. Genosse Kallmann, wenn der Ruf zum Streik kommt und zur Demonstration, dann wirst du einer ihrer Führer sein.«
Kallmann war es feierlich zumute, fast wie damals, als der Oberbuchhalter des Betriebes, Herr Heyse, ihm, wenn auch widerwillig, seine Prinzipienfestigkeit bestätigen mußte. Nur: wenn es bereits eine so starke und überall verbreitete Organisation gab, warum wurde er dann als Führer gebraucht – ausgerechnet er, August Kallmann?
Quelle schien die unausgesprochene Frage erwartet zu haben. »Ich will dir auch sagen, warum, Genosse Kallmann. Weil du bewiesen

hast, daß du denken kannst mit dem Kopf, den du auf den Schultern trägst, selbständig denken, und selbständig handeln, wenn's drauf ankommt.« Er streichelte sich den Handrücken. »Obwohl du auch von uns hören wirst, direkt oder indirekt.«
Kallmann wischte sich das Fett vom Mund und richtete sich auf. Er sah sich voranmarschieren, an der Spitze seiner Kollegen, in der großen Sache ihrer Klasse. Dann jedoch wandelte sich sein Ausdruck, wurde unsicher.
»Wenn du außerdem noch Fragen hast«, sagte Quelle, »frag jetzt. Ich will, daß Klarheit herrscht zwischen uns.«
Kallmann wußte, was ihn plötzlich bedrückte: der gleiche Zweifel, der ihn des anderen Abends zu Witte getrieben hatte – er war doch *für* den Sozialismus.
»Nun?«
»Ja«, sagte Kallmann zögernd, »aber worauf läuft es hinaus? Also, wir streiken. Und wenn wir verlieren? . . .« Er griff sich an den Hals.
»Wir verlieren nicht.« Quelles Gutmütigkeit war verschwunden. »Sehe ich aus wie einer, der mit dem Leben von Arbeitern spielt? Bei einem derartigen Unternehmen steckt doch wohl Planung dahinter, Absprachen, Absicherung.«
Gadebusch lächelte: »Meinst du, die im Westen stehen Gewehr bei Fuß, wenn's soweit ist?«
»Wenn wir zusammenhalten im Betrieb«, sagte Kallmann, »das ist die Absicherung.«
»Bravo«, sagte Quelle.
»Aber wenn wir nun streiken und es klappt alles und eins kommt zum andern und wir jagen die Kommunisten und ihre Regierung zum Teufel«, sagte Kallmann, »was dann? Es ist ja nicht alles schlecht, was bei uns im Osten gemacht wird. Was wird aus Betrieben wie VEB Merkur?«
Quelle schien Gadebuschs fragenden Blick nicht zu bemerken. »Was dann wird?« wiederholte er gedankenvoll. »Das entscheidet ihr selber, durch freie, geheime, demokratische Wahlen. Wir sind doch nicht gegen den Sozialismus! Und was du willst, Genosse Kallmann, das hast du doch vorhin selber gesagt: du willst deine ehrliche Arbeit tun dürfen und deinen ehrlichen Lohn dafür haben. Und außerdem willst du frei atmen können und ohne den dauernden Druck leben und ohne daß dir einer vorschreibt, wie du zu denken hast.«
»Das ist wahr«, pflichtete Kallmann ihm bei.
»Dann verstehen wir uns?«
»Ja.«
»Na«, sagte Quelle, »dann trinken wir noch was. Und vergiß eines

nicht: Führen ist eine Kunst. Sie besteht darin, daß du führst; nicht darin, daß du dir den Schädel einschlagen läßt.«

19

Montag, 15. Juni 1953, 21.30 Uhr
saßen in Dreesens Büro beisammen: Dreesen selbst, Martin Witte, ein Genosse Ewers vom Ministerium für Staatssicherheit; dieser stand im Majorsrang, trug jedoch Zivil, eine zerknitterte Tweedjacke.
Aus Nebenbemerkungen Dreesens, einem halben Satz von Ewers, auch wohl einer gelegentlichen Geste des einen oder anderen schloß Witte, daß diese Form der Zusammenkunft ein Kompromiß war, dessen Fortdauer von mehreren Faktoren, darunter den Ergebnissen der Unterredung, abhängen mochte. Das Gespräch war kein Verhör im eigentlichen Sinne, doch es war auch keine Aussprache unter Genossen, die in dem oder jenem Punkt verschiedener Ansicht waren; und immer war der Druck spürbar, unter dem alle drei Teilnehmer standen.
Um diese Stunde hatte die Sache bereits länger gedauert als von Dreesen und Ewers vorgesehen. Folgende Fragen waren besprochen, aber keine erschöpfend behandelt oder gar gelöst worden: die Frage der Anwendung von Zwang bei primär ökonomischen Vorgängen; die Frage der sozialen Herkunft von Teilen der Belegschaft von VEB Merkur und des Grads ihrer Bewußtseinsbildung; die Frage der Vergangenheit Wittes als mögliche Ursache einer, von Witte bestrittenen, Selbstisolierung von den Parteimassen; die Frage seines Tagesablaufs an diesem 15. Juni, besonders im Zusammenhang mit Personen, die er aufsuchte bzw. denen er begegnete, einschließlich seiner Unterredung mit diesen; die Frage der Möglichkeit eines Streiks bei VEB Merkur bzw. von Streiks im demokratischen Sektor von Großberlin bzw. in der DDR, und Wittes Stellung dazu; die Frage seiner Pläne und Absichten in der näheren Zukunft, besonders im Zusammenhang mit seiner Beurlaubung von seiner Funktion; sowie andere mindere Fragen, alle von irgendwelchem Bezug zu dem Hauptthema, nämlich seinem Verhalten in der letzten Zeit und dessen Ursachen.
Gesprächführend war zumeist Dreesen gewesen; Ewers griff durch Zwischenfragen ein, lenkte wohl auch hier und da auf bestimmte Punkte hin, hielt sich aber im allgemeinen zurück; Witte schloß daraus, daß das Ganze immer noch eine Angelegenheit der Partei mehr als der Polizei war.
Bisher war es ihm gelungen, Ruhe zu bewahren. Als er abgeholt

wurde, hatte er geglaubt, Dreesen riefe ihn zu sich, um ihm mitzuteilen, alles sei ein Mißverständnis gewesen, Banggartz sei bereits entsprechend informiert, und nun, wie verfahren wir angesichts der Lage im Betrieb. Aber da war der Hellblonde gewesen mit dem sonderbar unbeteiligten Gesicht, der seine Anwesenheit als Selbstverständliches zu betrachten schien und nur das Nötigste sprach während der Fahrt.
Als er dann, das zweite Mal heute und jetzt in Begleitung des Hellblonden, den Wandelgang mit den getäfelten Türen beiderseits durchschritt, war ihm klar, daß eine Prüfung bevorstand; und er war nicht verwundert gewesen, bei Dreesen einen ihm Unbekannten, eben Ewers vorzufinden, der sich nach kurzer Zeit als Mitarbeiter des eigens zum Schutz der Republik vor geheimen Feinden geschaffenen Sonderministeriums auswies. Erstaunlich fand Witte es eher, daß er jetzt auf einem von Dreesens angenehmen Sesseln saß und nicht in den Räumlichkeiten des erwähnten Ministeriums; vertrat er doch selbst sonst die Ansicht, daß man in Zeiten der Zuspitzung des Klassenkampfs zunächst einmal zuschlug und dann erst Fragen stellte.
»Ich habe keine Geheimnisse vor der Partei«, sagte er. »Wenn ich Fehler gemacht habe, die als Fehler erkennbar sind, werde ich sie eingestehen.«
»Es geht uns jetzt nicht um Geständnisse«, erwiderte Ewers, »nur um die Beantwortung von ein paar Fragen.«
Witte hob müde die Hand. »Ich beantworte Fragen seit über einer Stunde.«
»Das kann doch nur nützlich sein«, sagte Dreesen. »Wenn wir richtig urteilen wollen, müssen die Fakten auf dem Tisch liegen.«
Dreesen dachte: Was plage ich mich ab um ihn. Vielleicht hat Pettenkofer recht, soll die Staatssicherheit das klären. Was in dem Betrieb vorgeht, ist eindeutig; zweideutig ist die Rolle, die Witte dabei spielt, auch wenn er heut früh zu mir gelaufen kommt und Alarm schlägt. Ewers fragt sich wahrscheinlich, wieso geht dieser Witte zum Genossen Dreesen, was laufen da wieder für Fäden. So gerät man selber in schlechten Geruch. Aber ich kann ihn doch nicht einfach absaufen lassen, einen alten Genossen, mit dem man so viel durchgemacht hat zusammen. Andererseits haben auch alte Genossen schon die größten Schändlichkeiten begangen, dafür gibt's Geständnisse, in Moskau, in Prag, in Budapest, nein, lieber nicht daran denken.
Ewers dachte: Was ist das wieder für eine Aufgabe. Entweder sollen sie diskutieren und uns aus dem Spiel lassen, oder wir untersuchen. Und genug zu untersuchen wäre da; aber der Genosse Dreesen legt sich quer, und es wird ihm gestattet. Wer schießt da wieder auf wen?

Es ist alles ein Durcheinander, seit der Alte tot ist in Moskau, nein, lieber nicht daran denken.
»Genosse Witte«, fragte er, »was sind deine Verbindungen zu dem Aktionsausschuß der Sozialisten?«
Witte rieb sich die Brauen. »Ich kenne keinen solchen Ausschuß. Nie davon gehört.«
»Aber etwa um sechs Uhr dreißig heute früh, in Halle sieben, hast du mit einer Anzahl von Arbeitern gesprochen, und zwar über die Normfrage. Du bist sicher, daß keiner von ihnen zu diesem Aktionsausschuß gehörte?«
»Wie soll ich wissen, wer zu einem Ausschuß gehört, von dem ich jetzt zum ersten Mal erfahre. Das einzige, was ich mit Sicherheit sagen kann, ist: ich gehöre nicht dazu.«
»Gut«, sagte Ewers. »Bei diesem Gespräch früh wurde über die Normerhöhung geschimpft, über den Genossen Banggartz; es wurde sogar der Vorschlag gemacht, Genosse Witte, du solltest die Unzufriedenen anführen. Stimmt das?«
Witte räusperte sich, da er spürte, wie sich ihm die Kehle zusammenzog. »Führen . . . Als Gewerkschafter, als Kommunist, die Interessen der Kollegen vertreten – davon war die Rede.«
»Und du bist dem allen nicht entgegengetreten?« fragte Dreesen.
»Ich konnte überhaupt nichts mehr sagen. Ich mußte weg, zum Werkleiter, der mich mit der Mitteilung überraschte, ich besäße das Vertrauen der Parteileitung nicht mehr, und der mir die Eröffnung machte, ich hätte den Betrieb zu verlassen, zwangsbeurlaubt. Danach bin ich zu dir gekommen.«
Ewers nickte: zeitmäßig ließ sich das überprüfen. »Aber wie erklärst du dir, Genosse Witte«, fragte er dann, »daß ein von diesem Ausschuß unterschriebener Anschlag, der sich mittags am Schwarzen Brett in der Kantine befand, eine solche Ähnlichkeit hatte mit den Reden, die früh mit dir geführt wurden?«
»Anschlag?« sagte Witte. »Mittags? In der Kantine?«
»Davon weißt du nichts?«
»Habt ihr das Ding? Kann ich's mal sehen?«
»Du weißt auch nichts davon, daß Banggartz heute mittag in der Kantine verprügelt wurde und fast gelyncht worden wäre . . .?«
»Um Gottes willen!«
» . . . und daß er sich nur retten konnte, weil ein Arbeiter dazwischentrat, ein gewisser Kallmann?«
»Kallmann«, sagte Witte.
»Kennst du den Kallmann?«
»Ich kenne ihn. Ich verstehe nur nicht . . .«
»Was verstehst du nicht?«
»Kallmann ist am Sonntagabend bei mir gewesen, halb angetrun-

ken, und hat herumgenölt und angedeutet: Streik.« Er wandte sich Dreesen zu. »Hab ich das nicht erwähnt, heut vormittag, als ich bei dir war?«
»Ich glaub nicht«, sagte Dreesen. »Aber ich kann mich irren.«
»Noch eine Frage«, sagte Ewers. »Kennst du eine Goodie Cass?«
Witte verneinte.
»Goodie Cass alias Gudrun Kasischke.«
»Kasischke . . .«
Dreesen hob den Kopf.
»Genosse Dreesen«, sagte Witte, »hättest du ein Glas Wasser für mich?«
Dreesen holte eine Flasche Mineralwasser und Gläser. »Möchtest du auch eine von meinen Pillen?«
»Nein, danke. Das Herz ist in Ordnung. Nur im Kopf, in meinem Kopf ist ein großes Durcheinander.« Witte trank. »Da geschehen lauter Dinge um mich herum, von denen ich keine Ahnung habe und die doch irgendwie in Zusammenhang stehen mit mir, ich weiß nicht, wie und warum, das ist doch zum Verrücktwerden.«
»Du kennst also diese Gudrun Kasischke«, sagte Ewers.
»Eine junge Frau mit dem Namen, erzählte mir meine Wirtin, war heut nachmittag bei mir und wollte mich sprechen. Ich war aber nicht zu Hause, ich war im Dampfbad um die Zeit, oder auf dem Weg vom Dampfbad nach Hause.«
»Du warst allein im Dampfbad?« fragte Ewers.
»Allein, jawohl«, fuhr Witte auf, »und das Billett hab ich nicht mehr, und wahrscheinlich hat mich auch niemand dort erkannt, im Dampfbad sind alle nackt, und man sitzt wie im Nebel, es ist ein schlechtes Alibi.«
»Wenn ich mir vorstellen sollte«, sagte Dreesen zweifelnd, »daß ich an einem solchen Tag ins Dampfbad gehe . . .«
»Verrückt«, sagte Witte, »nicht?«
»Lassen wir das Dampfbad«, sagte Ewers. »Du hast keine Ahnung, Genosse Witte, was die Kasischke von dir gewollt haben könnte?«
»Keine Ahnung.«
»Wäre es möglich, daß sie dir eine Nachricht überbringen wollte von irgend jemand?«
»Ich wüßte nicht, von wem.«
»Etwa von einem gemeinsamen Bekannten.«
»Wir haben keine gemeinsamen Bekannten. Seit 1947, als ich Landrat und die Gudrun Kasischke, um die es sich wohl handelt, Bedienstete in meinem Haus war, habe ich nichts mehr von ihr gehört. Das Mädchen spielte eine untergeordnete Rolle bei der von ihrem Vater und ein paar Großbauern eingefädelten Provokation gegen mich; mein eigner Mangel an Wachsamkeit kam dazu; ich

mußte von meiner damaligen Funktion abgelöst werden; die Angelegenheit wurde von der zuständigen Kreisleitung der Partei gründlich untersucht, wie der Genosse Dreesen bestätigen kann.«
»Warum aber dann die plötzliche Dringlichkeit nach sechs Jahren?« sagte Dreesen. »Zwei Besuche an einem Tag. Das ist doch auffällig.«
»Zwei?« fragte Witte.
»Ja«, sagte Ewers, »die Kasischke war auch im Betrieb. Nur ist sie dort dem Genossen Banggartz in die Hände geraten, und dem Genossen Sonneberg.«
»Sonneberg ist doch im Urlaub«, sagte Witte; endlich eine Unstimmigkeit in der polizeilichen Logik.
»Sonneberg ist vorzeitig zurückgekehrt«, sagte Ewers.
»Ich wünschte, du sperrtest dich nicht so gegen uns«, sagte Dreesen. »Wir beide, der Genosse Ewers und ich, sprechen mit dir in deinem Interesse.«
Witte hob die Hände. »Was soll ich denn bitte gestehen! Daß ich den Anschlag am Schwarzen Brett verfaßt habe, den ich immer noch nicht kenne? Daß ich Banggartz habe verprügeln lassen? Daß ich einen Streik bei VEB Merkur organisiere? Daß ich ein imperialistischer Agent bin und durch Gudrun Kasischke direkte Verbindung zu westlichen Geheimdiensten habe?«
Dreesen dachte: Das nun wohl doch nicht. Aber früh in der Werkhalle, das Gespräch mit den Arbeitern über Streik, wie war das wirklich? Und sein Verhältnis zur Parteileitung im Betrieb, er stellt es natürlich aus seiner Sicht dar; und daß er so gar nichts gewußt haben will von dem Zwischenfall mit Banggartz. Und dann das lächerliche Dampfbad, und, und, und . . .
Ewers dachte: Das nun wohl doch nicht. Aber die Vergangenheit, wieviel Leute hat er gekannt, die damals Genossen waren und heute Gegner sind. Und auch die Sache mit dem Bauern Kasischke, was heißt hier gründlich untersucht, so schnell läßt der Gegner keinen aus seinen Klauen, und den braven Genossen von der Kreisleitung konnte leicht etwas entgangen sein. Und dann mittags die Zusammenkunft mit der Anna Hofer, deren Mann gerade aus dem Westen gekommen ist, und, und, und . . .
»Bleiben wir vorläufig bei dem, was wir schon festgestellt haben«, sagte Ewers.
»Bleiben wir dabei«, stimmte Witte zu. »Die Normerhöhung, welche die Arbeiter angeblich so freudig gebilligt haben, steckt uns allen im Halse; der Angriff auf Banggartz in der Kantine ist eine traurige Tatsache; und es ist leider durchaus möglich, daß es Streikversuche geben wird. Aber das sind politische Fragen, keine polizeilichen.«
Dreesen spürte den vertrauten Druck auf der Brust. »Ich appelliere

an dich, Martin«, sagte er, schwer atmend. »Ich habe versucht, dir zu helfen. Jetzt hilf du uns, indem du sprichst. Hilf der Partei.«
Ewers' breite, behaarte Hände fielen Witte plötzlich auf, Arbeiterhände, und er stellte sich vor, wie diese Hände ihm Handschellen anlegten. Handschellen, das wußte er aus Erfahrung, waren immer zu eng und drückten auf den Gelenkknochen.
»Ich kann mir ausmalen«, sagte er, »wie sich die Sache im Gehirn des Genossen Ewers darstellt. Zuviel Verdächtiges trifft da zusammen, denkt er sich, und zu sehr in der Nähe des Genossen Witte.«
Ewers' Gesicht, schwer, eckig, ließ nicht erkennen, ob er Witte recht gab.
»Natürlich kannst du mich festsetzen, Genosse Ewers. Wenn er lange genug sitzt, denkst du dir, wird er schon reden, und da gibt's ja auch noch Mittelchen. Aber selbst wenn ich der Partei dadurch helfen könnte – ich kann ihr keine Verschwörung liefern, an der ich teilgenommen hätte.«
»Das ist alles?« sagte Ewers.
»Noch nicht. Mach dir ruhig deine Notizen, jetzt kommt der wichtigste Punkt.«
»Der wäre?«
»Daß in der Lage, in der unsre Republik sich befindet, drei Genossen eigentlich etwas anderes zu tun hätten als miteinander Räuber und Gendarm zu spielen. Und daß wir, auch du, Genosse Ewers, uns vielleicht zu VEB Merkur begeben könnten, um an Ort und Stelle die Tatbestände zu überprüfen. Und daß wir, wenn wir schon mit Polizeimitteln arbeiten müssen, diese gegen den Feind anwenden sollten statt gegen uns selber.«
Dreesen holte seine Pappschachtel aus der Tasche, entnahm ihr eine Pille und schluckte sie. Dann sagte er, mit einem Blick auf Ewers:
»Ich möchte eine Frage, die wir schon berührt haben, noch einmal aufgreifen.«
Ewers zuckte die Achseln: »Bitte.«
»Bei den sowjetischen Freunden«, sagte Dreesen, »hast du den Punkt Streik da auch zur Sprache gebracht?«
»Nein.«
Dreesen wurde rot. »Aber du hast uns doch erzählt, daß unsere Situation besprochen wurde, einschließlich der Revolution, die wir zu machen versäumt hätten, und so weiter.«
»Nicht ich habe von Streik angefangen zu sprechen, sondern einer der sowjetischen Genossen«, sagte Witte. »Man liest dort das *Neue Deutschland*, scheint aber auch unabhängig informiert zu sein.«
»Und haben die Freunde dir auch anvertraut, was sie in Anbetracht der Lage zu tun gedenken?« fragte Dreesen spitz.

»Man sprach von den sich bietenden Alternativen, keine von ihnen angenehm.«
Dreesen dachte: Alternativen. Das heißt, es kommt auf jeden von uns an. Aber wie viele gibt es, die die Kraft haben, das zu tragen? Wo endet das?
Ewers dachte: Alternativen. Das heißt, es ist unklar, was morgen werden wird. Es sind auch keine festen Anweisungen zu erhalten. Wo endet das?
»Na gut«, sagte Dreesen, »ich werde das alles noch mal dem Genossen Pettenkofer vortragen.« Dann, zu Ewers gewandt und in einem Ton, der scherzhaft klingen sollte: »Was machen wir inzwischen mit dem Genossen Witte?«
Ewers zögerte.
»Nun?« fragte Dreesen.
»Der Genosse Witte soll sich zur Verfügung halten.«
Dreesen stand auf. »Dann laßt uns nach Haus gehen, endlich.«
»Morgen ist auch ein Tag«, sagte Ewers, »und wahrscheinlich kein leichter.« Und als Nachgedanke: »Wenn du's dir aber doch überlegen solltest, Genosse Witte, und mir etwas mitteilen möchtest – unter dieser Nummer kannst du mich erreichen.«
Er schrieb die Nummer auf seinen Notizblock, riß das Blatt aus und gab es Witte. Der steckte es mechanisch ein.

20

Montag, 15. Juni 1953, 23.15 Uhr
saß der Arbeiter Kallmann mit seinem Kollegen Gadebusch in einem Nachtlokal unweit des Restaurants, in dem sie den Genossen Quelle getroffen hatten. Gadebusch hatte für einen Tisch mit gutem Ausblick auf die Tanzfläche und die kleine Plattform dahinter gesorgt, wo eine Band fremdartige Rhythmen hervorbrachte; bunte Lichter kreisten um Kallmanns Kopf und zauberten Farbspiele auf die vor ihm stehenden Gläser. Trotz des Alkohols, der ihm bei anderen Gelegenheiten die Zunge löste, und trotz Gadebuschs freundschaftlich aufmunterndem »Mach nicht so'n Gesicht, Mensch, du lebst nur einmal!« blieb er einsilbig: plötzlich waren die Grundsätze, die ihn sein Lebtag in ruhigen Bahnen gehalten hatten, zur Ursache seines Durcheinanders geworden, und er war in den Sog eines Strudels geraten, der ihn wer weiß wohin spülen mochte.
Die Band brach ab. Die Lichter gingen aus bis auf einen einzigen grellen Kegel, in dem silberne Rauchschwaden aufstiegen. Ein jugendlich aussehender, permanent lächelnder Mann trat ans Mikrophon, begann zu sprechen, sehr rasch, irgendwie Anzügliches;

Kallmann verstand nicht die Hälfte; die Leute lachten aber.
»Die Show«, erläuterte Gadebusch. »So was wird dir nicht alle Tage geboten, Freund und Kollege.«
Ein vornehm gekleideter Herr tanzte mit einer schlanken, außerordentlich gelenkigen Dame; sie neigten sich übereinander mit großer Leidenschaftlichkeit; zum Schluß packte er sie an Hand- und Fußgelenk und schleuderte sie im Kreise, ihr langes Haar schleifte übers Parkett, sie aber blickte hingegeben und vertrauensvoll zu ihrem Partner auf. Erst jetzt, da er im Dunkeln saß, war Kallmann sich bewußt, wie schäbig der Stoff seiner Jacke war und wie dürftig seine Krawatte. Gadebusch stieß ihn an, »Jetzt kommt die . . .«, und nannte einen Namen, offensichtlich eine Berühmtheit. Der Conférencier wieder. Und dann eine andere Dame in etwas Hautengem; sie sang und bewegte die goldglänzenden Hüften und klammerte sich dabei an das Mikrophon, als wäre es ein geliebtes Wesen. »Ich hab sie schon besser gesehen«, sagte Gadebusch, »die ist heut nicht in Form.« Darauf kam einer, der ein Dutzend Teller und Gläser und Stöcke zugleich balancierte und durch die Luft wirbelte und wieder auffing; Kallmann dachte an Willy Mosigkeit, die Seele des Kulturprogramms, und was der noch lernen konnte. Die nächste Ansage des Conférenciers war in ernstem Ton gehalten, bedeutungsvoll; er sprach von begnadet in Zusammenhang mit der Künstlerin, die nun auftreten würde, und nannte einen amerikanisch klingenden Namen. Lichtkegel flammten von verschiedenen Seiten her auf und konzentrierten sich auf die Gestalt einer Frau, die, ganz in Schwarz, einfach dastand und mit grünen funkelnden Augen auf ihn, August Kallmann, zu blicken schien.
Ein Zittern durchlief ihren Leib. Die Band spielte etwas Leises, Dumpfes. Die Frau begann sich zu bewegen, langsam, wiegend, schlangenhaft. Eine Hülle fiel, die Schultern zeigten sich, weiß; glänzende Schultern, wie Kallmann sie nur auf Bildern gesehen hatte in alten Illustrierten. Die Leute um ihn herum atmeten hörbar; Gadebusch saß bequem zurückgelehnt. Die Frau streifte erst das eine Kleidungsstück ab, dann das andere, Kallmann versuchte, nicht hinzusehen, sah aber dann doch hin, natürlich wußte er, daß Frauen so etwas taten, sich öffentlich auszogen und den Busen zeigten und den Bauch und was sie sonst noch hatten; trotzdem genierte er sich, und das Schlimmste war, daß eine Wirkung nicht ausblieb; er blickte verstohlen auf Gadebusch, aber dem schien es nichts weiter auszumachen, Gadebusch war wohl gewöhnt an Derartiges, er hielt den Kopf ein bißchen schief, als beurteilte er irgendein Werkzeug, das ihm einer zurückbrachte, und nickte fachmännisch. Jetzt war die Frau total nackt bis auf ein winziges funkelndes Dreieck zwischen den Schenkeln, die Band

spielte rascher, lauter, der Kopf der Frau schüttelte sich wie in einem inneren Krampf, sank zurück, die Scheinwerfer verloschen.
»Ja, mein Lieber«, sagte Gadebusch, nachdem die Lichter wieder angegangen waren, »da kann deine Dora nicht mit, was?«
Kallmann schwieg.
»Ich sehe, du könntest noch einen vertragen«, sagte Gadebusch.
Kallmann kratzte sich am Nacken: da war eine Erinnerung in seinem Hinterkopf, die irgendwie mit der Frau zusammenhing, die sich da entkleidet hatte, aber das Was und Wann wollte ihm nicht einfallen.
Gadebusch winkte dem Kellner. »Noch einmal das gleiche.«
Kallmann wurde immer wirrer zumute. Er entschuldigte sich und ging zur Toilette, schlug sein Wasser ab, wusch Gesicht und Hände. Danach fühlte er sich wohler. Er sah auf die Uhr. Mein Gott, dachte er, wann komm ich da nach Hause, und morgen ist ein schwerer Tag, wenn morgen was passiert, worauf hab ich mich bloß eingelassen. Als er zurückkam zum Tisch, stand der Schnaps da und das Bier; das war zu schade, um es stehenzulassen; Gadebusch prostete ihm zu. Kallmann kippte den Schnaps, überlegte, was er sagen könnte, man kann nicht einfach austrinken und weg, sagte: »Du kommst hier öfters her, was?«
Gadebusch lächelte. »Die Leute sagen immer, Striptease ist nur Sex. In Wirklichkeit ist es Kunst, große Kunst.«
»Glaub ich dir«, sagte Kallmann, und hatte wieder das komische Gefühl im Hinterkopf, daß er mehr wußte, als ihm deutlich war, und seufzte: »Trotzdem, ich muß nach Hause.«
»Was, willst du denn Goodie nicht kennenlernen?«
»Wer ist Goodie?«
»Die Künstlerin, Mann! Berlins begnadetste Stripperin!«
»Ich«, sagte Kallmann, »soll die kennenlernen?«
Gadebusch tat überlegen. »Warum nicht?«
Da kam sie schon. Quer durch den Raum, in Dunkellila, wodurch die Farbe der Haut und die Augen und das rötliche Haar noch aufreizender wirkten, kam sie auf den Tisch zu, an dem Kallmann saß, und blickte ihn an und fragte: »Hat's Ihnen gefallen?«
Die Erinnerung im Hinterkopf glitt in andere Schichten des Gehirns und nahm Gestalt an. »So was!« sagte er. »So eine Ähnlichkeit!«
Goodie war blaß geworden.
Er erhob sich linkisch. »Sind Sie's, oder sind Sie's nicht?«
»Sie müssen sich wohl irren«, sagte Goodie.
Aber Kallmann ergriff ihre Hand und schüttelte sie. »Natürlich, wir sind uns doch heut schon mal begegnet, Fräulein – im Betrieb bei uns, vor der Parteileitung von VEB Merkur.«

21

Dienstag, 16. Juni 1953, 0.15 Uhr
warteten Michail Petrowitsch Solowjow und Nikolaj Nikolajewitsch Bjelin in Solowjows Arbeitszimmer auf einen Anruf, der ihnen angekündigt worden war. Beide Männer tranken Tee; Solowjow hielt sein Glas in der linken Hand, während er mit der rechten in dem Bericht blätterte, den Bjelin ihm kurz vor Mitternacht vorgelegt hatte.
»Trinken Sie, trinken Sie, Michail Petrowitsch«, sagte Bjelin. »Um Mitternacht trinke ich immer ein Glas Tee.«
Solowjow blickte auf.
»Ihr Witte hat recht gehabt mit seiner Analyse.« Bjelin wies auf den Bericht. »Da ist die Bestätigung, aus unseren Quellen. Was für ein Wirrwarr in den deutschen Köpfen – im Grunde weiß keiner, was eigentlich werden soll in diesem geteilten, durcheinandergewirbelten Land und dieser geteilten, durcheinandergewirbelten Stadt, und hinter all dem spürbar die Arbeit eines Apparats, der jedes Gerücht ins Unermeßliche und jede Beschwerde ins Irreparable steigert.«
Solowjow rührte den Zucker in seinem Glas um. »Wladimir Semjonytsch ist aus Moskau zurück. Er wird seine Anweisungen mitgebracht haben.«
»Ja?« fragte Bjelin. »Von wem?«
»Wie meinen Sie das: von wem?«
Bjelin trank, anscheinend mit Behagen. »Sie haben mich sehr gut verstanden, Michail Petrowitsch.«
Solowjows Gesicht verdüsterte sich. Nichts war mehr sicher in der Welt starrer Ordnungen, in der er sich ausgekannt hatte.
»Die Einführung der Demokratie durch die Obrigkeit«, sagte Bjelin. »Glauben Sie, daß das gutgehen kann?«
Solowjows stählerne Kronen funkelten. »Ihre Aphorismen helfen uns auch nicht weiter.«
»Trinken Sie, trinken Sie, Michail Petrowitsch.« Und dann, sehr ernst: »Überlegen Sie – was sind denn die Alternativen, die sich unserm Freund Wladimir Semjonytsch bieten? Es sei denn, auch er will die Lösung Beria: Liquidierung des Unternehmens DDR, Austausch gegen handfeste Konzessionen der anderen Seite, gegen ein einiges, ungeteiltes Deutschland mit bürgerlich demokratischer Fassade, neutral vielleicht dazu – kurz, die Revolution gegen die Akkommodation.«
»Gegen ein Linsengericht«, zürnte Solowjow.
Bjelin zuckte die Achseln. »Was können wir Besseres erwarten als Linsen, Michail Petrowitsch. Ein großer Mann hat uns einmal gelehrt, daß Revolutionen sich nicht exportieren lassen.«

»Man hat uns aber auch gelehrt, daß man einmal gewonnenes Terrain nicht ohne Not wieder aufgibt.«
»So widersprechen die Doktrinen einander«, lächelte Bjelin.
Solowjow stellte sein Teeglas zur Seite. »Unter den Umständen wäre es vielleicht doch das Gescheiteste, wenn Wladimir Semjonytsch die Klärung der Lage den deutschen Genossen überließe. Der Anfang ist gemacht, der neue Kurs verkündet.«
»Wenn es nun aber deutsche Genossen gäbe, die befürchten, daß ein neuer Kurs auch neue Leute erfordern könnte, und die es lieber auf eine Kollision ankommen lassen?« Wieder wies Bjelin auf den Bericht in Solowjows Hand. »Wieviel Zeit, glauben Sie, gibt uns das?«
»Trotzdem – die deutschen Genossen müssen endlich laufen lernen.«
»Und wer zahlt das Lehrgeld? Und in welcher Währung? . . . In Blut?«
»Also nehmen wir an, wir greifen ein.« Solowjow war unsicher geworden. »Das Geschrei klingt mir jetzt schon in den Ohren. Die Sowjetmacht gegen die Arbeiter – das ist genau die Position, in die man uns hineinmanövrieren möchte.«
»Ich fürchte, Michail Petrowitsch, das ist die Position, in die wir uns selbst hineinmanövriert haben.«
Solowjow betrachtete den Stalin an der Wand, der gedankenvoll in die Gegend blickte. »Aber was bleibt Wladimir Semjonytsch dann?«
»Eine Besatzungsmacht in einem geteilten Land, die zu schüchtern ist, in ihrer Zone für Ruhe und Ordnung zu sorgen«, Bjelin wiegte den Kopf, »es gibt noch drei andre Besatzungsmächte, die nur auf so etwas warten . . . Trinken Sie, trinken Sie, Michail Petrowitsch.«
»Ich mag nicht mehr, danke.« Solowjow schien sich an etwas zu erinnern. »Vor seinem Abflug nach Moskau hatte ich ein kurzes Gespräch mit Wladimir Semjonytsch. Wissen Sie, sagte ich ihm, es findet eine Art Wettlauf statt um die deutsche Seele, und ob wir's nun wollen oder nicht, wir müssen mitlaufen.«
»War er böse?«
Solowjow nickte.
»Laufen Sie mal mit der Kugel am Fuß, die uns der Genosse Stalin angeschmiedet hat«, sagte Bjelin.
Solowjow wandte sich unwillkürlich um, aber es stand kein Lauscher hinter ihm.
»Der Genosse Stalin ist tot«, bemerkte Bjelin.
Das Telefon klingelte.
Solowjow nahm den Hörer ab, sagte: »Ja«, und wieder: »Ja«, und dann: »Ich habe verstanden.«

»Nun?« fragte Bjelin nach einer Weile. »Ist die Entscheidung gefallen?«
»Sie können sich Ihre Uniform wieder anziehen, Nikolaj Nikolajewitsch«, sagte Solowjow bedrückt. »Wie ich Sie kenne, werden Sie sich das, was da kommt, aus der Nähe ansehen wollen.«

22

Dienstag, 16. Juni 1953, 1.00 Uhr
begegnete Witte, von der Toilette her kommend, im Vorsaal der Hoferschen Wohnung dem Heinz Hofer, der, als hätte er auf ihn gewartet, aus Annas Zimmer trat und ihn ansprach: »Sie können wohl auch nicht schlafen?«
»Wieso?«
»Ich hör doch, wie Sie sich hin und her wälzen in Ihrem Bett.«
»Tut mir leid, wenn ich Sie gestört habe.«
»Macht nichts . . .«
Es war das erste Mal, daß Witte Gelegenheit hatte, Hofer näher zu betrachten: das verlebte Gesicht, das Bärtchen, das der Mundpartie wohl Charakter verleihen sollte, die unruhigen Augen ; sonst aber, und oberflächlich gesehen, ein schöner Mann, Anna war zu verstehen, besonders eine Anna in jüngeren Jahren.
»Kommen Sie mit« – der Blick wurde frech-vertraulich –, »da wir nun mal so gut wie verschwägert sind, ich hab da was, danach schläft sich's besser, was Echtes.«
Witte wollte sich weigern, aber der Mann war wie eine Klette; außerdem, sagte sich Witte, kann man vielleicht auch einiges erfahren, und was die Verschwägerung betrifft, lassen wir ihn in dem Glauben, so etwas macht redselig.
Hofer führte ihn in die gute Stube der Witwe, knipste das Licht an; irgendwo nebenan schlief die Alte, oder schlief auch nicht, lauschte; Hofer zauberte eine volle Flasche französischen Kognak auf den Tisch, erklärte: »Echt muß das Zeug sein, sage ich immer, sonst lohnt sich die Mühe nicht«, und während er den Verschluß der Flasche löste: »Wo die Anna sich aufhält, möchten Sie mir wohl nicht sagen?«
»Ich habe kein Recht dazu.«
»Recht . . .« Heinz Hofer goß ein und schob das Glas Witte zu. »Leute wie Sie reden immer in großen Kategorien. Was will denn die Anna? Regelmäßig gevögelt werden will sie von einem Mann, der regelmäßig nach Hause kommt.«
»Das hätten Sie ihr ja geben können.«
Hofer beugte sich über den Tisch, um mit Witte anzustoßen. »Und

jetzt möchten Sie wohl wissen, warum ich mich so lange absentiert habe« – er trank, da Witte sein Glas nicht hob, allein – »und warum ich zurückgekommen bin?«
»Wenn Sie davon sprechen wollen, bitte.«
»Es interessiert Sie doch?«
»Menschen interessieren mich immer.«
»Dann will ich's Ihnen sagen. Weil in Ihrem Teil von Deutschland kein Raum ist für Männer mit Geschäftssinn und Initiative. Aber was man alles hier machen könnte, wenn es hier anders wäre . . .!«
»Und warum sind Sie zurückgekommen?«
Hofer lachte. »Ich bin zurückgekommen, weil ich mir in meinem Herzen ein warmes Fleckchen bewahrt habe für meine Anna. Wetten, daß sie wieder angekrochen kommt, und zwar bald?«
Witte dachte an Anna, die um diese Stunde hoffentlich schon schlief, in dem Klappbett bei Greta. Verschwägert . . .
»Sie sagen ja gar nichts, Herr Witte. Dabei verstehen Sie eine Menge davon, wie man die Frauen dazu kriegt, einem nachzulaufen.«
Witte betrachtete seinen Gesprächspartner, bemerkte das lauernde Lächeln, den verschwitzten Hemdkragen, offen am Halse, die spärlichen Haare auf der weißen Brust.
»Ihre kleine Gudrun Kasischke!« – neckisch erhobener Zeigefinger – »zufällig war ich hier, als die Süße antrudelte. Mein Kompliment. Aber was wird meine Frau dazu sagen, wenn sie's erfährt?«
Witte trank nun doch.
»Ich wäre nicht abgeneigt zu tauschen, verehrter Schwager. Die Anna gegen die Kleine. Wie wär's?«
Witte erhob sich. »Genug jetzt. Sie täuschen sich über meine Beziehung zu Anna. Und was dieses Fräulein Kasischke betrifft, so habe ich keine Ahnung, was sie von mir will oder wo sie herkommt.«
»Wo sie herkommt, das könnte ich Ihnen sagen.«
Witte horchte auf.
»Vertrauen gegen Vertrauen. Wo ist Anna?«
Witte schwieg.
Hofer kam um den Tisch herum, boxte Witte freundschaftlich gegen die Brust. »Also seien wir großzügig. Die süße kleine Gudrun finden wir in einem Gartenhäuschen hinter Friedrichshagen, bei Gadebusch.«
»Gadebusch?«
»Na sehen Sie. Kennen Sie doch.«
»Ein Gadebusch arbeitet in meinem Betrieb.«
»Da würde ich lieber vorsichtig sein, Schwagerherz. Mit dem ist nicht gut Kirschen essen.«
»Aber woher, wenn ich fragen darf, stammen Ihre Kenntnisse?«

Hofer strich sich über das schön gewellte Haar. »Ich habe vorhin schon gesagt, ich bin ein Mann von Initiative. Und wo ist Anna?«
»Gute Nacht«, sagte Witte, ließ Hofer stehen und begab sich in sein Zimmer. Doch schlief er lange nicht ein, trotz seiner Müdigkeit und trotz des großen Glases Kognak, das er getrunken hatte.

23

Dienstag, 16. Juni 1953, 3.30 Uhr
fuhr ein schwarzer Mercedes durch die ausgestorbenen Straßen Ost-Berlins in Richtung des Gadebuschschen Gartengrundstücks. Gudrun Kasischke alias Goodie Cass, auf dem Rücksitz, blickte ihren Fred von der Seite her an. Dabei, und während der auf die Fahrt folgenden Ereignisse, bedachte sie

in bezug auf das übermäßige Wohlgefühl gewisser Esel und andere einschlägige Themen:

es wird hell draußen wie lange fahren wir schon eine Ewigkeit ich hab mich ja gewundert daß sie so weg sind dieser dieser Kallmann und mein Fred aber wie ich rauskomm nach der letzten Show wer steht da und wartet und greift mich am Arm laß los sage ich ich kann dir alles erklären aber er hält fest und rein in das Auto piekfeiner Wagen mit Chauffeur und beide keinen Ton auf der ganzen Fahrt der Fahrer nicht und mein Fred auch nicht wo ich mit den Nerven sowieso nach allem was ich durchgemacht hab in diesen Tagen da ist der Wald jetzt biegt er ab in den Weg das Dach vom Häuschen rot gegen grünen Himmel wie gut könnt ich's haben meine Ruhe und alles wenn's dem Esel zu wohl ist war aber auch ein zu blöder Zufall mit diesem diesem Kallmann

»So, hier wären wir, Herr Gadebusch.«
»Danke. Und sagen Sie Herrn Quelle, die Sache wird erledigt.«
»Gute Nacht.«
»Guten Morgen. Ist ja schon wieder Tag.«
»Na denn tschüß, Fräulein.«
Der Mercedes fuhr ein Stück rückwärts, drehte, verschwand in einer Staubwolke.

tschüß Fräulein der macht mir Laune der glaubt wohl ich hab jetzt ein Spaßvergnügen vor mir

»Aua, du sollst mich nicht so grob anpacken. Beeil dich lieber mit deinen Sicherheitsschlössern.«
»Halt's Maul.«
»Red gefälligst nicht so mit mir. Was bildest du dir denn ein.«
»Maul halten, hab ich gesagt.«

also das nun nicht das laß ich mir nicht mich auf die Couch

schmeißen wie einen Sack Dreck dabei kann ich ihm alles erklären auch das mit Witte das hab ich mir längst zurechtgelegt jetzt holt er sich Wodka na gratuliere das wird eine lange Sitzung

»Aua, was schlägst du mich, und ins Gesicht, das sieht man, das bleibt, bist du verrückt?«

»Damit du weißt, was dir blüht, wenn du nicht mit der Wahrheit rausrückst.«

»Hör auf, aua!«

»Also wie ist das, daß du da auftauchst in meinem Betrieb und daß ich von Wildfremden davon erfahre und nicht von dir, und was hast du dort zu suchen?«

erst mal losheulen das setzt die Männer ins Unrecht und schafft Zeit und dann an der Wahrheit bleiben so weit wie möglich er braucht ja nur rumzufragen in dem Betrieb oder dieser dieser Kallmann sagt's ihm warum ich da war ich kenn den Herrn Witte eben von früher ist doch keine Schande wenn eine mal Dienstmagd war dabei ist nichts Verdächtiges nur eben der dicke Herr Quelle der wittert anscheinend und dieser dieser Kallmann

»Vielleicht gibst du mir auch was zu trinken von deinem Wodka.«

»Du schuldest mir noch eine Antwort.«

»Ich hab dir doch gesagt.«

»Nichts hast du gesagt. Wird's bald?«

»Aua! Wenn du mich noch mal auf den Mund schlägst, red ich überhaupt nicht mehr.«

»Das wird sich zeigen.«

Angst hat er daß ich zuviel weiß und es könnt ihm was schiefgehen also langsam erzählen und immer mal wieder wimmern das brauch ich nicht spielen das ist echt wo mir das ganze Gesicht weh tut und die Zähne also Witte und Landrat und Dorf und Vater und Mutter und die arme Frau die krank ist und stirbt und ich im Haus und er war gut zu mir der Herr Witte aber das mit den Schinken und der Medizin verschweig ich da könnt er glauben ich tät was von wegen schlechtes Gewissen

»So, und wie kommt das, daß du weißt, wo du ihn finden kannst, deinen blumigen Freund und Wohltäter, den Genossen Witte? Von mir hast du's nicht. Oder habt ihr euch Briefchen geschrieben die ganzen Jahre, du und der arme Witwer?«

»Das war reiner Zufall.«

»Zufall. Mit Zufällen hab ich Erfahrung, von früher. Also?«

Zufall warum soll es keine Zufälle geben so was passiert doch daß Menschen nach Jahren und in der S-Bahn entschuldigen Sie sind Sie nicht ja und Sie aber Sie haben sich verändert hübsch sind Sie geworden und früher so'n Pummelchen und er erzählt und ich erzähl und dann sagt er er ist ich weiß nicht was aber jedenfalls was Wichtiges ist er in dem und dem Betrieb und ich soll doch mal hinkommen ihn besuchen und er wird mich herumführen mir zeigen wie sie große Maschinen bauen und dann fällt mir ein das ist doch der Betrieb wo du auch bist aber davon hab ich ihm nichts gesagt da hätt er gefragt sind wir verheiratet oder wie und er war immer so ein Korrekter und dann mußte er aussteigen so war das ehrlich warum soll ich dir was vorlügen wo du mein Liebster und du allein

»Wann war denn das, daß du ihn getroffen hast, in der S-Bahn?«
»Das wird so acht oder zehn Tage her sein.«
»Und dann hast du leider vergessen, mir davon zu erzählen, von deiner Begegnung mit deinem früheren gütigen Dienstherrn.«
»Man trifft so viele Leute. Und in meinem Beruf.«
»Und weil er dir gesagt hat, du sollst ihn mal besuchen kommen, bist du hingegangen, und zwar ausgerechnet gestern, ja?«
»Ja.«

wieder gießt er sich ein er ist schon ganz rot im Gesicht und verschwitzt und die Haare hängen wirr

»Ich will die Wahrheit von dir wissen. Was hast du mit Witte zu tun? Was hast du von ihm gewollt?«
»Nichts hab ich gewollt von ihm. Das ist die Wahrheit, ich sag dir doch. Ich hab ihn in der S-Bahn getroffen, was ist denn dabei, wenn man einen Menschen, und Jahre liegen dazwischen, und da interessiert man sich eben . . .«

die Augen was da drin sitzt Angst und Wut und Haß wenn ich hier Hilfe schrei keine Seele hört mich aber wenn ich ihm sag was ist der bringt mich glatt um und so hat er keine Beweise und nichts Sicheres das macht ihn ja gerade verrückt daß er nichts Sicheres weiß

»Aua!«
»Brüll nicht schon vorher.«
»Aua, Fred, nicht! Nicht mehr! Nicht immer auf die Stelle, nein, bitte, ich sag dir doch alles.«
»Und der Brief?«
»Welcher Brief?«

da o Gott das hält ja keiner aus das ganze Gesicht brennt ich möcht nicht sehn wie ich ausseh und der Kopf will mir zerspringen von so was kann einer Gehirnerschütterung kriegen und

»Ach, *der* Brief!«
»Genau.«
»Den hab ich dem Herrn Quelle gegeben. Du hast doch gesagt, ich soll ihn dem Herrn Quelle geben.«
»Frech auch noch, was?«
»Fred! Ich tu dir auch alles. Nicht mehr! Nicht mehr schlagen!«

jetzt ist mir's schon gleich jetzt spür ich schon nichts mehr das ganze Zimmer dreht sich das Blut tropft der Rock ist versaut ob mir die Reinigung im Westen da geben sie sich wenigstens Mühe

»Ich werde dir sagen, du elende Nutte, wie das war mit dem Brief. Den hast du aufgemacht und hast ihn gelesen. Stimmt doch? Hörst du nicht? Du hast den Brief gelesen und hast dich erinnert, daß du den Witte kennst, das glaub ich dir, daß du den mal gekannt hast, das ist möglich. Und hast gedacht, da werd ich mal hingehen, das werd ich ihm mitteilen, was da in dem Brief steht, das ist ein großer Mann, der Herr Witte, da kann dies und das rausschauen für mich. Und bist hin zu ihm, aber was du nicht gewußt hast, das war, daß sie ihn rausgefeuert hatten, die Genossen von der SED, und was hast du nun davon? Sag was, gefälligst! Sag – was – du –!«

sag was sag was sag was o Gott ich hab keine Zunge im Mund mehr und überhaupt keinen Mund und alles ist dunkel auf einmal sag was ich kann doch nicht sag was aua Mensch aua . . .

24

Dienstag, 16. Juni 1953, 6.00 Uhr
fand Witte sich vorm Haupttor von VEB Merkur ein in der Absicht, mit der Masse der Frühschicht unauffällig ins Werk zu gelangen. Er wurde aber sofort erkannt und von mehreren lauthals begrüßt. Fragen wurden gestellt – ob es mit ihm denn wieder in Ordnung sei und ob er klein beigegeben habe, oder ob er von heute an wieder an der Maschine stehen würde wie einst –, so daß er von dem Pförtner bemerkt und angehalten wurde.
»Moment mal, Kollege Witte. Wohin?«
Witte, der weiteres Aufsehen zu vermeiden wünschte, begab sich in die Pförtnerbude. Der zur Zeit diensthabende Pförtner war ihm bekannt: ehemaliger Heizer, nun schon im Rentenalter; er hatte ihm eine Kur verschafft gegen das Rheuma, das ihn plagte.
»Du weißt doch, ich darf dich nicht durchlassen«, sagte der Pförtner. »Oder willst du, daß ich die Prügel dafür beziehe, bei der hohen Rente, die sie mir zahlen?«
»Gib mir mal dein Telefon«, sagte Witte.
Der Pförtner stellte den Apparat auf den brusthohen Tisch, der ihn vor Besuchern schützte. Witte wählte, wartete, beobachtete den Alten: mit dem schütteren Haar am Hinterkopf und der langen gekrümmten Nase über dem abfallenden Kinn sah der aus wie ein Papagei in der Mauser. Schließlich sagte der Pförtner: »Der Genosse Banggartz ist noch nicht da.«

Witte legte den Hörer auf. »Da hätte ich dich auch gleich fragen können.«
»Probier's doch mal bei der Werkleitung.«
»Das wäre wohl sinnlos.«
Der Pförtner überlegte. »Ist die Sache denn wert, daß du dafür mit dem Kopf gegen die Wand rennst?«
»Du bist Genosse, nicht wahr?«
Der Pförtner nickte.
»Wie lange bist du in der Arbeiterbewegung?«
»Seit vor dem Krieg. Dem ersten.«
»Dann wirst du doch verstehen, daß der Mensch eine Pflicht hat.«
»Ich bin hier Pförtner. Ich hab eine Pförtnerpflicht.«
Preußen, dachte Witte; und dachte zugleich an Banggartz, Dr. Rottluff, Dreesen, Pettenkofer: überall und in allem schleppt der Sozialismus die Vergangenheit mit sich herum. Und sagte: »Ich meinte eher, Klassenpflicht. Aber was ist denn nun deine besondere Pförtnerpflicht, wenn einer zu dir ans Fenster kommt, ein Betriebsfremder, und will einen sprechen im Betrieb oder im Büro?«
Ein Fünkchen glomm auf in den Augen des Alten. »Ich erkundige mich, in welcher Angelegenheit. Ich ruf auch an, wenn nötig. Ich nehme dem Besucher den Ausweis ab. Ich schreibe ihm einen Passierschein. Vielleicht hol ich sogar jemand vom Betriebsschutz, damit er nicht vom Weg abkommt, der Betriebsfremde. Nur« – er schüttelte bedauernd den Kopf – »du bist kein Betriebsfremder.«
»Doch«, sagte Witte, »seit gestern früh.«
Der Alte lachte scheppernd. »Daran hab ich nicht gedacht.«
»Hier ist mein Ausweis.« Witte legte das abgegriffene Heftchen auf den Tisch. »Tu deine Pförtnerpflicht.«
Der Alte nahm einen Block Formulare zur Hand, schrieb mit arthritischen Fingern: *Witte, Martin,* zögerte. »Wen willst du besuchen?«
»Schreib: Parteileitung, Werkleitung, Gewerkschaftsleitung, die Belegschaft von Halle sieben . . .«
Der Stift entfiel den Fingern, rollte ein Stückchen über den Tisch.
»Zuviel?« fragte Witte.
Der Pförtner sah besorgt aus. »So geht es nicht.«
»Wieso nicht?«
»Meine Anordnung besagt, ich darf den Kollegen Martin Witte bis auf weiteres nicht ins Werk lassen. Das heißt: auch mit Passierschein nicht.«
»Was willst du«, sagte Witte gereizt, »soll ich gewalttätig werden?«
»Ich bin ein alter Mann.« Und dann wieder das Fünkchen. »Der Gewalt müßt ich weichen.«
»Aber ich kann doch nicht –«

Der Pförtner kam hinter dem Tisch hervor, breitete die Arme und versperrte Witte den Weg zur Tür. »Klassenpflicht gegen Pförtnerpflicht – stoß zu!«
Witte tippte mit gestrecktem Zeigefinger gegen die magere Brust.
Der Alte hob beide Hände, trat zur Seite und erklärte: »Ich weiche der Gewalt. Mach's gut, Genosse.«
»Danke«, sagte Witte, und ging.
Der Pförtner blickte ihm nach. Dann rieb er sich nachdenklich die Nase, fuhr sich durch das Haar am Hinterkopf und murmelte: »Wenn das mal nicht ins Auge geht.«

Aus dem Leitartikel der »Tribüne«, Organ des Bundesvorstands des Freien Deutschen Gewerkschaftsbundes, vom 16. Juni 1953

... Im Zusammenhang mit der Veröffentlichung der Kommuniqués des Politbüros und des Ministerrats vom 9. bzw. 11. Juni 1953 wird in einigen Fällen die Frage gestellt, inwieweit die Beschlüsse über die Erhöhung der Arbeitsnormen noch richtig sind und aufrechterhalten bleiben. Jawohl, die Beschlüsse über die Erhöhung der Normen sind in vollem Umfang richtig. Gestützt auf das unbedingte Vertrauen der Bevölkerung zu ihrer Regierung, haben das Politbüro des Zentralkomitees der SED und die Regierung der Deutschen Demokratischen Republik offen vor dem ganzen Volke einige Fehler der Vergangenheit in ihrer Arbeit dargelegt und sofort Maßnahmen eingeleitet, die einer entschiedenen Verbesserung der Lebenshaltung aller Teile der Bevölkerung der Deutschen Demokratischen Republik dienen. Weil aber all das davon abhängt, inwieweit wir die großen Aufgaben des Fünfjahrplanes auf der Grundlage eines fortgesetzten Anwachsens der Arbeitsproduktivität bei strengster Sparsamkeit erreichen können, gilt es, den Beschluß des Ministerrates über die Erhöhung der Arbeitsnormen um durchschnittlich 10 Prozent bis zum 30. Juni 1953 mit aller Kraft durchzuführen ...

25

Dienstag, 16. Juni 1953, 6.45 Uhr
starrte Kallmann düsteren Auges auf die Metallspirale, die glitzernd unter dem Schneidestahl seiner Maschine aufstieg. Er hatte schon zwei Kopfschmerztabletten genommen, aber der dumpfe Schmerz im Schädel blieb; er hatte doch zuviel gesoffen vergangene Nacht mit Gadebusch.
Eine böse Sache. Dora hatte am Küchentisch gesessen und gewartet, daß er nach Haus käme, und wie er kam und auf sie zutrat und ihr die

Hand auf das graue Haar legen wollte, Versuch einer Entschuldigung der späten Stunde wegen, hatte sie mit zitternder Stimme gesagt: August, es war einer da und hat nach dir gefragt . . . Eine sehr böse Sache.
Schritte hinter ihm, mehrere Leute. »Kollege Kallmann!«
Kallmann fuhr zusammen, schluckte, erkannte: nein, das war nicht die Polizei, die kam, ihn abzuholen; das waren Kollegen, aus seiner Halle und auch aus anderen. Jemand drückte auf den Schaltknopf seiner Maschine. Das Brummen wurde tiefer, stockte, verstummte.
»Gestern in der Kantine hast du eine Menge Hitzköpfe vor Dummheiten bewahrt«, sagte einer, den Kallmann flüchtig kannte, ein Mann von einer anderen Abteilung. »Also kannst du uns vielleicht raten.«
Kallmann betrachtete den Ratsuchenden – wußte man, wer ihn vorschickte? – und sagte: »Ich bin auch nur ein einfacher Arbeiter.«
Das Arbeitsgeräusch in der Halle hatte sich verändert: weitere Maschinen waren abgestellt worden.
»Du bist doch schon lange im Betrieb, Kollege Kallmann, du hast Erfahrung. Was, meinst du, sollen wir tun?«
»Wieso denn ich«, sagte Kallmann, »wieso denn so plötzlich?«
Er erblickte Wiesener. Wiesener winkte ihm zu, schwenkte eine Zeitung. Was bedeutet das nun wieder, dachte Kallmann. Dann kam Lehnert, der AGL-Vorsitzende; wollte wissen, was los wäre; erklärte, für Stillstand würde nicht gezahlt. Wiesener packte Lehnert am Ärmel, hielt ihm die Frontseite der Zeitung vor die Nase: »Hast du gelesen?«
»Wann komm ich zum Zeitunglesen«, knurrte Lehnert.
»Ist doch dein Blatt«, sagte Wiesener, »deine Gewerkschaftszeitung!«
Lehnert verzog das Gesicht.
Grell, eine Glocke. Jemand kam angelaufen. »Lehnert! Anruf von der BGL-Leitung: du sollst sofort hinkommen.«
Lehnert murmelte etwas Entschuldigendes und verschwand. BGL-Leitung, dachte Kallmann, das war Witte. Aber Witte konnte doch gar nicht im Betrieb sein, dafür hatte Banggartz gesorgt. Vielleicht hatten sie sich beeilt und einen neuen Mann eingesetzt für ihre BGL, einen kommissarischen; jedenfalls ging etwas vor, auch dort.
Kallmann blickte sich um. *Unsere Leute sind überall,* hatte Quelle gesagt, *Männer wie du, in jedem Werk . . .*
Auf einmal stand Teterow vor ihm, hatte sich irgendwie durchgedrängt, Genosse Teterow, der mit jedem Kram zur Partei lief. »Kollege Kallmann! Kollegen!« Fahrige Handbewegung. »Was steht ihr hier herum?«

»Wir reden«, sagte Wiesener. »Ist das verboten?«
Teterow fuhr auf. »Ihr habt die Arbeit eingestellt!«
»Wie willst du reden, wenn die Maschinen laufen«, sagte Kallmann.
»Und was verlieren wir?« fragte Wiesener. »Je mehr wir schaffen, desto weniger wird der Lohn.«
»Das ist eine dreckige Lüge«, erregte sich Teterow.
Wiesener hielt Teterow die Zeitung hin. »Kennst du das? *Tribüne*, Ausgabe von heute. Vielleicht erklärst du uns mal, Kollege Teterow, wie das zusammenpaßt: der neue Kurs hat eingesetzt, alles wird erleichtert, aber hier, im Blatt der Gewerkschaft, für die jeder von uns Beitrag zahlt, was steht da geschrieben? Der neue Kurs bedeutet *nicht*, steht da, daß die zehnprozentige Normerhöhung zurückgenommen wird. Nun äußere dich mal!«
»Werd ich auch, jawohl!« Teterow hob den Kopf. Gestern hatte er versagt, hatte nichts unternommen und geschwiegen, als sie den Genossen Banggartz tätlich angriffen, und ein Parteiloser, Kallmann hier, hatte eingreifen müssen; jetzt aber würde er sich stellen.
»Die neuen Normen«, erklärte er, »sind durchaus zu schaffen.«
»Von dir vielleicht«, höhnte der Dreher Bartel, »mit deinen Sondereinsätzen und Ehrennadeln und Ehrenfähnchen.«
»Wieso – hab ich eine bessere Maschine? Besseres Material? Ich halt mich eben ein bißchen mehr ran.«
»Da habt ihr's«, sagte Wiesener. »Mehr arbeiten, fürs gleiche Geld. Und den eignen Kollegen in den Rücken fallen. Dabei sagt die Regierung selber, sie hat Fehler gemacht.«
Teterow spürte, wie allein er stand. Trotzdem sagte er: »Aber die Normerhöhung, die ist eben kein Fehler.«
»Kein Fehler?« Bartel hieb sich auf die Hosentasche, direkt neben seinem Bruchband. »Hier ist der Fehler, in meiner Tasche, da fehlt's!«
»Was sollen wir also tun?«
»Was ihr tun sollt?« sagte Teterow. »An die Arbeit gehen.«
»Hat dich einer gefragt?« Wiesener reckte sich auf. »Die Normerhöhung muß zurückgezogen werden.«
»Oder –?« fragte Teterow.
Schweigen. Teterow blickte auf die Gesichter der Kollegen, verschlossen alle. Vor wie langer Zeit hatte das angefangen, daß sie gegen ihn waren; vielleicht war es schon falsch, daß er von ihnen als *sie* dachte; *wir*, so war er gelehrt worden, wir, die Klasse.
»Oder – Kollege Wiesener? Und wer sonst noch zu dem Haufen gehört . . . Sprecht euch aus. Im Westsender haben sie's ja schon gesagt: Streik wollt ihr, Streik im volkseigenen Betrieb, Arbeiter gegen die Arbeiterregierung. Oder –?«

Kallmann schniefte nervös: der Genosse Teterow, in seinem Eifer, war zu weit gegangen; aber das Wort Streik war nun ausgesprochen und hing im Raum und bohrte sich in die Köpfe. »Wer hat denn hier von Streik geredet«, sagte er vermittelnd. »Der Kollege Wiesener? Ich? Sonst einer?« Und wurde sich, während er noch sprach, klar über sein Verhalten: er hatte es gestern bereits durchexerziert, mit Banggartz. »Wir sind Arbeiter hier, kein Arbeiter redet leichtfertig von Streik, Streik ist eine ernste Sache, und gar erst im volkseigenen Betrieb – was der Kollege Teterow auch sehr richtig betont hat.«
Teterow hätte gern eingehakt; aber was Kallmann sagte, war glatt, unangreifbar, und es war Kallmann gewesen, der den Genossen Banggartz gestern verteidigt hatte.
»Aber«, Kallmann rieb sich das Kinn, »was sollen Arbeiter denn tun in einem volkseigenen Betrieb und in einem Arbeiter- und Bauernstaat, den wir ja haben, wenn sie nicht mehr wissen, was recht und was unrecht ist, und keine Stelle finden, an die sie sich wenden können?«
Teterow, schmal und schmächtig, war auf eine Werkzeugkiste gestiegen. »Ein klassenbewußter Arbeiter weiß sehr gut, was recht und unrecht ist, und er weiß auch, wohin er sich wenden kann.«
»Laß den Kallmann doch ausreden!«
»Der Kollege Teterow«, sagte Kallman, »mißversteht mich. Ich schreib doch keinem vor, was er tun soll. Ich gehör nicht zu den Neunmalklugen, die auf Lehrgänge geschickt werden und dann eine Antwort parat haben auf alles. Und ich gehör zu keiner Partei, und auch zu keiner Gruppe, wie der Kollege Teterow vielleicht meint. Ich weiß überhaupt nicht, wieso ihr gerade zu mir kommt –«
»Eben darum!«
»Weil wir Parteien satt haben!«
Kallmann, sicherer geworden, lehnte sich an seine Maschine und zündete sich eine Zigarette an. »Ich kann nur aus meiner Erfahrung sprechen. Früher, wenn es zu Unstimmigkeiten mit der Direktion kam und wenn die Herren oben nicht mit sich reden lassen wollten –«
»Früher«, unterbrach Teterow vom Podium seiner Werkzeugkiste aus. »Früher, das war bei den Kapitalisten! Heute leben wir anders. Und verhalten uns anders!«
Kallmann blies einen Rauchring, der emporschwebte und für eine Sekunde einen hellgrauen Heiligenschein über Teterows Haupt bildete. »Früher wählte man eine Delegation«, sagte er ruhig, »und die Delegation ging zum Direktionsbüro und stellte den Herren die Fragen, die die Belegschaft hatte, und übergab ihnen die Forderungen der Arbeiter.«
»Eine Delegation!«

»Jawohl!«
»Vorschläge!«
»Delegation – wozu!« rief Teterow. »Der Betrieb gehört doch euch! In der Leitung sitzen Arbeiter, Arbeiter wie ihr!«
»Und was ist so schlimm, wenn Arbeiter mit Arbeitern reden«, erwiderte Kallmann, »in einem Arbeiterstaat?«
»Vorschlag!« Bartel schwenkte die Hand. »Nehmt doch den Teterow mit in die Delegation! Teterow ist Aktivist, kriegt eine Prämie nach der andern, auf Teterow werden sie hören.«
Kallmann nickte. »Wie ist's, Kollege Teterow – machst du mit?«
Plötzlich sah Teterow alles sehr deutlich. »Da mitmachen – ich? Und das Aushängeschild abgeben für das, was hier geplant wird? Aber ich warne euch: auch wenn ihr hundertmal recht hättet mit euren Beschwerden – ihr sollt ausgespielt werden gegen die eigne Betriebsleitung, gegen die eigne Partei, gegen die eigne Regierung.«
Stille. Am Ende der Halle, wo noch ein paar arbeiteten, klatschte ein lockerer Transmissionsriemen gegen das Treibrad.
Dann sagte Kallmann bedächtig: »Niemand hier ist gegen die Regierung, Kollege Teterow, oder gegen die Partei. Aber die Kollegen können eben nicht begreifen, warum sie das hinnehmen sollen, diese Normerhöhung, und ihnen nicht mal erlaubt sein soll zu fragen, warum und wieso, und warum jeder Grünwarenhändler und jeder Kartoffelbauer Geschenke kriegt von der Arbeiterregierung, bloß nicht der Arbeiter.«
»Sehr richtig!«
»Man wird doch noch fragen dürfen!«
»Früher«, sagte Bartel, »durfte man eine Delegation schicken, und heute nicht? Was ist das für ein Arbeiterstaat?«
»Aber Vorsicht!« warnte Wiesener. »Vorsicht, Kollegen! Vielleicht weiß der Kollege Teterow sehr gut, warum er nicht für uns mit der Betriebsleitung sprechen will. Wenn die nun die Staatssicherheit holen und wir unsre Delegierten nie wieder zu sehen kriegen – was dann?«
»Dann eben – Streik!«
»Alle Räder stehen still«, deklamierte Bartel, »wenn dein starker . . .«
Teterow war auf einmal hilflos. Streik, dachte er, und ich bin schuld, ich hab angefangen davon, ich hab sie warnen wollen davor, und jetzt kehrt es sich gegen mich, gegen uns, gegen sie selber. »Kollegen«, sagte er, »das ist doch –«
»Kallmann!«
»Kallmann unser Delegierter!«
Kallmann hob abwehrend die Hände, aber er lächelte.

»Streik ist die Waffe der Arbeiter gegen ihre Unterdrücker«, sagte Teterow heiser. »Wir haben die Unterdrücker abgeschafft.«
»Kallmann ist gewählt!«
Ein Zug bildete sich. An der Spitze marschierte Wiesener und rief im Takt: »Nieder mit der Norm mit der Norm mit der Norm nieder mit der Norm mit der Norm mit der Norm.«
Dann waren sie verschwunden, hinaus aus der Werkhalle, das Echo verstummte. Teterow stieg herunter von seiner Kiste, suchte nach etwas Trinkbarem, fand nichts. Die leere Halle, in der nur noch ein halb Dutzend Maschinen liefen, erschien ihm unwirklich.
»Genosse Teterow?«
Teterow wandte sich um, sah Dronke. »Da bist du ja auf einmal«, sagte er, »alle zwei Zentner von dir. Und vorhin?«
»Was hätte ich denn sagen sollen?« fragte Dronke unbehaglich. »Wenn die Kollegen mit der Werkleitung reden wollen, soll ich's ihnen verbieten?«
»Ach, du –« Teterow suchte nach einer geeigneten Bezeichnung, fand keine, nahm seinen Genossen, der ihn um gut anderthalb Kopf überragte, beim Ärmel und schleppte ihn zu einer Maschine, an der noch gearbeitet wurde, und fragte den Mann, der sie bediente: »Wem gehört deine Maschine?«
Der blickte auf, verständnislos.
»Kollege«, rief Teterow über dem Maschinengeräusch, »ich will, daß du diesem großen Tölpel erklärst, ob deine Maschine einem Kapitalisten gehört, einem Unternehmer!«
Der Mann zuckte die Schultern.
»Wer profitiert von dem, was du hier produzierst?«
Der Mann wandte sich ab.
»Du bist bei deiner Arbeit geblieben. Du mußt doch wissen, warum. Erklär es diesem Genossen.«
Der Mann griff nach einem schweren Schraubenschlüssel und hob ihn drohend. »Hau bloß ab, Mensch! Ich hab eine kranke Frau zu Haus und drei kleine Kinder, und ich muß die neue Norm schaffen, kapiert?«

26

Dienstag, 16. Juni 1953, 6.50 Uhr
sah Witte das Verwaltungsgebäude vor sich, überstrahlt von der Morgensonne, unberührt von der Turbulenz, die andernorts im Werk so spürbar gewesen.
Er blieb stehen, gefangen vom Anblick der breiten Vortreppe, der fast klassisch zu nennenden Proportion der Fensterreihen, in denen

das Licht sich spiegelte; dann eilte er, leicht hinkend, die Vortreppe hinauf und begab sich in die erste Etage, linkerseits, zum Ende des Korridors, zu der Tür mit dem Schild *Betriebsgewerkschaftsleitung.*
Das Mädchen am Elektrokocher blickte auf und hielt erschrocken die Hand vor den Mund.
»Guten Morgen, Fränzchen«, sagte er. »So früh schon hier? Nein, ich bin kein Gespenst, kochen Sie ruhig weiter.«
»Ist ja nur Pfefferminztee.«
»Ich weiß. Es ist jeden Morgen Pfefferminztee. Sie können mir eine Tasse geben.«
Sie schien verlegen. »Ich bin so früh gekommen, weil ich noch ein bißchen Ordnung machen wollte im Büro, bevor –«
»– bevor was, Fränzchen?«
Fränzchen, eigentlich Franziska Kotter, Sekretärin, Schreibkraft, Faktotum der BGL seit Jahren, hatte ein flaches Gesicht und flache Brüste und ein Lächeln, das wenigstens teilweise für diese Mängel entschädigte. »Genosse Banggartz hat anrufen lassen, daß ein Neuer, ein Kommissarischer, vielleicht heute schon anfangen würde . . .«
»Aber er ist noch nicht da, der Neue, der Kommissarische?«
Sie schüttelte den Kopf.
»Ist die *Tribüne* von heute schon gekommen?«
Sie fischte das Blatt unter den morgendlichen Eingängen heraus.
»Danke, Fränzchen. Dann geh ich mal in mein Gelaß.«
Das Gelaß – ein an das Büro der Gewerkschaftsleitung angrenzender und mit diesem durch eine Tapetentür verbundener Verschlag, darin ein zerkratzter Schreibtisch, zwei Stühle, eine grünbeschirmte Tischlampe, ein Telefon, eine Reproduktion von Franz Marcs Roten Pferden – diente ihm als Zufluchtsort, wenn er ungestört sein wollte. Er stellte fest, daß alles am alten Ort war, unberührt, setzte sich, schlug die Zeitung auf, glättete sie, griff nach dem Bleistift, um ihm Wichtiges anzustreichen, und las, was er bis jetzt nur aus Andeutungen kannte, ihm zu Ohren gekommen, seit er im Werk war.
Las, und dachte: Unglaubliche Instinktlosigkeit, und zu diesem Zeitpunkt, gerade als ob's einer darauf angelegt hätte. Man muß irgendwie abfangen, was da auf uns zukommt; aber ein Schleichbesuch, geflüsterte Ratschläge an ein paar Genossen, das nützt nichts. Ich muß legal auftreten können, in meiner Funktion. Erster Schritt also: Klärung mit Banggartz, auch wenn's ihm nicht paßt.
»Ihr Tee.«
Witte sog den Pfefferminzgeruch ein, trank. »Wunderbar, Fränzchen, direkt wohltuend.«

»Daß Sie wieder da sind, Kollege Witte . . .« Sie zog sich die Bluse glatt. »Ohne Sie war alles wie aus dem Gleichgewicht. Jetzt wird es wieder in Ordnung kommen.«
»Es wird, Fränzchen. Inzwischen tun Sie mir den Gefallen, verbinden Sie mich mit Banggartz.«
Sie ging nach nebenan. Dann kam sie zurück, steckte den Kopf durch die Tür: Banggartz werde erwartet, bald ; ob er inzwischen mit dem Genossen Sonneberg sprechen möchte.
Witte nickte, nahm seinen Hörer ab. Sonneberg war reserviert, trotz herzlich gehaltener Begrüßung von seiten Wittes. Ja, er habe sich einigermaßen erholt. Ja, er sei vorzeitig zurückgekommen, einer inneren Unruhe wegen. Übrigens, von wo rufe er, Witte, eigentlich an?
»Aus meinem Büro.«
»Ach.« Schweigen. »Na, dann.«
»Genosse Sonneberg!«
»Ich glaube, daß wir das nicht am Telefon besprechen können, Genosse Witte.«
Ende. Witte hielt es nicht länger aus in seinem Gelaß, ging hinüber zu Fränzchen, stellte den Radioapparat an, den sie auf dem Regal stehen hatte, kam aber zu spät für die Westnachrichten, nur noch ein Bruchstück einer Meldung, etwas über Bauarbeiter, dann der Wetterbericht, am Rande eines Tiefdruckgebietes fließt warme Luft ein.
»Fränzchen?«
»Ja, Kollege Witte?«
»Seien Sie so lieb, rufen Sie bei sämtlichen AGL-Vorsitzenden an. Sagen Sie, die Kollegen sollen alles stehenlassen und sofort herkommen: dringende Besprechung.«
Fränzchen hob die eckigen Schultern, blickte fragend.
»Ja so – Besprechung mit wem. Mit dem BGL-Vorsitzenden, sagen Sie. Und akzeptieren Sie keine Entschuldigungen.«
Fränzchen machte sich an die Arbeit, Verbindung, den Kollegen Soundso bitte, präzise Stimme, geduldig, dringende Besprechung, jawohl, sofort, mit dem BGL-Vorsitzenden. Witte hörte nur halb hin, dachte nach, blickte auf die Uhr, zwanzig Minuten nach sieben, wieviel Zeit bleibt uns. Und dann kam Greta.
»Da bist du ja!«
»Ja, da bin ich.«
»Ich hab gehört, du wärst im Betrieb. Ich hab dich gesucht, in Halle sieben, überall. Daß du hier im Büro sitzen würdest, daran hab ich als letztes gedacht. Es ist was los draußen, vielleicht solltest du lieber dort sein.«
»Ich trommle gerade die AGL-Vorsitzenden zusammen, wir wer-

den Maßnahmen beschließen.«
Er wies auf das einzig bequeme Möbelstück im Büro, einen Sessel, auch dieser reparaturbedürftig. Greta ließ sich in den Sessel sinken, schlug die Beine übereinander. »Also wieder eine Sitzung. Haben wir nicht schon genug Sitzungen gehabt, und was ist dabei herausgekommen.«
Er sah die prallen Schenkel unter dem Drillichstoff der Arbeitshose, erinnerte sich der gemeinsamen Nächte ; dachte an Anna auf dem Klappbett, die beiden Frauen zusammen in dem Zimmer, warum erwähnte Greta nichts von ihrem Gast ; dachte an Heinz Hofer, an Gudrun Kasischke, an Gadebusch, den müßte man sich auch kommen lassen.
»Wir reden an den Dingen vorbei«, sagte Greta, die spürte, daß er ihr nur halb zuhörte. »Ich sage dir, es brennt, und du machst eine Sitzung.«
Fränzchen legte den Hörer auf die Gabel. »Das war der letzte. Vier haben zugesagt, drei wollen Vertreter schicken, drei waren unerreichbar.«
»Das ist ein Anfang«, sagte Witte. »Versuchen wir Banggartz noch mal.«
Banggartz müsse jede Minute eintreffen, hieß es, der Fahrer wäre schon unterwegs.
»Immer reden wir an den Dingen vorbei«, wiederholte Greta. »Die Kollegen merken das, sie hören uns nicht mehr an.«
»Fränzchen«, sagte Witte, »wir wollen die Stühle um den Tisch stellen.«
»Irgend etwas läuft sehr schief«, sagte Greta. »Du mußt was unternehmen.«
»Bitte, Fränzchen«, sagte Witte, »bevor wir die Stühle stellen, gießen Sie der Genossin Dahlewitz eine Tasse von Ihrem Pfefferminztee ein.« Und zu Greta: »Wenn du das getrunken hast, gehst du zurück an deine Arbeit und sorgst dafür, daß auch die anderen bei der Arbeit bleiben.«
»Da wird sie aber viel Spaß haben dabei«, sagte einer von der Tür her: Lehnert.
»Wieso?« fragte Witte. »Wird bei dir nicht gearbeitet?«
»Weiß ich?« Lehnert warf sein schweißdurchtränktes Hütchen aufs Fensterbrett. »Wie ich wegging aus meiner Halle, standen die meisten Kollegen noch herum und redeten.«
»Und du?«
»Was soll man ihnen denn sagen?« Lehnert wurde böse. »Sie halten dir diesen Leitartikel hin und zitieren, was die Regierung erklärt hat, und am Ende kommst du dir derart blöd vor, daß du froh bist, wenn sie dir gestatten, das Maul zu halten.«

»Und das Maul halten, wenn's hart auf hart geht, ist deine Funktion, oder wie?«
»Wann und was ich rede, Kollege Witte, hast du mir nicht vorzuschreiben.«
Neumann von der Gießerei, Wohlrabe von Halle drei und von Halle neun der lange Mauz waren nacheinander eingetroffen.
Lehnert, der erkannte, daß er Publikum hatte, sprach mit Betonung: »Mir ist gesagt worden, Besprechung mit dem BGL-Vorsitzenden. Wo ist er denn?«
Die anderen blickten sich an, blickten auf Witte: der schwieg. Aber Greta trat auf Lehnert zu und sagte freundlich lächelnd: »Was willst du – daß überhaupt alles in die Binsen geht? Also, dann richte dich darauf ein, daß der Genosse Witte da ist, bis auf weiteres.« Und drehte sich um und wollte gehen, stieß aber in der Tür auf Mosigkeit.
Mosigkeit fing sofort an zu reden, ein Wortschwall: »Gut daß du wieder hier bist Kollege Witte mir hat der Wotruba gesagt geh du Mosigkeit da ist schon wieder mal Sitzung und du machst sowieso Kultur also es sieht nicht gut aus draußen die Leute sind empfindlich wenn's um Geld geht und ich hab den Pietrzuch zufällig gesehen den mit dem Glasauge wie er zu Gadebusch hingerannt ist in die Werkzeugausgabe –«
»Gadebusch?« unterbrach Witte, besann sich aber und sagte: »Fangen wir an mit unsrer Besprechung, die Zeit wird knapp.« Und zu Greta: »Meinetwegen bleib.«
Er wartete, bis sie Platz genommen hatten: Neumann, Wohlrabe, der lange Mauz, Lehnert, Mosigkeit, Greta als Gast – das war die Gewerkschaftsleitung in diesem Moment, wenig genug; das kam davon, wenn man aus der einzigen Massenorganisation der Arbeiter ein fünftes Rad am Wagen machte, einen Ferienplatzvermittlungsverein, bestenfalls eine Gesellschaft zur gegenseitigen Aufmunterung.
»Wir haben zu wenig darüber nachgedacht«, sagte er, »daß sich auch Widersprüche entwickeln können zwischen der Masse der Arbeiter und ihrem Vortrupp, der Partei. In einem solchen Fall gerät alles in Gefahr, was wir aufzubauen unternommen haben, und auch der Feind hakt ein. Die verschiedensten Mängel und Beschwerden, alte und neue, werden benutzt werden, um Forderungen zu erheben, die sich anhören, als wären sie im Interesse der Arbeiter –«
»Wenn sie aber in ihrem Interesse sind?« warf Lehnert ein.
»Im Augenblick zählt nur eins: verhindern, daß die Entzweiung von Partei und Arbeitern zum offenen Bruch führt, das heißt zu Streik und noch Schlimmerem.«

»Und wer soll das verhindern?« fragte der lange Mauz düster. »Die Gewerkschaft?«
»Die Gewerkschaft«, sagte Witte.
Neumann von der Gießerei lachte trocken, und Wohlrabe von Halle drei erkundigte sich, ob er die Kollegen vielleicht festbinden solle an ihrem Arbeitsplatz.
»Auf Vernunftgründe«, sagte Greta, »müssen sie hören.«
»Es gibt aber welche, die wollen nicht hören«, warnte Mosigkeit.
Witte blickte auf Lehnert. Lehnert saß da und verzog keine Miene in seinem wohlproportionierten Gesicht, was Witte mehr reizte als der Spott der anderen, der wenigstens von innerer Beteiligung zeugte. »Es wäre die Aufgabe der Gewerkschaft«, sagte er scharf, »den Arbeitern etwas über den Unterschied zwischen ihren unmittelbaren Interessen und ihren Interessen auf lange Sicht klarzumachen und ihnen auseinanderzusetzen, warum die Partei, obwohl sie Fehler begeht, im Recht ist, und warum die Beschwerden der Kollegen, obwohl berechtigt, falsch sein können, und warum in der Lage, in die wir geraten sind, durchaus verständliche Verhaltensweisen der Kollegen nur dem Klassenfeind helfen . . .«
Er brach ab.
»Der Pietrzuch und der Gadebusch . . .«, begann Mosigkeit wieder.
Witte schien nicht gehört zu haben. »Aber wir werden jetzt kaum die Möglichkeit haben, viel zu erklären«, sagte er, und zu der Sekretärin, »Fränzchen, schreiben Sie fürs Protokoll: Der BGL-Vorsitzende instruierte die Anwesenden, daß, römisch eins, die AGL-Vorsitzenden den Arbeitern in ihren jeweiligen Abteilungen Mitteilung zu machen haben von ihrer Verpflichtung, alle Klagen und Beschwerden der Abteilungsgewerkschaftsleitung vorzutragen; und daß, römisch zwo, die AGL-Vorsitzenden wiederum verpflichtet sind, diese Klagen und Beschwerden zwecks Schaffung von Abhilfe der Betriebsgewerkschaftsleitung sofort zu übermitteln; und daß, römisch drei –«
Die Tür wurde aufgestoßen.
Banggartz, weiße Flecke auf dem Gesicht, die Stirnader blaugeschwollen.
»Also doch, der Genosse Witte. Und beim Organisieren. Auf frischer Tat, sozusagen.« Banggartz' Ton wurde dienstlich. »Dein Eindringen in den Betrieb ist ein weiterer ungesetzlicher Akt . . . Kollege Lehnert!«
Lehnert strich sich über das silbergraue Haar.
»Was wird hier geplant, Kollege Lehnert?«
»Der Genosse Witte hat uns instruiert« – Lehnert sprach, als müsse er jedes seiner Worte erst suchen – »wir sollen uns die Forderungen der Kollegen übergeben lassen und sie sofort an ihn weiterreichen.«

»So nicht!« widersprach Greta. »Du verdrehst den Sinn!«
Lehnert lächelte. »Wir haben ein Protokoll.«
»Fränzchen«, sagte Witte, »lesen Sie.«
Die Stimme, flatternd vor Erregung, war nur mit Mühe zu verstehen. » . . . *daß, römisch eins . . . daß, römisch zwo . . . die AGL-Vorsitzenden wiederum verpflichtet sind, diese Klagen und Beschwerden . . . der Betriebsgewerkschaftsleitung sofort . . .*«
»Danke«, sagte Banggartz, »das ist mehr als genug. Das ist der Beweis.«
Er trat ans Telefon, stellte die Amtsverbindung her, wählte. Allen war klar, wen er jetzt anrief.
»Einen Augenblick noch«, sagte Witte.
»Wofür?« fragte Banggartz.
Witte drückte die Gabel herunter. »Wenn dein Beweis so stichhaltig ist, wird er es auch in zehn Minuten noch sein.«
Mosigkeit lachte.
Banggartz fuhr auf. »Wir haben keine Zeit zu vertrödeln!«
»Setz dich«, sagte Witte, »und hör zu.«
»Ich –«
»Setz dich!«
Banggartz setzte sich.
Schritte, hastig, von der Treppe her. Herein stürzte Panowsky, hinter ihm Sonneberg; hinter diesem, im Korridor, schattenhaft, zeigten sich Köpfe.
»Sie kommen!« rief Panowsky. »Sie wollen zur Werkleitung.«
Ein krampfartiger Schmerz schnitt Banggartz in die Bauchgegend. Banggartz krümmte sich: seine Galle.
»Genosse Banggartz«, sagte Witte, »es hilft nichts mehr, sich einreden zu wollen, wir könnten weitermachen wie bisher.«
Banggartz' Blick suchte Sonneberg, doch von dem kam keine Ermutigung.
»Wenn heute ein neuer Mann dagewesen wäre an meiner Statt, Genosse Banggartz«, Witte zuckte die Achseln, »bitte sehr. Aber es war keiner da, und die Lage erforderte, daß die Gewerkschaft eingreift. Also griff ich ein – in der festen Überzeugung, daß die Parteileitung mich unterstützen wird.« Er bemerkte das Stück Stahlrohr in Panowskys Hand und sagte: »Tu bloß das Ding weg.«
Panowsky gehorchte zögernd. »Es sind mindestens dreihundert, Genosse Witte«, sagte er, »und nicht nur aus einer Abteilung, und inzwischen werden's wohl noch mehr geworden sein.«
»Es heißt, sie haben eine Delegation gewählt«, fügte Sonneberg hinzu, »und sie wollen ihre Delegation begleiten.«
Witte nickte. »Also hören wir sie an. Beantworten wir ihre Fragen. Es sind unsere Arbeiter, wir sind ihre Funktionäre.«

Banggartz kratzte seinen Handrücken; daß seine Galle immer verrückt spielte, wenn er's am wenigsten brauchen konnte.
Witte gab bereits Anordnungen. »Die AGL-Vorsitzenden begeben sich zurück in ihre Abteilungen. Auch die andern, Panowsky, Greta, alle zurück in die Werkhallen, wo ihr eure Leute kennt. Die Arbeit muß weiterlaufen, man muß bewirken, daß die Kollegen, die noch an den Maschinen sind, an den Maschinen bleiben.«
Er sah das Zögern.
»Genosse Banggartz, ich habe deine Zustimmung?«
Banggartz erhob sich schwerfällig. Geahnt hatte er längst, was da im Betrieb vorging; spätestens seit gestern, in der Kantine, hatte er es gewußt. Aber er hatte es nicht eingestanden, sich nicht und der Partei nicht.
»Genosse Banggartz!«
Banggartz zuckte zusammen. Witte, dachte er, vielleicht war Witte wirklich der Ausweg, Witte, den es nach der Verantwortung zu drängen schien. Wie aber, wenn die Sache sich nun doch von allein regelte: schimpften die Menschen nicht immer, um danach weiterzuarbeiten? Dann würde *er* verantwortlich gemacht werden für jedes von Wittes Worten und jede von Wittes Handlungen . . .
Das Telefon.
Witte nahm den Hörer ab. »Ja? . . . Ja, ich bin am Apparat, Genosse Dr. Rottluff, ich bin zurück im Betrieb . . . Eine Delegation, wir wissen Bescheid . . . Wir kommen hinüber zu dir, jawohl, jetzt gleich . . . Danke.« Und zu Banggartz gewandt: »Dein Einverständnis vorausgesetzt.«
»Nun?« fragte Sonneberg.
Banggartz betrachtete seinen geröteten Handrücken. Dann sagte er heiser: »Es ist wohl am besten, wir befolgen die Vorschläge des Genossen Witte.«
Endlich, dachte Witte; aber es war ein trauriger Triumph.

27

Dienstag, 16. Juni 1953, 8.00 Uhr
musterte Dr. Rottluff die drei Männer in Arbeitskleidung, die vor seinem Schreibtisch standen, und dachte: Was nun, da habe ich zwei Lehrgänge mitgemacht, einen über Marxismus-Leninismus, einen über Leitungstätigkeit, aber in keinem von beiden wurde auch nur ein Wort gesagt über das Verhalten eines Direktors in einem volkseigenen Betrieb, wenn ihm die eignen Arbeiter eine Delegation schicken, ja, wie ich eine Delegation aus dem Ausland zu empfangen habe, das weiß ich, aus dem sozialistischen, aus dem

kapitalistischen, aber diese Art Delegation war nirgends vorgesehen, weil eigentlich unmöglich, früher gab's das, aber das ist über zwanzig Jahre her, und auch damals war es selten, bei der Arbeitslosigkeit, nichts steigert die Produktivität so sehr wie ein, zwei Millionen Arbeitslose, und später waren sie dankbar, wenn die Direktion bestätigte, sie wären unabkömmlich, besser zwölf Stunden an der Maschine als der russische Winter, jetzt sind sie die führende Klasse, heißt es, das macht alles doch sehr schwierig, zugleich führen und die Dreckarbeit machen, wer will das schon begreifen, sogar dialektisch, unsere Menschen sind geistig vielleicht noch nicht soweit und haben geringes Verständnis für die Notwendigkeiten, erst Akkumulieren, dann Konsumieren, aber die Proportionen, sind die immer richtig, und wie soll ich's ihnen erklären, in der Position, in der ich bin, Leiter ja, aber wehe, wenn, Verantwortung ja, aber Macht begrenzt und Freiheit gar keine, was plag ich mich überhaupt, die alten Kollegen sind alle drüben, nein, ich glaube an diesen Sozialismus, der Krieg war mir eine Lehre, und Gerechtigkeit für alle, daran liegt mir, aber wo bleibt die Gerechtigkeit, ändern sich die Menschen etwa, ich seh's doch, schon wieder wachsen da welche heran, specknackig, verfügen, verordnen, verwalten, gibt es nun zweierlei führende Klassen, und steht die eine auf gegen die andre, oder sind sie dennoch eines, eine die Kehrseite der andern, wiederum diese Dialektik, ich versteh wohl von Maschinen mehr als von Menschen, und jetzt kommt alles auf mich zu, drei Mann, eher verlegen als aufsässig, der gelehrte Herr Doktor, ist eben doch was, stehen da wie die Klötze, das ist keine Bedrohung, aber draußen vor dem Gebäude braut sich's zusammen, dabei, wie lange ist's her, Sonntag der Ausflug, Bier, Sonne, Gemütlichkeit, man sollte sie erinnern, das Menschliche ist die beste Brücke, also.
»Ich habe nicht erwartet, daß wir uns so wiedersehen würden, Kollege Kallmann«, begann er, »unter solchen Umständen. Und Sie sind doch der –«
»Schreyer«, sagte der alte Mann, »von der Reparaturwerkstatt.«
»Und der Kollege Bartel, richtig?« erriet Dr. Rottluff; Namen mußte man kennen, Namen sind die halbe Personalpolitik, hatte ihm früher mal einer der Chefs gesagt, das galt wohl auch heute noch. »Warum haben Sie nicht am Sonntag mit mir gesprochen, wenn Sie ein Anliegen hatten, draußen im Grünen, wir ziehen doch alle an einem Strang, oder?«
»Wir sind eine Delegation«, sage Kallmann.
»Ach ja.« Dr. Rottluff seufzte leise. »Ja, das hatten sie bereits erklärt. Die Kollegen draußen vor dem Gebäude haben Sie zu mir geschickt?«
Schreyer trat von einem Bein aufs andere. Es war alles so plötzlich

gekommen, jemand hatte auf ihn gezeigt, und auf einmal war er dabei. »Sie haben uns geschickt«, sagte er, »uns drei.«
»Und was wollen Sie nun eigentlich?« fragte Dr. Rottluff. »Bitte, Kollege Bartel?«
»Das ist so, Herr Doktor . . .« Bartel zögerte, sein Bruchband war ihm verrutscht, auch war er nicht auf Fragen vorbereitet. »Die Kollegen sind eben verärgert.«
»Ärger ist eines; darüber kann man reden.« Dr. Rottluff machte eine großzügige Handbewegung. »Aber deshalb die Arbeit in Stich lassen, das ist doch wohl nicht das Richtige.«
»Vielleicht verstehen Sie nicht ganz, Herr Doktor, was das ist: Solidarität«, sagte Schreyer.
»Bitte erklären Sie mir.«
Der Alte nickte. »Solidarität . . .« Im Dämmer seines Gedächtnisses schwebten Erinnerungen an früher: wenn auch nur ein paar Kollegen die Arbeit hinschmissen, war es Pflicht, sie zu unterstützen; und wenn sie dich gar zu ihrem Sprecher erwählten, so war das eine große Ehre. Aber er konnte es nicht ausdrücken.
»Die Normen!« sagte Kallmann wütend. Warum auch fiel alles auf seine Schultern. »Die Kollegen sind gegen die neuen Normen.« Wenn er hier noch lange parlierte, mochten die Parteiknaben ihren Schreck überwinden und auf die Idee kommen, die Leute vor dem Gebäude zu bearbeiten. »Die Kollegen verlangen, daß Sie die Normerhöhung zurücknehmen, Herr Doktor.«
»Jawohl«, sagte Schreyer wie erlöst, und Bartel bekräftigte: »So ist es.«
Dr. Rottluff schielte nach seinem Telefon.
»Und wir müssen den Kollegen eine Antwort bringen«, drängte Kallmann.
»Sie sind an der falschen Adresse.« Dr. Rottluff zündete sich umständlich eine Zigarette an. »Aber setzen Sie sich doch.«
»Danke, wir stehen lieber«, sagte Kallmann.
Dr. Rottluff begann zu erklären. »Sie überschätzen die Möglichkeiten eines Werkleiters. Es gibt sehr wenige Entscheidungen, die ich selbständig treffen kann. Für die Normfrage beispielsweise sind ganz andere Stellen zuständig, einmal das Ministerium, da es sich um eine Regierungsverordnung handelt, die wir durchführen müssen, und andererseits das Kollektiv, in dem die Partei vertreten ist, die Massenorganisationen. Meine Hände sind da gebunden.«
Er hielt der Delegation die Hände hin: überzeugt euch.
Kallmann sagte: »Begreifen Sie doch, Herr Doktor, die Folgen, wenn wir ohne feste Zusage . . .«
»Ich möchte Ihnen ja helfen«, sagte Dr. Rottluff, »aber auch Sie müssen Verständnis haben für meine Lage und meine Begrenzungen.«

». . . ohne feste Zusage zurückkommen, dann könnten die Kollegen es sich in den Kopf setzen . . .«
Schritte, Stimmen.
». . . zu streiken«, ergänzte Bartel und schob sein Bruchband hoch.
Die Tür.
Kallmann wandte sich um, erblickte Banggartz und, unmittelbar hinter diesem, Witte.
Dr. Rottluff stand auf. »Die Delegation«, stellte er vor, »wir sprachen gerade von Streik.«
Witte, dachte Kallmann ; die Zunge klebte ihm am Gaumen.
Witte, den Kopf seitlich geneigt, besah Kallmann, als wäre der ein Ausstellungsstück. »Neulich abend«, sagte er, »teilte mir der Kollege Kallmann vertraulich mit, wir Kommunisten hätten keine Fühlung mehr mit den Menschen, und wir wüßten gar nicht, was eigentlich in ihnen vor sich geht . . .« Und unvermittelt: »Wer hat euch gewählt? Wen vertretet ihr?«
Kallmann tat einen Schritt auf Banggartz zu. »Du weißt, was ich für dich getan habe, Kollege Banggartz, du weißt, auf welcher Seite ich stehe . . .« Seine Gedanken jagten sich: nicht nur war Witte wieder da, er schien sogar alles zu leiten, Herr Gott, und was jetzt. »Warum also mich anschuldigen, Kollege Banggartz? Fragt euch lieber, bei der Stimmung draußen, wieviel Schlimmeres ich verhütet habe, indem ich erst einmal eine Delegation wählen ließ.«
Eine Delegation, dachte Banggartz, war besser als eine Demonstration.
»Und hab ich euch vorher nicht gewarnt?« fuhr Kallmann hastig fort. »Bin ich nicht zu dir gekommen, Kollege Witte, zu nachtschlafender Zeit, und hab dir berichtet, was die Kollegen in der Normfrage denken? Ich bin nur ein einfacher Arbeiter, genau wie die andern. Wir machen unsere acht Stunden ehrliche Arbeit und wollen dafür unsern ehrlichen Lohn, das müßtet ihr doch verstehen . . .«
»Wir verstehen schon«, sagte Witte.
Der Lärm draußen schwoll an, Rufe, die unverständlich blieben. Wieder, wie gestern in der Kantine, verspürte Banggartz die dumpfe Angst, das Gefühl der Hilflosigkeit; aber der Retter von gestern leitete die Delegation von heute, und mit Witte hatte dieser Kallmann auch zusammengesteckt, wer stand überhaupt wo in der Sache, und vielleicht habe ich wieder alles verkehrt gemacht.
»Die Delegation fordert die Rücknahme der Normerhöhung«, sagte Dr. Rottluff. »Die Delegation droht mit Streik.«
»Also gut«, sagte Witte, »gehen wir hinaus.«
»Wohin?« fragte Banggartz.
»Zu den Arbeitern!« Witte deutete auf Kallmann, Bartel, Schreyer.

»Oder wollt ihr mit den drei Mann hier verhandeln? Wen vertreten sie denn? *Ich* vertrete die Arbeiter im Betrieb. Ich bin der von allen gewählte Vorsitzende der Gewerkschaftsleitung.«
»Du bist doch abgesetzt worden«, sagte der alte Schreyer. »Von deiner eignen Partei.«
Witte hob die Brauen. »Genosse Banggartz?«
Banggartz räusperte sich. »Der Kollege Witte ist unser BGL-Vorsitzender, nach wie vor.«
»Dann bitte« – Witte nahm Kallmann beim Arm – »unterhalten wir uns draußen, vor den Kollegen.«
Er bemerkte den Ausdruck auf Dr. Rottluffs Gesicht, und auf Sonnebergs. Auch ohne das war ihm das Risiko klar: dort draußen mochte Kallmann die Unterstützung von mehreren hundert Leuten haben, unter ihnen mit Sicherheit solche, die genau wußten, was sie wollten. Aber die Revolte, deren zufälliger oder nicht ganz so zufälliger Sprecher Kallmann war, mußte öffentlich zerschlagen werden, vor aller Augen und Ohren.
Den andern voran, verließ er Dr. Rottluffs Büro. Vor dem Gebäude wurde es still, als die Arbeiter ihn sahen. Er trat auf die Freitreppe, gefolgt von Kallmann, der nervös um sich blickte; Bartel, Schreyer, Banggartz, Sonneberg, Dr. Rottluff hielten sich im Hintergrund.
»Ihr kennt mich, Kollegen«, begann er. »Ich habe stets offen mit euch gesprochen, auch wenn es mich bitter ankam, und ihr habt mich verstanden, und habt mich gewählt.«
Er fühlte die Spannung fast physisch, das Mißtrauen: viel jüngere Leute unter den Versammelten, soweit er erkennen konnte, Mitläufer, Neugierige, schwankende Elemente.
»Unser Werkleiter, Kollege Dr. Rottluff, ist von drei Angehörigen der Belegschaft aufgesucht worden. Einer davon ist ein Mann, der manchen von euch bekannt sein wird, lange Jahre im Betrieb tätig – der Kollege Kallmann.«
Eine Handbewegung zwang Kallmann, sich neben ihn zu stellen. Kallmann blinzelte, rieb die feuchten Handflächen gegen die Hosenbeine.
»Ich möchte den Kollegen Kallmann bitten, uns auf Grund seiner langen Erfahrung als organisierter Arbeiter ein paar Fragen zu beantworten.«
»Ich bin nur ein einfacher –« Kallmann brach ab.
»Der Kollege Kallmann sagt, er ist nur ein einfacher Arbeiter!« wiederholte Witte laut. »Also, Kollege Kallmann: welches ist die Organisation, die die Arbeiter zum Zweck der Vertretung ihrer Interessen im Betrieb haben – in kapitalistischen Ländern, in sozialistischen, überall?«

»Die Gewerkschaft«, antwortete Kallmann heiser. »Aber hier im Osten –«
»Die Gewerkschaft!« rief Witte. »Die Gewerkschaft, hat der Kollege Kallmann sehr richtig gesagt.«
Irgendwo wurde gelacht; das Lachen ging klar auf Kallmanns Kosten.
»Nun, Kollege Kallmann«, bohrte Witte weiter, »auf Grund deiner langen Erfahrung schon unter dem Kaiser und in der Weimarer Republik – kannst du uns sagen, an welche Organisation die Arbeiter sich wenden, wenn sie Beschwerden und Forderungen haben, und durch welche Organisation sie ihre Forderungen und Beschwerden der Betriebsleitung vortragen?«
»Die Gewerkschaft«, gestand Kallmann mürrisch.
»Die Gewerkschaft«, wiederholte Witte.
»Aber –«
Witte ließ Kallmann nicht zu Wort kommen. »Wenn jüngere, unerfahrene Kollegen im Eifer der Auseinandersetzung den falschen Weg wählen, das ist entschuldbar. Aber du, Kollege Kallmann, hast den richtigen Weg doch gekannt. Ja oder nein?«
Das Lachen war den Leuten vergangen. Sie merkten, dies war mehr als ein Rededuell, mehr auch als eine Frage von zehn Prozent plus oder minus.
»Ja oder nein, Kollege Kallmann? Die Kollegen haben ihr Vertrauen auf dich gesetzt, sie haben ein Recht auf Antwort.«
»Aber –«
Kallmann stockte. Aber haben wir denn eine Gewerkschaft, hatte er antworten wollen, die Gewerkschaft gehört der Partei, der Regierung. Gott weiß wem, nur nicht uns. Hatte er antworten wollen.
»Kein Aber, Kollege Kallmann. Ja oder nein.«
»Ja, ja, ja!« Als wäre ein Blutgefäß in ihm geborsten. »Ja, ja, ja, ich hab's gewußt, ich kenne eure Gewerkschaft.«
»Unsere, Kollege Kallmann. Warum dann aber das Ganze: Delegation, Drohung, Ultimatum an die Werkleitung . . . Warum?«
»Normen!«
Das Stichwort für Kallmann. Witte erkannte Gadebusch in der Menge, daneben Pietrzuch, der hitzig auf diesen einredete.
Auf einmal klang, was Kallmann sagte, deutlich und war weithin zu verstehen. »Ja, ich habe einen Fehler gemacht!«
Schluß jetzt, dachte Witte, die Leute zurück an die Arbeit. Und sagte: »Dann zieh auch die Konsequenzen, Kollege Kallmann.«
Kallmann lächelte bescheiden. »Macht nicht ein jeder Fehler? Hat nicht sogar unsre Regierung erklärt, sie hätte Fehler gemacht? Was willst du's dann einem einfachen Arbeiter verübeln, Kollege Witte?«

Das Lachen stellte sich wieder ein, diesmal auf Wittes Kosten.
»Aber ich bin bereit«, sagte Kallmann, »meinen Fehler zu korrigieren. Soll die Gewerkschaft für uns sprechen. Wie wär's, Kollege Witte – unsre Beschwerden kennst du, in der Normfrage, das weiß jeder, bist du unsrer Meinung, und der Kollege Werkleiter ist auch hier. Sprich also, jetzt. Wir werden dich unterstützen.«
Das war in ruhigem Ton gekommen, fast bittend; den breiten Rücken leicht gebeugt, die Hände ungeschickt pendelnd, stand Kallmann da, Musterbild des ehrlichen, etwas hilflosen Arbeiters.
Witte suchte die Stimmung zu taxieren. Die meisten schienen den Frontwechsel noch nicht begriffen zu haben, verhielten sich abwartend, enttäuscht sogar, daß Kallmann, statt kräftig zu widersprechen, ihm den Ball zugespielt hatte.
Doch Gadebusch hatte verstanden. »Wie wär's, Kollege Witte!«
Und sofort, als wäre es organisiert: »Soll die Gewerkschaft was tun!«
»Genier dich nicht, Kollege Witte, red mit dem Werkleiter!«
»Wir wollen die alten Normen wieder!«
»Für volle Arbeit voller Lohn!«
»Weg mit den zehn Prozent!«
Witte sah Dr. Rottluff: der zeigte merkliche Unruhe; Sonnebergs Mund war böse verkniffen, in Banggartz' Augen lag ein gehetzter Ausdruck. Zeit, dachte Witte, zunächst einmal Zeit gewinnen.
»Kollegen!« – die Hände gegen den Lärm erhoben – »Kollegen, in der Normsache brauch ich den Werkleiter gar nicht zu fragen.«
»Willst dich wohl drücken!«
»Kollegen – der Werkleiter würde mir nur sagen: Die Normen sind ein Ministerratsbeschluß, geh zum Minister.«
Dr. Rottluff nickte bestätigend.
»Kollege Werkleiter« – Witte sprach langsam und überdeutlich –, »kannst du mir einen Wagen zur Verfügung stellen, der den Kollegen Kallmann und mich zum Ministerium bringt?«
Kallmann wehrte hastig ab. »O nein – ohne mich!« *Die* Autofahrt, und wo sie enden würde, konnte er sich vorstellen; gestern abend schon waren sie dagewesen und hatten nach ihm gefragt. »Ich bin nur ein einfacher Arbeiter. Was will ich beim Minister . . .«
»Kollege Kallmann«, mahnte Witte, »in einem Arbeiterstaat kann auch der einfachste Arbeiter mit seinem Minister sprechen.«
Kallmann schwieg. Die Falle war zugeschnappt.
Aber Gadebusch, aus der Menge heraus, kam ihm zu Hilfe. »Soll der Witte allein fahren!«
Und darauf prompt: »Jawohl, Witte!«
»Witte, hol uns unsre Normen wieder!«
Und dann eine neue Stimme: »Oder Streik!«

Als hätte die schrille Drohung die Leute erschreckt, Stille.
»Da scheiden wir uns«, sagte Witte, nicht einmal laut. »Ich fordere, daß ihr an die Arbeit zurückgeht, ausnahmslos, und jetzt, bevor ich fahre. Wenn ich zurück bin, hört ihr von mir. Ich danke euch für euer Vertrauen.«
Er wartete.
Nichts.
Dann ein Murmeln, unschlüssig. Endlich begann die Menge zu zerbröckeln. Witte atmete auf, blickte sich um nach Kallmann. Der stand allein da, ratlos. Schließlich ging er fort.
»Genosse Witte!«
Das war Dr. Rottluff. Witte trat hin zu ihm; er fühlte sich wie ausgelaugt.
»Hast du großartig abgewiegelt.« Dr. Rottluff drückte ihm die Hand. »Das hätten die früher nicht besser machen können, in der Weimarer Zeit, die Gewerkschaftsführer.«
Witte schluckte. »Ich weiß. Aber dasselbe ist nicht dasselbe unter anderem Vorzeichen. Und was sonst hätten wir tun sollen?«
Doch fühlte er sich nicht wohl bei seiner Antwort. Und nun kam noch Banggartz, die elende Zeitung in der Hand, und wies vorwurfsvoll auf den Leitartikel.
»Wie stellst du dir das vor, Genosse Witte? Hast du nicht gelesen? Die Normerhöhung gilt!«
»Ich hab's gelesen.«
»Und?«
»Wer die Normen erhöhen will und den Sozialismus aufbauen«, sagte Witte müde, »der muß zunächst einmal sehen, daß er an der Macht bleibt.«

28

Dienstag, 16. Juni 1953, 8.30 Uhr
vernahm das für derlei Laute geschärfte Ohr der Witwe Hofer das Schlüsselgeräusch in der Wohnungstür und kurz darauf die Schritte ihrer Schwiegertochter. Die Witwe ließ das Kaffeewasser auf dem Herd stehen und begab sich hastig in den Korridor, wo sie Anna entgegentrat.

DIE WITWE, halblaut: Na, kommst du endlich nach Hause?

ANNA: Guten Morgen.

WITWE: Nicht so laut. Heinz schläft noch.

ANNA: Ich will mir nur ein paar Sachen holen. Ich geh gleich wieder. Ich muß zur Arbeit.

WITWE: Jetzt kannst du nicht in dein Zimmer. Ich hab dir doch gesagt, er schläft. Er braucht sein bißchen Ruhe.

ANNA: Ich brauch meine Sachen.

WITWE: Komm, so eilig hast du's nicht. Wie wär's mit einem Täßchen Kaffee? Bohnenkaffee.

Die ungewohnte Gastlichkeit erstaunte Anna, und sie vermutete, die Witwe werde ihre Hintergedanken dabei haben. Diese interessierten sie; außerdem hätte sie gern gewußt, wie ihr Mann sich nun zu der Trennung stellte und was Witte getan und gesagt. Daher folgte sie der Witwe in die Küche und sah, daß die Alte tatsächlich mit Bohnen nicht geizte.

DIE WITWE, Kaffee mahlend: Wo hast du geschlafen.

ANNA: Bei Bekannten.

WITWE: Der Herr Witte hat hier geschlafen.

ANNA: Wo sonst hätte er schlafen sollen?

WITWE: Im Gefängnis, zum Beispiel.

ANNA, erschrocken: Witte?

WITWE: Sie haben ihn abgeholt gestern abend, Polizei in Zivil. Aber er ist zurückgekommen. Pack schlägt sich, Pack verträgt sich.

ANNA: Wahrscheinlich wollten sie irgendeine Auskunft von ihm. Wenn es wirklich die Polizei war, die ihn abgeholt hat. Ich sag dir, wenn die Polizei jemanden in diesem Haus abholt, dann Heinz.

WITWE, heiser: Heinz hat nie was getan gegen das Gesetz, früher nicht, und jetzt erst recht nicht.

Die Witwe, fertig mit Kaffeemahlen, begab sich zum Herd und begann, den Kaffee zu brühen. Anna setzte sich an den Küchentisch; sie hatte schlecht geschlafen auf dem Klappbett, in der ungewohnten Umgebung, verfolgt von unruhigen Gedanken; der Kaffeeduft tat ihr wohl.

DIE WITWE: Du solltest dir das überlegen mit Heinz. Nach einem wie dem würden sich manche die Finger lecken.

ANNA: Sicher.

WITWE, seufzend: Wir haben uns oft nicht richtig verstanden, Anna. Das kommt eben daher, daß Heinz mein Einziger ist. Mein Einziger, und seinem Vater, der in Amsterdam für Deutschland gefallen ist, wie aus dem Gesicht geschnitten. Am Anfang hab ich ihn dir nicht gönnen wollen, weißt du. Und dann, wie er weggegangen ist, hab ich mir gedacht, was ist das für eine Frau, die ihren Mann nicht halten kann, aber später habe ich mir gesagt, was kann sie dafür, er ist ein außerordentlicher Mensch, mein Heinz, und jede Frau würde es schwer haben mit ihm.

Anna nahm die gefüllte Tasse entgegen, die die Witwe ihr anbot, tat Zucker hinein, trank.

DIE WITWE: Glaub mir, jetzt wird sich alles ändern. Ich kenn doch meinen Heinz. Jetzt hat er was gesehen von der Welt und hat Geld verdient, er redet von einer eignen Wohnung, vielleicht sogar ein Haus, warum also sperrst du dich, rennst weg, schläfst bei ich weiß nicht wem?

Der heiße Kaffee belebte Anna und stimmte sie tolerant. Die Witwe legte ihr Brot und Butter vor.

DIE WITWE: Die Männer sind nun mal so. Aber vergiß nicht, was einer heutzutage tun muß, um sich durchzusetzen. Da braucht er eine Frau, die ihm zur Seite steht. Verständnis muß die Frau haben. Menschlich muß sie sein zu ihm. Du kannst ihm doch nicht aufrechnen, das und dies und jenes. Der arme Kerl, ich hab ihn ja beobachtet, wie er reagiert hat, als er dich wiedersah. Geleuchtet hat er übers ganze Gesicht. Was Gott zusammengefügt hat, damit soll man nicht leichtfertig umgehen, und er könnte dir ja auch eine Rechnung aufmachen, Anna.

Anna schob ihre Tasse beiseite. Sie hatte einen schalen Geschmack im Mund; vielleicht war der Kaffee doch nicht so gut gewesen, wie sie geglaubt hatte.

DIE WITWE: Heinz ist sehr feinfühlig, das hat er von seinem Vater. Natürlich spürt er, daß da was ist zwischen dir und dem Untermieter. Da zieht er sich lieber zurück und gibt dir die Chance, dich auf deine Pflicht zu besinnen, und auf die Liebe. Der Herr Witte hat übrigens nicht nur Polizeibesuch gehabt gestern, eine Dame war auch da, ein Fräulein Kasischke, wollte ihn unbedingt sprechen, kennst du sie?

Anna steckte sich eine Zigarette an; erst das dritte Streichholz zündete.

DIE WITWE: Heinz kam zufällig nach Haus, er hat mit ihr gesprochen. Wenn ich dir einen Rat geben darf, Anna – versuch mal, so auszusehen wie dieses Fräulein Kasischke. Und wie sie hier gesessen hat im Wohnzimmer und auf den Herrn Witte gewartet, vielleicht hat sie ihn hinterher noch irgendwo getroffen, da hab ich nachgedacht über gewisse Leute. Gewisse Leute haben gewisse Bücher auf ihrem Regal stehen, aber was sie treiben, wenn sie ihre Bücher zuklappen, das würde auch Bücher füllen, aber andere Bücher.

Anna drückte ihre Zigarette aus und stand auf.

DIE WITWE: Ja, geh nur. Hol deine Sachen, Heinz ist auf, ich hab ihn gehört. Ich hab als Mutter zu dir gesprochen, denk darüber nach, du mußt doch überlegen, wo deine Zukunft . . .

Heinz Hofer trat ein, im Pyjama. Die Witwe ging eilig zum Herd, schlug Eier in die Pfanne.

HEINZ HOFER: Anna! Und so frisch und rosig. Setz dich. Wir werden gemütlich zusammen frühstücken. Familienfrühstück.

WITWE: Sie will nur ein paar Sachen holen. Sie will wieder weg.
HEINZ: Wohin?
ANNA: Zur Arbeit. Was glaubst du denn?
HEINZ: Heute ist Feiertag.
ANNA: Feiertag?
WITWE, die Eier rührend: So einen Feiertag hast du noch nicht miterlebt, Anna, du warst zu jung damals. Ein ungeheurer Polterabend. Kristallnacht. Rasierte Schädel. Was sahen die Leute komisch aus.
HEINZ: Ernsthaft, Anna, es könnte unruhig werden in der Stadt. Hast du kein Radio gehört?
ANNA: Man kann nicht alles glauben, was die drüben im Radio sagen.
HEINZ: Mir kannst du glauben.
ANNA: Vielleicht weil du was damit zu tun hast?
WITWE, die Eier auf den Tisch stellend, erregt: Heinz hat mit nichts was zu tun.
HEINZ, zulangend: Ist doch gleichgültig, was sie denkt. Von jetzt an wird alles anders.
WITWE: Sie haßt dich. Sie treibt's mit dem Untermieter und sie haßt dich. Ich hab ihr gut zureden wollen, aber meinst du, sie läßt sich was sagen?
ANNA: Du bist mir zuwider. Dein Sohn ist mir zuwider. Eure ganze Welt ist mir zuwider.
HEINZ, kauend: Von jetzt an wird alles anders. Von jetzt an bleibt meine Frau zu Haus, wie sich's gehört, trautes Heim bringt Glück allein. Von jetzt an ist meine Frau in meinem Bett, wann ich sie möchte und wie ich sie möchte.
ANNA: Du täuschst dich.
WITWE: Bitte, was hab ich gesagt. Sie ist auch so eine, der man den Schädel rasieren sollte.

Anna verließ die Küche, ging in ihr Zimmer, nahm ihre Reisetasche vom Schrank, warf ein paar Untersachen, Toilettenartikel, andere Kleinigkeiten hinein, schloß die Tasche.

DIE WITWE, zur Küchentür, Anna nachrufend: Schnepfe!
HEINZ: Was läßt du dich hinreißen. Die kommt wieder, auf den Knien gerutscht kommt sie.
WITWE: Dein Vater würde sie –
HEINZ, plötzlich wütend: Mein Vater, immerzu mein Vater. Mein Vater war ein Held und ist ersoffen wie ein Hund.

Anna, Reisetasche in der Hand, kam an der offenen Küchentür vorbei.

DIE WITWE, außer sich, sie am Ellbogen packend: Läufst deinem Witte nach, was!

Dies Gesicht, dachte Anna, das sind sie, die würden ihn hängen sehen am nächsten Laternenpfahl, mit Freude. Und verlor die Beherrschung und schlug zu.

DIE WITWE, aufschreiend: Heinz!

HEINZ, kopfschüttelnd: Diese Weiber! . . . Nein – hach – diese *Weiber!*

Er wischte sich den Mund, stand auf, begab sich zur Küchentür und blickte seiner Mutter nach, die hinter Anna herlief. Auf dem Treppenabsatz holte die Witwe Anna ein.

DIE WITWE: Kommunistenhure!

Die Wohnungstüren in der Etage flogen auf. Skandallüsterne Gesichter.

WITWE, Anna die Treppe hinab verfolgend: Auspeitschen sollte man die! . . . Schädel rasieren! . . .

Es gelang der Witwe, Anna einzuholen. Arme gebreitet, versuchte sie, ihr den Weg zu versperren. Anna stieß sie zur Seite, ging weiter treppab. Von oben liefen die Hausbewohner ihnen hinterher ; auf den unteren Etagen traten die Leute, angelockt von dem Lärm, aus ihren Wohnungen. Die Witwe, jammernd und keifend, blieb Anna auf den Fersen.

WITWE: Mein armer Junge! Und hat so an ihr gehangen!

NACHBARINNEN: Daß die wagt, sich zu zeigen! . . . Flittchen . . . Nicht mal rot wird sie . . .

WITWE: Alles machen die kaputt, die Familie, alles!

Auf dem Treppenabsatz der ersten Etage war die Witwe an Annas Seite.

WITWE, ermutigt durch ihr zahlreiches Publikum: Das wird dir noch leid tun, dir und deinem roten Bock. Bald ist es soweit. Bald platzt die ganze Gesellschaft –

Die Witwe erschrak, brach ab. Auch die Hausbewohner schwiegen plötzlich, beklommen. Anna war es, als schritte sie durch einen Alptraum, umtanzt von der schlurrenden Alten, bedrängt von grotesken Masken mit tuschelnden Zungen. Diese Männer voller Ressentiments, diese Frauen, die seit Jahr und Tag von Erinnerungen an Verschollene und Tote lebten: nun hatten sie eine greifbar, die sie hassen konnten für den verlorenen Krieg und die Russen und die Knappheit und die Farblosigkeit ihres Daseins.

Im Parterre erreichte die Witwe Anna und stellte sich ihr, den Rücken zur Haustür, in den Weg.

WITWE: Bleib stehen, Schlampe!

In ihrer Rage bemerkte die Witwe den Blinden nicht, der hinter ihrem Rücken im Hausflur stand.

WITWE, zusammenschreckend: Wer – was – ach Sie, Herr Thiel.

DER BLINDE: Entschuldigung, Frau Hofer. Ich hab Sie wohl mit

meinem Stock berührt, versehentlich.
Die Haustür fiel schnalzend ins Schloß.

WITWE: Anna! – Fort ist sie. Lassen Sie mich durch, Herr Thiel!

Ihr ganzer Ärger kehrte sich gegen den Blinden aus der Mansardenwohnung und gegen das magere, blasse Kind, das ihn an der Hand führte.

DER BLINDE, die Witwe aus leeren Augenhöhlen anstarrend: Ich höre, sie schreien wieder nach Krieg.

WITWE: Was stehen Sie da, Herr Thiel! Lassen Sie mich vorbei.

DER BLINDE: Sie auch, Frau Hofer, und die andern da.

WITWE: Wer redet hier von Krieg, keiner. Sie sollen mich endlich vorbeilassen, Herr Thiel.

DER BLINDE: Ich kenne den Ton, Frau Hofer, der ist unvergeßlich. Im übrigen gehen Sie doch. Hält Sie einer?

Da erst wurde der Witwe bewußt: der Hausflur war breit genug, sie hätte ohne weiteres an dem Blinden vorbeigehen können. Ich werd noch verrückt, dachte sie, es wär kein Wunder. Die Gesichter der Nachbarn verschwammen, der Hausflur drehte sich um sie; sie lehnte sich, schwer atmend, gegen die Wand.

29

Dienstag, 16. Juni 1953, 10.00 Uhr
fuhr Witte, im betriebseigenen BMW sitzend, stadtwärts. Die Frage des Fahrers, »Wohin?«, riß ihn aus seinen Grübeleien.
»Wohin? Immer geradeaus.«
Geradeaus erforderte noch keine Entscheidungen. Dabei wußte er, er müßte entscheiden: wen aufsuchen, wie sprechen, was verlangen. Aber in seinem Kopf war ein Durcheinander von Gesichtern und Gedankenfetzen; mit der Entspannung nach dem Sieg über Kallmann, wenn es ein Sieg war, hatten sich auch die klaren Linien verwischt, nach denen er gedacht und gehandelt hatte.
Geradeaus führte vorbei an Vorstadtsiedlungen; dann streckenweise nichts, dann wieder Anhäufungen von Kleinindustrie, Lagerschuppen, verkommenen Wohnhäusern. Vorbei an den Schrammen des Krieges, an notdürftig geflicktem Mauerwerk, am ersten Wiederaufbau, näher dem Herzen der Stadt.
Die Straße gabelte sich.
»Wohin?« fragte der Fahrer wieder.
Partei? dachte Witte. Ministerium? Der Parteiweg endete unweigerlich bei Pettenkofer; zwar hatte Banggartz' Stellung sich gewandelt unter dem Druck der Ereignisse, aber es war zweifelhaft, ob der

Impuls sich bis in die Höhen, wo Pettenkofer saß, fortgepflanzt hatte.
»Ministerium«, sagte Witte.
»Ministerium«, wiederholte der Fahrer. »Wird das viel Zweck haben?«
»Wieso?«
Der Fahrer hielt Witte ein zerknittertes Päckchen Zigaretten hin. »Meistens fahr ich den Dr. Rottluff, und dann seh ich, wie der aussieht, wenn er aus dem Ministerium kommt.« Er preßte den elektrischen Anzünder ans Ende der eignen Zigarette und gab ihn dann, noch glühend, an Witte weiter. »Und heut ist was los, nicht nur bei uns.«
»Du scheinst gut orientiert zu sein, Kollege.«
»Man kommt herum.«
Witte rang sich ein Lachen ab. »Auf mich werden sie schon hören, im Ministerium.«
Aber er fühlte sich nicht ganz so zuversichtlich, wenn er an die Suche nach dem richtigen Mann dachte: der mußte nicht nur mächtig genug sein, um in der Normfrage entscheiden zu können, sondern auch genügend einsichtig, es zu tun. Und wenn er den Mann nicht fand in den wenigen Stunden, die ihm zur Verfügung standen, oder wenn der Mann auf den Beschlüssen von gestern beharrte, auf Vorschriften und Bestimmungen?
Dann kam es zum Streik im Werk – und nicht ohne Berechtigung.
Er erschrak vor dem eignen Gedanken; aber der war nicht mehr aus dem Schädel zu bannen und zeugte bereits neue Zweifel: müßte ich nicht auf seiten der Kollegen sein, eigentlich, und wo stehe ich denn, politisch betrachtet, ihr Sprecher, entsandt von ihnen, ihre Forderungen zu vertreten höherenorts; oder bin ich ein Schuft, ein doppelzüngiger, dem jedes Mittel recht, um ein paar Stunden zu gewinnen. Verdammter Widerspruch, in dem ich mich finde: die ich verteidigen soll, bedrohen die Macht, die ich verteidigen muß. Wessen Macht – meine, ihre, Banggartz' Macht, Pettenkofers? Doch das war jetzt im Grunde egal: die Macht mußte verteidigt werden, gleichgültig, woher die Bedrohung, gleichgültig, mit welchen Mitteln, gleichgültig, was es ihn kostete an Selbstüberwindung.
»Dort vorn ist was los«, sagte der Fahrer.
Witte fuhr auf.
»Hast wohl geträumt?« sagte der Fahrer. »Von Weibern mit dicken Busen und saftigen Hintern?«
Lächerlicherweise stellte sich die Erinnerung an Anna ein, die weder einen dicken Busen besaß noch einen besonders saftigen Hintern, die Witte aber mit plötzlicher Begierde vor sich sah, wie sie den Kopf

neigte, die Lippen halb geöffnet.
»Da glaubt man«, sagte der Fahrer, »wenn einer verheiratet ist und zweimal die Woche bekommt, was er braucht, gibt sich das Träumen. Aber nein. Da vorne staut sich was, da kommen wir nicht durch zum Alexanderplatz. Soll ich umkehren? Wenn ich über den Rosenthaler Platz fahre . . . Nur da müssen wir am Zentralkomitee vorbei, und da weiß man heut auch nicht . . .«
Witte sah das Gedränge, das sich dem Alexanderplatz zu verdichtete, Straßenbahnen, die nicht weiterkamen. »Ich steig aus«, sagte er. »Gib mir noch eine Zigarette. Von hier aus schaff ich's auch zu Fuß.«
Der Fahrer drückte ihm das Päckchen in die Hand, es waren wohl noch zwei oder drei Stück drin. »Ist auch besser für den Wagen. Krieg du mal eine Scheibe ersetzt.«
Er fuhr ein paar Meter rückwärts, wendete vorsichtig und verschwand. Witte tauchte ein in die Menge. Niemand schien richtig zu wissen, was vor sich ging; das Sonderbare war die Abwesenheit der Polizei, die sonst bei dem geringsten Auflauf in Erscheinung trat; dabei lag das Polizeipräsidium mit seinen doch wohl einsatzbereiten Mannschaften nur ein paar hundert Schritt entfernt von dem Geschehen.
Die Ellbogen kräftig nutzend, arbeitete Witte sich bis zum Rande des Fahrdamms durch. Auch hier hatten die Leute die verschiedensten Theorien über das, was da kommen sollte. Eine Demonstration, hieß es; aber jemand wandte zweifelnd ein, von einer Demonstration hätte nichts in der Zeitung gestanden, so etwas werde doch immer vorher angekündigt, einschließlich des Marschwegs und der polizeilichen Absperrungen. »Vielleicht wegen dieser Atomspione in Amerika«, vermutete ein anderer, »Rosenfeld oder Rosenstein . . .«
Der Mann verstummte. Die Spitze des Zugs war in Sicht gekommen, ein Transparent, schiefe Buchstaben, in Eile gepinselt: NIEDER MIT DEN NORMEN! Darunter mehrere Männer in grauweißem Drillich, auf dem Kopf staubige Kappen; einer, sah Witte, trug sogar noch die Holzpantinen an den Füßen; der ganze Zug, soweit sich überblicken ließ, etwa zweihundertfünfzig bis dreihundert Mann, zum Teil gleichfalls in Arbeitskleidung.
»Von der Stalinallee . . .«, eine Stimme neben Witte, beinahe ehrfürchtig. »Die Bauarbeiter . . .«
Witte erinnerte sich. Bei den Bauarbeitern war schon einmal kurz gestreikt worden.
»Ja, das ist wohl 'ne andre Demonstration!« sagte einer erstaunt, und dann genießerisch: »Das ist *gegen* die Regierung!«
»Gegen die Regierung? . . .« Spöttisches Lachen. »Da würde die

Polizei doch wohl eingreifen, oder?«
»Mann, das sieht doch ein Blinder, das ist von oben organisiert.« Im Ton der Überlegenheit. »Dahinter steckt das Zentralkomitee, sage ich. Erst Fehlergeständnisse, dann das. Lauter Tricks.«
Aus dem Zug heraus wurde gerufen: »Wir wollen zu unsrer Regierung!«
»Nee, nee, nee«, sagte wieder ein andrer. »Das ist ernst. Das ist der Anfang.«
»Anfang von was?«
»Vom Ende.«
»Ihr seid ja sämtlich verrückt.«
»Mensch, lauf doch mit, wenn du's nicht glaubst.«
»Dabei verdienen die doch, die Bauarbeiter.«
Aus dem Zug heraus: »Wir Bauarbeiter fordern ...« Der Rest unverständlich.
Grüßen, Winke, Zurufe; hier und da schloß sich auch einer dem Zug an. Trotzdem schleppte sich das Ganze; von Gleichschritt keine Spur, eher Unentschlossenheit; es wurde viel geredet und gelacht in den Reihen, man war weggelaufen von der Arbeit, einfach so, ein neuartiges Erlebnis, dessen Bedeutung noch nicht eingesickert war ins Bewußtsein. Witte beobachtete all das; hörte, was um ihn herum gesprochen wurde; dachte: Gott, um ein Haar wären das meine Leute gewesen, von VEB Merkur, die hier dahinzogen. Er konnte sich ausmalen, was sich abgespielt haben mußte in den Bauhütten entlang der Stalinallee und auf dem noch unfertigen Mauerwerk der ersten breitflügeligen Großwohnhäuser des Sozialismus, daß diese da ihr Werkzeug hinwarfen und von den Gerüsten herabgestiegen und, wie sie da waren, in ihrer Arbeitskleidung, sich in Marsch setzten auf ein unklares Ziel. In diesem Moment geriet der Zug ins Stocken. Die Spitze, sah Witte, hielt an der Kreuzung vor der S-Bahn-Überführung, dem Rot der Verkehrsampel gehorchend – disziplinierte Fußgänger, noch funktionierten die Reflexe. Ein halbes Dutzend Kommunisten, die wissen, worum es geht, dachte Witte, und wir beenden den Spuk: Kollegen der Stalinallee, so nicht, das ist nicht die Lösung, nicht die Regierung ist der Klassenfeind ... Und hörten erst ein paar hin, dann hörten auch die anderen. Aber wo waren sie, die Abzeichen auf den Rockaufschlägen, die zwei verschlungenen Hände, so stolz zur Schau getragen noch gestern? Gut, wenn kein halbes Dutzend, dann zwei oder drei wenigstens. Da war einer mit Aktentasche, besorgte Miene, geduckter Kopf, und dann ein blasses Mädchen in Blauhemd, eingeengt: unerreichbar beide. Und wie lange die Ampel noch auf Rot?
Witte trat hinaus auf den Fahrdamm, rief: »Kollegen, überlegt doch ...«

Ein paar von den Bauarbeitern wandten sich Witte zu, neugierig eher als feindselig.
»Kollegen, die Häuser, die ihr baut . . .«
Da schaltete die Verkehrspolizistin in ihrem Holztürmchen, einzig sichtbare Vertreterin der Staatsmacht, die Ampel von Rot auf Gelb, auf Grün. Die Demonstration setzte sich wieder in Bewegung, langsam, ungeordnet, in ihrem Sog eine ständig wachsende Menge. Witte betrachtete die Pflastersteine, auf denen er stand: fester Boden, nicht das geringste Schwanken. Was er gesehen hatte, war kein Gebilde erhitzter Phantasie, war Realität.

30

Dienstag, 16. Juni 1953, 11.00 Uhr
stöhnte Gudrun Kasischke alias Goodie Cass laut auf und erwachte aus einem quälenden Traum, in dem bald die Mutter, bald ihr Fred, bald Wittes verstorbene Frau sie verfolgt hatte. Sie versuchte aufzustehen; sofort aber stellte sich ein starkes Schwindelgefühl ein. Ein Druck im Innern des Schädels plagte sie, der Rücken schmerzte. Sie wimmerte vor sich hin und dachte

in bezug auf ihren Zustand:

die Augen Herr o Gott Jesus ich seh nur Schatten und wo sind die Fenster wenn mir nur nicht was zurückbleibt von der Sache ein dauernder Schaden einen so zuzurichten ich möcht nicht wissen wie ich ausseh verquollen zerschunden o Gott o Gott das hab ich nicht verdient

Sie stützte sich auf die Ellbogen und richtete sich behutsam auf. Sie befand sich noch immer auf der Couch, auf die sie ihr Fred geworfen und auf der er sie peinlich befragt hatte; sie hatte die gleichen Kleider am Leibe, die sie bei der Heimfahrt aus dem Westen getragen hatte; allerdings war die Bluse teilweise zerrissen, ein Strumpf hing ihr um die Knöchel, der andre hatte eine breite Laufmasche, die Schuhe lagen irgendwo. Das Schwindelgefühl ließ nach. Sich am Tisch festklammernd, stand sie auf und wartete, bis die Schwäche in den Knien erträglich wurde. Dann tastete sie sich hin zur Toilette, stieß die Tür auf und knipste das Licht an. Halb geblendet trat sie zum Waschbecken, füllte es mit lauwarmem Wasser und benetzte Gesicht und Augen; besonders den Augen tat die Feuchtigkeit wohl. Die Konturen von Zahnbechern, Handtüchern, Wasserhähnen traten hervor, die Dinge nahmen Gestalt an, der Spiegel zeigte ein Bild.
Angesichts ihres Spiegelbilds erkannte sie

in bezug auf den Selbsterhaltungstrieb:

schlimm seh ich aus die Nase geschwollen die Lippen und unter den Augen schillerts aber es könnt noch schlimmer sein ich hab scheints eine Natur wie ein Rhinozeros jede andre wäre wie der mich behandelt hat kläglich eingegangen wo steckt er eigentlich mein Fred vielleicht in seinem Betrieb sie haben sich sicher was ausgekluckt er und der dicke Quelle und wohl auch dieser dieser Kallmann aber wenn er nun doch wenn ich heraustret aus dem Lokus dasitzt am Tisch und sagt höflich Guten Morgen hast lange geschlafen nach unsrer kleinen Unterhaltung was was tu ich dann um Gottes willen ich küß ihn und bin ganz lieb und red ihm nach dem Munde warum aus Selbsterhaltungstrieb was das Stärkste ist im Menschen ich will leben ich will raus hier

Sie streifte die Kleider ab und trat unter die Dusche und wusch sich, wobei sie feststellte, daß ihr Leib, bis auf ein paar blutunterlaufene Flecke, kein Merkmal des Verhörs zeigte. Danach trocknete sie sich vorsichtig, zog ihren Bademantel an, bepuderte sich das Gesicht und kehrte in die Stube zurück, wo sie feststellte, daß die dort herrschende Dunkelheit daher rührte, daß sämtliche Fensterläden fest geschlossen waren.

Und nun bedachte sie

in bezug auf ihre fatale Lage:

ist ja hellichter Tag draußen die liebe Sonne dringt durch die Ritzen aber ich krieg die Läden nicht auf den nicht und den nicht er hat sie vernagelt und die Tür da sind die Sicherheitsschlösser sämtlich verschlossen wo sind meine Schlüssel wo ist meine Handtasche da aber die Schlüssel sind weg und mein Geld wo ist mein Geld weg Ostgeld Westgeld alles weg nicht mal paar Groschen Kleingeld dieser Lump und ich sitz fest hier und kann warten bis er wiederkommt weiterfragt weiterschlägt aber ich nicht lieber häng ich mich auf

Sie zwang sich zur Ruhe. Sie schaltete die Lampen an, eine nach der anderen, selbst das kleine Lämpchen in dem japanischen Rauchverzehrer, den ihr Fred mal gegen irgendwas eingetauscht hatte. Sie prüfte noch einmal die Fensterläden, die Tür, den Inhalt ihrer Handtasche; in der Handtasche lag nur der Lippenstift und das Taschentuch und Krimskrams. Dann sagte sie überlaut, wie ein Kind, das sich Mut zuspricht: »Also machen wir mal Frühstück«, und ging in die Küche. Da sie meistens spät frühstückte, liebte sie es, gut zu frühstücken, Juice und Eier und Schinken und Butter und Marmelade und Kaffee.

Während der Kaffee filterte, entdeckte sie

1. in einer Ecke des Küchenschranks die zwei Mark siebzig Milchgeld, die sie vor mehreren Tagen dort hingelegt, später aber vergessen hatte, und

2. in der Abstellkammer die Werkzeugkiste, die ihr Fred, ordentlicher Mensch, der er war, dort wieder hingestellt, nachdem er die Fensterläden von außen zugenagelt hatte.
Beide Entdeckungen erfüllten sie mit Hoffnung, und sie verspeiste ihr Frühstück mit Appetit, wenn auch sehr behutsam, ihrer geschwollenen Lippen wegen.
Den Kaffee vorsichtig schlürfend, bedachte sie

in bezug auf ihre nächsten Schritte:

erstmal wo krieg ich Geld her hätte ich doch bloß was auf der Sparkasse aber mein Fred sagt immer nichts wie Sachwerte Geld ist unbeständig heut hast du's morgen ist's Papier aber Sachwerte steck dein Geld ins Häuschen und was ich so in der Tasche hatte das hat er und wenn ich rübergeh in den Club mit denen ist er dicke da wär ich geliefert und hier die Nachbarn wen kenn ich denn und weiß man wer da wo steht ist doch alles politisch jetzt wo ist einer der einem hilft daß ich Schutz find die Polizei etwa die werden mir gerad glauben wo ich striptease im Westen und wer kann sagen was überhaupt wird da bleibt mir nur einer ach Gott erst dacht ich ich könnt was tun für Herrn Witte und nun soll er was tun für mich warum aber auch nicht eine Hand wäscht wenn man die Hand findet ja wenn

Sie trank den letzten Schluck ihres Kaffees und begab sich, immer noch im Bademantel, in den Abstellraum, wo sie dem Werkzeugkasten Hammer und alles darin befindliche spitzige Werkzeug entnahm. Nach kurzem Überlegen wählte sie den Laden vorm Küchenfenster, weil dieses vom Weg aus nicht beobachtet werden konnte, und fand, ohne viel suchen zu müssen, die Stellen, wo ihr Fred die Nägel eingetrieben hatte. Dort setzte sie an, wenn auch mit geringem handwerklichem Geschick, und zerstörte in pausenloser Arbeit das Holz um die Nägel herum so weit, daß diese sich, erst der eine, dann der andere, herausstoßen ließen. In ihrem Eifer vergaß sie ihren Schmerz, bemerkte auch den Schweiß nicht, der ihr über das wunde Gesicht rann; erst als sie das schwere Brett, das den Fensterladen versperrt hatte, draußen niederpoltern hörte, und als das Licht einströmte, das helle freie Tageslicht, atmete sie auf. Ein Zittern befiel sie und sie begann krampfhaft zu schluchzen.
Sobald sie sich beruhigt hatte, bedachte sie

in bezug auf die Launen des Schicksals:

jetzt aber nichts wie weg was zieh ich an was Praktisches und den Regenmantel mitnehmen und was in den leichten Handkoffer geht den laß ich in der Gepäckaufbewahrung Friedrichstraße womit schon fünfzig Pfennig weg wären von den zwei Mark siebzig da steh ich nun wieder mit nichts da wie damals und hatte doch schon was ich wollte daß einer mich gern hat und zu mir gehört und Wurzeln warum trifft's immer mich die Launen des Schicksals und alles wegen dem Brief an Herrn Quelle und wegen Witte ich hätt's ja auch lassen können aber dann hätt was in mir genagt auf Jahre ich kenn mich doch aber was hab ich davon ist das Gerechtigkeit

Als letztes legte sie Schminke auf, Tageslichtschminke, diskret, aber genügend, um die Spuren der nächtlichen Befragung zu verdecken. Sie sah passabel aus, fand sie; auf drei, vier Schritte Entfernung bemerkte keiner was, und auch aus größerer Nähe mußte einer schon einen Blick haben. Dann rückte sie den Küchenstuhl ans Fenster, kletterte auf den Sims und sprang hinaus, ihrem Köfferchen nach, das sie schon aufs Gras gestellt hatte. Die Gartentür war verschlossen, aber der Schlüssel dazu hing wie immer am Nagel unter dem hölzernen Briefkasten.

Schon auf dem Weg, blickte sie noch einmal zurück auf das Häuschen, das, sonnenüberglänzt, wie ein Stück Märchen zwischen den bunten Sommerblumen lag. Sie seufzte; dann hängte sie sich die Tasche über die Schulter und packte das Köfferchen fester. Ein junger Mann kam ihr entgegen, offenes Hemd, Jacke überm Arm, betont zivil, nur in Schritt und Haltung jenes Undefinierbare, das dem erfahrenen Beobachter den Polizisten verrät.

»Tag, Fräulein«, er blickte auf den Zettel in seiner Hand, »können Sie mir sagen, wo hier Nummer 37 ist?«

»Wen suchen Sie denn?«

»Ein Fräulein Gudrun Kasischke«, sagte er. »Die wohnt dort, nicht?«

»Jaja«, nickte sie. »Da gehen Sie mal noch ein Stück geradeaus, und dann rechts in den Seitenweg, und wo die Hecke anfängt, da ist der Eingang.«

»Danke schön«, grüßte er höflich.

Sie wartete, bis er außer Sicht war. Dann begann sie zu laufen.

31

Dienstag, 16. Juni 1953, 11.30 Uhr

sagte Witte zu Dreesen: »So, das wären wohl die Hauptsachen. Du wirst verstehen, wie sehr ich unter Zeitdruck stehe. Der Aufschub, den ich im Betrieb erreichen konnte, ist kurz befristet, und weiß einer, wie die Leute reagieren werden, wenn sie irgendwie von der Aktion der Bauarbeiter erfahren. Aber nach dem, was ich am Alexanderplatz sah, dachte ich doch, daß ein Abstecher zu dir ratsam wäre, bevor ich ins Ministerium gehe. Vielleicht kennst du den zuständigen Mann im Ministerium und kannst bei ihm anru-

fen; das würde mir die Lauferei von Pontius zu Pilatus ersparen. Je rascher ich freie Hand habe in der Normfrage, desto eher können wir vermeiden, daß heut nachmittag oder morgen früh auch die Arbeiter von VEB Merkur durch die Straßen ziehen.«
Trotz der häufigen Unterbrechungen durch Anrufe, die sich zum Teil auf die Vorgänge in der Innenstadt bezogen, zum Teil auf Routinegeschäfte, hatte Dreesen seinen Besucher aufmerksam angehört, sich auch Notizen gemacht, war Witte doch der erste Augenzeuge der Geschehnisse, von denen er bisher nur Zusammenhangloses erfahren hatte. Sein Gesicht, anfänglich noch normales Büroblaß, hatte sich während Wittes Bericht rosig verfärbt: Anzeichen, daß sein Herz ihm Schwierigkeiten bereitete.
Dreesen sagte: »So schlimm also schätzt du die Lage ein.«
Witte sagte: »Siehst du sie anders?«
Die Herzkranzgefäße, dachte Dreesen. Ein kleiner Impuls irgendwoher, ein Nerv, der verrückt spielt, kann den Krampf auslösen, der zum Infarkt führt. Wer hat das gesagt: die Revolution der kranken Männer. Aber nicht die Revolution macht uns krank – nur einmal ein richtiger Sturm auf einen Winterpalast, und ich wäre geheilt. Es ist die Nicht-Revolution, die verwaltete Revolution, und in diesem Land mit dieser Vergangenheit, wodurch die Körperchemie sich verändert, so daß sich das tödliche Cholesterin in den Arterien ansetzt.
Ein kranker Mann, dachte Witte; zu anständig, zu sensibel. Was ihn das Taktieren kosten muß: warum klammert er sich an seinen Sessel, vielleicht will er einfach dasein, wenn die Zeit kommt, wo er gebraucht wird.
Dreesen sagte: »Da müssen wir doch wohl hinübergehen zum Genossen Pettenkofer.«
Witte verzog das Gesicht.
Dreesen sagte: »Du meinst, wegen Banggartz? Wer ist Banggartz auf Pettenkofers Skala. Schlimmer ist, daß Pettenkofer Mitglied der Kontrollkommission war, die deinen Fall behandelte. Wußtest du nicht? Ich seh ihn noch, wie er aus deiner Kaderakte alles verlesen ließ, was dir je übelgenommen wurde. Trotzdem: hier muß er mitentscheiden.«
Wieder der holzgetäfelte Wandelgang, dann eine hohe Tür, zweiflügelig, dann der Vorraum. Zur Linken, auf einem von seinem Hosenboden blankgescheuerten Bänkchen, hockte der persönliche Sekretär, ein kleiner Mann mit Knopfaugen. Während Dreesen mit ihm flüsterte, betrachtete Witte den Bücherschrank: hinter Glas, gebunden in rotes Maroquin, mit Goldschnitt, zweimal sämtliche Werke Stalins. War Pettenkofer Sammler? Oder kannte er niemanden, dem sich die kostbare Doublette mit Nutzen schenken ließ?

Der persönliche Sekretär sagte: »Genosse Pettenkofer ist noch beschäftigt; es dauert nicht lange.«
Tatsächlich war die Wartezeit kurz: aus Pettenkofers Arbeitsraum traten besorgt aussehende Genossen, Aktentaschen unterm Arm, und durcheilten den Vorraum, um sich in Richtung ihrer Dienststellen zu zerstreuen.
Der Sekretär sagte: »Ihr könnt hineingehen.«
Schöner Teppich, dachte Witte, weinrot, beruhigend fürs Auge; auch geht sich's darauf angenehm. Sieh, der Genosse Pettenkofer erhebt sich, schüttelt erst Dreesen die Hand, dann mir; wie lang wird der Konferenztisch sein, sechs Meter etwa; der Genosse Pettenkofer nimmt am Kopfende Platz, wir übers Eck, nur aus der Sitzordnung, nicht aus der Art der Stühle, ergibt sich der Rangunterschied. Auf den Porträts der Führer der Partei, die, heut allerdings nicht, bei Kundgebungen und Demonstrationen über den Köpfen der Menge schweben, sieht der Genosse Pettenkofer markanter aus; in gleicher Augenhöhe ändert sich die Perspektive, die Nase wirkt fleischiger, das Kinn fällt stärker ab, die fetten Ohrläppchen, auf den Bildern stets sorgfältig abgeschattet, erscheinen wie krankhafte Auswüchse.
Pettenkofer sagte: »Ihr habt wohl nichts dagegen, Genossen, wenn ich frühstücke.«
Er entnahm seinem Butterbrotpapier eine dünn bestrichene Stulle und eine Tomate, vierteilte diese mit seinem Federmesser und schob die Viertel eines nach dem andern zwischen die merkwürdig geschürzten Lippen.
Frag ich ihn nun, dachte Witte, ob man sich eine Tasse Kaffee bestellen kann in der Kantine im Hause? Aber er wird das für Ironie halten, und er sieht mir nicht aus, als vertrage er Ironie.
Pettenkofer sagte: »Tja, Genosse Witte – bescheiden essen, maßhalten, Ruhe bewahren, das ist das ganze Geheimnis.«
Dreesen sagte: »Seit fast einer Stunde warte ich, daß du mich rufen läßt. Ich habe den Genossen Witte mitgebracht, weil er dir direkt aus seinem Betrieb berichten kann.«
Pettenkofer sagte: »Ich freue mich immer, Genossen von der Basis kennenzulernen. Hinterm Schreibtisch kann man noch so viel beschließen; aber die Entscheidungen fallen dort, wo es um die Durchführung der Beschlüsse geht.« Und zu Dreesen: »Ich kann dir mitteilen, daß eine Sitzung des Büros stattfinden wird. Wir warten nur noch auf ein paar Informationen.« Und wieder zu Witte: »Vom Hörensagen kannte ich dich ja schon.«
Dreesen sagte: »Genosse Witte hat die Demonstration am Alexanderplatz beobachtet, ihre Zusammensetzung, ihre Stimmung.«
Pettenkofer sagte: »Ich habe bereits Berichte darüber.«

Der Mann ist wie ein Eisberg, dachte Witte, nur ein Bruchteil ist sichtbar über der Oberfläche.
Dreesen sagte: »Aber wenn du Berichte hattest, warum hast du nicht längst – «
Pettenkofer faltete sein Butterbrotpapier zusammen.
Dreesen sagte: »Jedenfalls kann Witte dir berichten, wie er verhütet hat, daß derselbe Kladderadatsch bei VEB Merkur anfing. Seine Erfahrungen können auch für uns von Wert sein.«
Pettenkofer sagte: »Bei VEB Merkur bestand nie Gefahr. Das ist einer unsrer besten Betriebe. Außerdem war ich des Glaubens, der Genosse Witte wäre dort nicht mehr beschäftigt?«
Witte sagte: »Das ist geregelt worden, mit dem Genossen Banggartz.«
Dreesen sagte: »Genosse Pettenkofer, wir müssen neue Instruktionen geben – sofort. Die Genossen in den Betrieben müssen neue Argumente erhalten, wirkliche Argumente – sofort. Und in der Normfrage müssen wir zurückstecken, zumindest bis wir aus dem Gröbsten heraus sind.«
Pettenkofer sagte: »Wir müssen, müssen wir? Das ist die Meinung des Genossen Witte, ja?«
Witte sagte: »Ich würde mir nicht anmaßen, so erfahrenen Genossen Vorschläge zu machen. Ich war einfach gezwungen, in einer bestimmten Situation bestimmte Entscheidungen zu treffen.«
Pettenkofer sagte: »Wir lassen uns nicht unter Druck setzen. Und den Feind zerschlagen wir.«
Dreesen sagte: »Und konkret?«
Pettenkofer sagte: »Ich kenne doch unsere Werktätigen. Sie sind irgendwohin gelaufen. Sie laufen auch wieder zurück. Aber von unsern Genossen einige, die kippen bei so was um wie Kegel. Kein Rückgrat. Keine Disziplin.«
Kann er nicht, dachte Witte, oder will er nicht? Denn der ist zu groß, um nur Spielball zu sein. Der spielt sein eignes Spiel, mit eignen Zielen und Absichten, der hat sich die Gleichung längst ausgerechnet, nur eine Unbekannte noch, sobald er die hat, wird der Schlußstrich gezogen, dann wird man sehen, wer hier richtig liegt.
Pettenkofer sagte: »Wenn es sich jedoch als notwendig erweisen sollte, dann könnte ich mir auch vorstellen, daß ich auf die Straße gehe und in die Betriebe und mit den Leuten spreche, in aller Schärfe.«
Dreesen sagte: »Wenn sie dich erkennen, schlagen sie dir den Schädel ein.«
Pettenkofer sagte: »Kann sein, daß ich nicht bei allen beliebt bin. Man muß auch das zu ertragen wissen.«
Das klang echt, dachte Witte. Pettenkofer hatte seine Courage unter

Beweis gestellt: in der Illegalität, später in Spanien, später wieder als Partisan – seine Courage und ein außerordendliches Talent zum Überleben.
Pettenkofer sagte: »Ich mußte ja Härte zeigen, immer. Womit haben wir denn angefangen, 1945? Mit nichts. Mit einer Handvoll von Genossen. Aber wir haben gewußt, was wir wollten, die einzigen in ganz Deutschland, ja? Und was haben wir geschaffen, und gegen welche Widerstände! Das Leben in Gang gebracht, die Kader aus dem Boden gestampft, Partei, Staat, alles. Natürlich wurden Fehler gemacht, aber warum? Vielleicht weil wir bösartig sind? Weil wir das Richtige wollen. Es gibt Situationen, wo man die Menschen zwingen muß zu ihrem eigenen Wohl, wo man die Zähne zusammenbeißt, und durch, ja? Was zählt, ist das Ziel. Hinterher werden sie's einem danken . . .«
Dreesen sagte: »Genosse Pettenkofer, Witte muß hinüber ins Ministerium. Und dort muß er ohne weitere Verzögerung mit dem Mann sprechen können, der für Normfragen zuständig ist und Entscheidungen treffen kann. Bitte, hilf ihm da.«
Pettenkofer sagte: »Ach so. Auf diese Art hat er verhütet, daß der – wie sagtest du doch – Kladderadatsch bei VEB Merkur anfing.«
Witte sagte: »Wäre es dir lieber, auch die Arbeiter von VEB Merkur zögen auf den Straßen herum?«
Pettenkofer sagte: »Und wer hat die Parteibeschlüsse mißachtet und dadurch den unzufriedenen Elementen im Betrieb den Rücken gestärkt? Wer also ist in erster Linie verantwortlich für den drohenden Kladderadatsch bei VEB Merkur? Sind das die Erfahrungen, aus denen wir lernen sollen, ja?«
Dreesen sagte: »Jetzt ist nicht die Zeit für Parteiverfahren.«
Das Telefon klingelte. Pettenkofer trat an seinen Schreibtisch und meldete sich ungehalten. Dann läutete sein zweiter Apparat. Was erst aus dem einen, dann aus dem andern Hörer an sein Ohr drang, verdüsterte seine Laune sichtlich noch mehr.
In die Sprechmuschel des ersten Apparats sagte Pettenkofer: »Nein, tue ich nicht. Auf Wiederhören, Genosse.« In die des zweiten: »Ich habe dir doch schon auseinandergesetzt, Genosse, wie die Lage ist; also verhalte dich entsprechend. Auf Wiederhören.« Und zu Dreesen: »Anweisungen. Immer wollen sie Anweisungen.« Er schien nachzudenken. »Aber doch verständlich. In einer solchen Situation ein einziger falscher Zug, und –« Er erinnerte sich der Anwesenheit Wittes und brach ab.
Dreesen sagte: »Analysieren wir die Lage. Das erspart uns falsche Züge.«
Pettenkofer sagte: »Bitte sehr.«
Dreesen sagte: »Eine Wachstumsschwierigkeit. Wir wachsen sehr

rasch. Vielleicht sind wir denen, die zusammen mit uns wachsen sollten, ein wenig davongewachsen.«
Pettenkofer sagte mit müdem Sarkasmus: »Bekanntlich verändert sich der Überbau stets langsamer als die Basis, das Denken langsamer als die Fakten.«
Dreesen sagte: »Wir haben gewisse Auffassungen, von denen wir gewisse Gesetze, Vorschriften, Maßnahmen ableiten. Stellt sich dann heraus, daß in einem gewissen Stadium der Entwicklung das Leben komplizierter ist, als unsere Auffassungen es zulassen, so passen wir unsre Gesetze, Vorschriften und Maßnahmen nicht etwa dem Leben an, nein, wir versuchen, dem Leben unsere Auffassungen aufzuzwingen, und sind unangenehm überrascht, wenn das Leben sich weigert, sich uns anzupassen. Arbeiter wollen nicht einsehen, daß das, was wir durchsetzen möchten, letzten Endes ihnen zugute kommt – wir richten unsre Maßnahmen nicht etwa nach dem Entwicklungsgrad ihres Verständnisses; wir reden laut und ausdauernd auf sie ein. Arbeiter finden Widersprüche zwischen ihren unmittelbaren Interessen und den Interessen ihres Staates – wir suchen nicht etwa einen vernünftigen Mittelweg zwischen beiden; wir verschließen unsre Augen vor den Widersprüchen. Arbeiter demonstrieren offensichtlich gegen die Regierung der Arbeiter – und wir sitzen da wie hypnotisiert, weil in keinem unsrer Bücher steht, daß so etwas passieren kann.«
Pettenkofer sagte: »Ich möchte dir abraten, deine Gedanken außerhalb dieser vier Wände vorzutragen.«
Dreesen holte seine Pappschachtel hervor, öffnete sie mit zitterndem Finger. Die Pille rollte über den Tisch. Witte erhaschte sie und gab sie Dreesen zurück.
Dreesen sagte: »Danke.« Und, nachdem er die Pille geschluckt hatte, zu Pettenkofer: »Der Sozialismus steht und fällt mit der Arbeitsproduktivität, die wir ständig erhöhen müssen. Aber er steht nicht mit einer mechanischen Normerhöhung um zehn Prozent am 16. Juni 1953, und er könnte sehr wohl in unserm Teil Deutschlands fallen, wenn wir uns weiter auf diesen Punkt versteifen.«
Pettenkofer sagte: »Jedenfalls freue ich mich, daß du dich endlich zur Frage der Macht durchgerungen hast.«
Dreesen sagte: »Also du weißt, daß es um die Macht geht. Warum hast du dann nicht schon gehandelt?«
Pettenkofer sagte: »Sollen wir die Arbeiterpolizei die Arbeiter niederknüppeln lassen?«
Dreesen sagte: »Kannst du denn nur in Polizeibegriffen denken?«
Wieder klingelte das Telefon.
Pettenkofer lauschte der Stimme am anderen Ende der Leitung,

dann sagte er in die Muschel hinein. »Was willst du von mir, Genosse, das ist dein Verantwortungsbereich.« Und da der andere offenbar noch einmal an ihn appellierte: »Tut mir leid, da mußt du dich schon selber kümmern. Auf Wiederhören.« Er schmiß den Hörer auf die Gabel. »Habe ich vielleicht den Karren in den Dreck gefahren?«
Dreesen sagte: »Je länger wir die Sache schleifen lassen, desto schwieriger wird sie. Irgendwo muß man eingreifen.«
Pettenkofer sagte: »*Wer* muß?« Und als hätte er sich bei einer Fehlleistung ertappt, hastig: »Panik, immer gleich Panik!«
Früher war es einfacher, dachte Witte, früher stand nur die Frage: Wer wen. Heute heißt es auch: wer mit wem gegen wen wann wie mit welchen Mitteln.
Dreesen sagte: »Wann ist die Sitzung des Büros? Ich verlange, daß wir jetzt zusammentreten.«
Pettenkofer sagte: »Also, Genosse Witte, geh mal ruhig zum Ministerium. Die Genossen dort werden das schon regeln.«
Witte sagte: »Danke schön.« Und da Pettenkofer nichts hinzufügen zu wollen schien: »Dann darf ich mich wohl verabschieden.«
Er ging hinaus. Das Bein, das ihn wieder schmerzte, schlurrte ein wenig auf dem weichen Teppich. Der persönliche Sekretär im Vorraum, immer noch auf seinem Bänkchen, musterte ihn, unverhohlenes Mißvergnügen in den Knopfaugen.
Wenn ich im Ministerium auch nichts erreiche, dachte Witte, dann geh ich zurück in den Betrieb und handle auf eigene Kappe. Sollen sie mich einlochen hinterher.

32

Dienstag, 16. Juni 1953, 12.30 Uhr
näherte sich Witte, von der Leipziger Straße her kommend, dem Haus der Ministerien.
Der festungsartige Gebäudekomplex, jetzt Sitz mehrerer Ministerien und Dienststellen der Regierung, war einst das Hauptquartier von Görings Luftwaffe gewesen. Die alliierten Bomber hatten, vielleicht aus einer Art *esprit de corps*, just diesen Bau verschont; so streckte er sich nun, grau und düster, inmitten einer Ruinenlandschaft bis hin zur Sektorengrenze am Potsdamer Platz.
Vor dem Haupteingang war es schwarz von Menschen, auf der Kreuzung Leipziger und Wilhelmstraße war ein einziges Gedränge; aus den Hunderten, die über den Alexanderplatz marschiert kamen, waren Tausende geworden. Witte erkannte das Transparent wieder, das er dort gesehen hatte; weitere waren hinzugekom-

men mit neuen, politischen Losungen; auch hatte die Zusammensetzung der Menge sich verändert: die Bauarbeiter waren jetzt in der Minderheit, andere Arbeiter hatten sich ihnen zugesellt, vor allem aber war die Zahl der Mitläufer gewachsen, darunter viele sichtlich Westberliner Herkunft. Die Arbeiter sprachen nicht viel und gaben sich selbstsicher, doch waren Unruhe und Zweifel, ja eine Art Beklemmung bei manchen spürbar. Die andern dagegen wimmelten umher, Wortführer disputierten miteinander, Redner tauchten auf, fanden ihr Publikum, erhielten Beifall oder wurden verlacht, verschwanden wieder, es wurde gelärmt, Losungen wurden gerufen, hier und da sammelte sich ein fliegender Sprechchor, *Nieder mit den Normen!, HO schlägt uns KO!* Witte wurde, des Abzeichens an seiner Jacke wegen, mehrmals angerempelt, besonders ein junger Mann, auf dessen Hemd ein Cowboy sein Lasso schwang, tat sich dabei hervor; sobald die Burschen merkten, daß Witte bereit war, sich zu verteidigen, zogen sie sich zurück.
Er kam nicht weiter, wußte auch nicht, ob er überhaupt noch Einlaß finden würde ins Haus der Ministerien. Die Fenster entlang der Vorderfront jedenfalls waren trotz der Mittagshitze fest geschlossen; hinter dem Glas ließen sich, schattenhaft, Gesichter eher vermuten als erkennen. Vielleicht, dachte Witte, waren es auch nur Reflexe. Vielleicht saßen die Staatsangestellten da oben hinter ihren Schreibtischen, unberührt von dem Lärm auf Straße und Vorplatz, stempelten ihre Papiere, stapelten, schichteten sie, schoben sie weiter. Das Bild hatte etwas Grandioses an sich: Macht, zum Apparat geworden, der rattert und läuft und sich dreht, was auch geschehen mag; das läßt sich nicht erschüttern, das hat Bestand. Doch war es, als erzeugte der stumme Bau gerade durch seine ungeheure Gleichgültigkeit eine ständig steigende Erregung. Die Sprechchöre gewannen an Mitrufern; die Arbeiter begannen sich zu beteiligen; die Rufe, abprallend an der gesichtslosen Mauer, schufen immer neues Echo.
»Nieder mit den Normen!«
». . . den Preisen!«
». . . den Sektorengrenzen!«
»Wir fordern Wahlen!«
». . . freie Wahlen!«
». . . ein einiges Deutschland!«
Da war sie schon, dachte Witte, die Eskalation von den Normen in die Politik, die Aufforderung an die erste deutsche Arbeiterregierung, aus Arbeitermund, sich gefälligst aufzuhängen.
Eine Stimme, schneidend:

»Ab mit Bart und Brille!
Das ist des Volkes Wille!«

Das Tabu war berührt worden, die Ikonen entheiligt; wenn jetzt der Blitz nicht herniederfuhr und den Lästerer traf, waren die Götter entgottet. Aber die Sekunden tickten vorbei, nichts geschah, das Warten würde nicht mehr lange dauern. »Es lebe die Sozialistische Einheitspartei!«
Witte hatte es gerufen, instinktiv, ohne abzuwägen, welche Wirkung diese Worte hier auslösen mochten. Ich Idiot, dachte er, wenn sie mich jetzt zusammenschlagen, ich muß zurück in den Betrieb. Aber es schlug ihn keiner. Man rückte ab von ihm wie von einem Irren: hat der noch alle Tassen im Schrank. Auf einmal hatte er Platz, konnte weitergehen, Richtung Eingang. Ich hätte einen Brief mitnehmen sollen, dachte er, irgendein amtliches Papier, gerichtet an den und den stellvertretenden Minister, sie werden nervös sein heute am Eingang . . .
Der Eingang war verschlossen und vergittert. Solide Arbeit, das Gitter, sah er, da war nicht gespart worden. Und er stand davor und spürte den Hohn der Leute hinter seinem Rücken und die Feindseligkeit.
»Nieder mit der Regierung!«
Witte wandte sich dem nächstbesten zu, einem Bauarbeiter, ruhiges Gesicht, kritische Augen. »Nieder mit der Arbeiterregierung. *Das* wollt ihr?«
»In unserm Block«, sagte der Mann, »haben sie die Kellen hingeschmissen. Dann sind sie von den Gerüsten gestiegen. Hätt ich vielleicht dableiben sollen und weitermauern?«
»Genau das.«
Der Mann zuckte die Achseln. »Bei den Normen?«
»Siehst du denn nicht, was hier gespielt wird?«
»Laß mich mit der Politik zufrieden«, sagte der Mann. »Davon versteh ich nichts.«
Die Chöre wieder. »Streik!«
»Generalstreik!«
Die Stimmung, auch die der Arbeiter, wurde merklich böser. Etwas Abenteuerliches lag in der Luft: Seit über zwanzig Jahren hatte es das nicht mehr gegeben, daß man die Arbeit hinschmiß, demonstrierte gegen die Obrigkeit, unter den Nazis war es verboten gewesen, und nachher auch. Das Neuartige, das zunächst beunruhigend und beängstigend gewesen war, schuf jetzt den besonderen Reiz – eine Kraftprobe: mal sehen, was passiert.
Witte suchte nach den Anführern. Daß eine Führung bestand, war offensichtlich. Selbst wenn die ersten Bauarbeiter in ihrer Verärgerung spontan ihre Arbeitsplätze verlassen hatten und losmarschiert waren, spätestens während des Marschs würde sich eine führende Kraft, ein Leitungsausschuß gebildet haben, den man beeinflussen

mußte, wenn der Aufruhr eingedämmt werden sollte ...
Gesprächsfetzen, die sich Witte einprägten.
» ... aufhängen sollte man die, alle ...«
» ... sechs Wochen mit einer ist genug, aber die Trudi, so ein Hintern ...«
» ... dafür kriegst du nicht bezahlt, für Feiern und Rumlatschen, obwohl, es ist ja 'ne Arbeiterregierung, die müßten eigentlich ...«
Witte hatte das fatale Gefühl, daß er verfolgt wurde.
» ... Wiedervereinigung, sagte er mir, schädigt den Ersatzteilhandel. Wenn wo was knapp ist, steigt der Profit. Gibt's vielleicht Schrauben im Osten, oder Fahrradketten? ...«
» ... die Leute müssen sich mal Luft machen. Wenn's nicht die Normen gewesen wären, dann irgendwas anderes ...«
» ... rote Kletterrosen über die ganze Laube, und dann die Abendsonne drauf, richtig schön ...«
» ... nach Rußland zurück, fahren in großen Autos herum, mit Gardinchen ...«
»He, Sportsfreund!« Dies, sanft gesprochen, galt ihm persönlich. »Nimm das Bonbon ab.«
Eine Hand, spinnenartig, ein beinahe mädchenhaftes Gesicht, brutaler Mund. Witte wich zurück, wäre fast zu Boden gegangen, riß sich hoch. Der ihm das Bein gestellt hatte, ein Mensch mit Hasenscharte und treublauem Blick, grinste ihn an, hieb ihm die Faust in die Magengrube.
»Zur Warnung, Sportsfreund!«
Witte rang nach Luft. Das Mädchengesicht war nicht mehr zu sehen, die Hasenscharte auch nicht. Im zweiten Stock des Gebäudes wurde ein Fenster aufgestoßen, jemand sprach vom Fenster aus, kein Wort war zu verstehen.
»Runterkommen!«
Das war eine neue Stimme, weithin tragend, beherrschend. »Komm runter, wenn du was willst!«
Witte entdeckte den Rufer. Der stand in der Nähe des Transparents, das der Demonstration vorangetragen worden war. Er sah aus wie ein Bauarbeiter, jedenfalls trug er die Arbeitskleidung wie etwas Gewohntes, die Mütze schief auf dem bulligen Schädel.
Das Fenster oben schloß sich. Die Sprechchöre begannen wieder, steigerten sich, schwappten über, wurden zu unverständlichem Drohgebrüll. Witte kannte den Ton – eine Nacht vor zwanzig Jahren, flackernde Fackeln, Sieg Heil, und auf dem Balkon in der Wilhelmstraße, keine fünfhundert Schritt von hier, wo jetzt die Steinbrocken lagen und die geborstenen Säulen, der Mensch mit dem Schnurrbärtchen, die Hand lässig gehoben.
Witte strich sich über die Stirn: das Transparent. Er drängte sich

durch. Je näher er dem Transparent kam, desto deutlicher wurde ihm, daß der mit der schiefen Mütze und die Leute um ihn herum hier zu sagen hatten; Arbeiter, oder wie Arbeiter kostümiert, nahmen sie am allgemeinen Lärm nicht teil, beobachteten vielmehr, was in der Masse und vorm Haus der Ministerien vorging, wechselten gelegentlich ein paar beratende Worte.
Witte hörte:
» . . . kommt ja keiner runter von denen . . .«
» . . . haben Schiß . . .«
» . . . nee, die warten auf die Polizei . . .«
» . . . Streik, sag ich euch, überall Streik . . .«
» . . . Generalstreik . . .«
Der mit der schiefen Mütze schien zu überlegen. Platte Nase, harter Mund, Falten um die Augen: ein Arbeitergesicht, fand Witte, und mußte an Kallmann denken. Endlich sagte der Mann was. » . . . nein, nein, nein. Wir sind Arbeiter und wollen mit der Arbeiterregierung reden. Über die Normen. Darum sind wir hier.«
Ich auch, dachte Witte, aber auf andere Art. Und sprach ihn an: »Augenblick, Kollege –«
Mehrere in der Gruppe wurden aufmerksam, sahen das Abzeichen; die Gesichter verschlossen sich. »Quatsch hier nicht rum«, sagte der mit der schiefen Mütze. »Figuren wie dich haben wir lange genug angehört. Jetzt werdet ihr *uns* anhören.«
In die Masse vorm Eingang kam Bewegung. Das Gitter war ein Stück zur Seite geschoben worden; ein Tisch wurde herausgetragen. Witte wollte noch etwas sagen, aber der andere beachtete ihn nicht mehr.
Der Tisch wurde hingestellt, mitten zwischen die Menschen. Ein untersetzter Mann in sandfarbenem Sakko, angegrautes Haar über gebuckelter Stirn, kletterte hinauf, stand da, und blickte durch dicke Brillengläser auf die Köpfe unten.

Angaben von Fritz Selbmann,
Minister für Hüttenwesen und Erzbergbau

Selbmann erfährt beim Mittagessen, daß demonstrierende Arbeiter sich in Richtung Haus der Ministerien bewegen und vor dem Gebäude sammeln. Er geht gemeinsam mit Gerhard Ziller (Minister für Maschinenbau) und Bruno Leuschner (Vorsitzender der Plankommission) zu Heinrich Rau (stellvertretender Ministerpräsident). Man telefoniert mit dem Politbüro; von dort kommt die Anweisung: Jemand soll mit den Arbeitern sprechen, wenn nötig, kann die Normerhöhung zurückgezogen werden.
Selbmann: Ich bezog das Zugeständnis nur auf die Stalinallee. Wichtige Genossen glaubten immer noch, ohne Zurücknahme der (neuen) Normen durchkommen zu können.

Es wurde beschlossen, Selbmann solle sprechen.
Selbmann: Davon, daß auch Rau sprechen sollte, war nie die Rede, und Rau hat auch nicht versucht zu sprechen. (Rau hatte eine schwache Stimme.)
Selbmann versucht, von einem Fenster im zweiten Stock aus zu reden.
Rufe: Runterkommen! Runterkommen!
Selbmann: Ich komme!
Zusammen mit Ziller, Rau und Leuschner sowie drei oder vier anderen Genossen (an die genaue Zahl erinnert er sich nicht) verläßt Selbmann das Gebäude; ein Tisch, der als Plattform dienen soll, wird herausgebracht; auf dem Tisch können nicht mehr als zwei, höchstens drei Personen gleichzeitig stehen. Selbmann steigt auf den Tisch.
Selbmann: Vor dem Gebäude waren ungefähr viertausend Leute, davon etwa dreitausend Arbeiter, meistens Bauarbeiter, die andern Halbstarke und Provokateure. Die Halbstarken standen zum großen Teil vom Gebäude aus gesehen links, Richtung Potsdamer Platz, einzelne auch in der Ruine schräg gegenüber, Ecke Leipziger und Wilhelmstraße. Ich fing an zu reden, oder vielmehr zu schreien. Ich sagte: Ausgerechnet die Stalinallee-Arbeiter! . . . Wir wissen, daß Fehler gemacht wurden. Was die Normen betrifft, so bin ich ermächtigt zu erklären, daß die Normerhöhung überprüft und rückgängig gemacht wird. Also zurück an die Arbeit!
Ein Mann mit nacktem Oberkörper, Alter etwa vierzig Jahre, springt auf den Tisch.
Halbnackter: Es geht nicht nur um die Normen, es geht um die Freiheit – das bedeutet Revolution!
Rufe: (Unverständlich. Gebrüll.)
Selbmann: Hört auf mit dem Gebrüll! Arbeiter sollen mit Arbeitern sprechen!
Rufe: (Unverständlich. Hohngelächter.)
Selbmann hebt die Hände.
Selbmann: Bin selber Arbeiter – seht euch meine Hände an.
Halbnackter: Das hast du aber vergessen!
Aus der Ruine fliegen Steine. Ein junges Mädchen, bekleidet mit einer FDJ-Windjacke, sucht den Tisch zu erklimmen; Selbmann hilft ihr dabei, da er vermutet, sie will ihn unterstützen. Einmal oben, reißt sie sich die Windjacke vom Leib, wirft sie weg und ruft Losungen, die Selbmann unverständlich bleiben, aber offensichtlich feindlich sind.
Rufe: Wir wollen Ulbricht, Grotewohl!
Selbmann: Die Genossen Ulbricht und Grotewohl sind nicht im Gebäude. Ich bin ermächtigt zu verhandeln.
Selbmann hört, daß unter denen, die den Tisch unmittelbar umringen, von Delegation gesprochen wird.
Selbmann: Ich schlage vor, daß ihr eine Delegation zusammenstellt, die mit uns drinnen verhandelt.
Rufe: Freiheit! Freie Wahlen! (Dann unverständlich, Gebrüll.)

Ziller: Na komm, Fritz – das hat keinen Zweck mehr.
Selbmann steigt vom Tisch herunter.
Halbnackter: Morgen früh sind wir wieder da!

33

Dienstag, 16. Juni 1953, 13.30 Uhr
kehrte Banggartz aus der Toilette in sein Büro zurück, wo Sonneberg auf ihn wartete.
»Du siehst noch sehr blaß aus«, sagte Sonneberg. »Geht's dir besser?«
Banggartz setzte sich, erschöpft. »Daß mir das auch ausgerechnet heute passieren muß. Hast du inzwischen von Witte gehört?«
»Nein.«
»Er könnte doch wenigstens anrufen! Seit zehn Uhr ist er unterwegs, weiß der Teufel, wo er sich rumtreibt. Es war ein Fehler, ihm alles zu überlassen. Die werden ihm was erzählt haben im Ministerium, von wegen Rücknahme der Normerhöhung. Er hat eine weiche Linie bezogen, ist zurückgewichen, und jetzt sitzt er auf seinen Zugeständnissen fest.« Banggartz preßte die Hand gegen den Bauch und krümmte sich. »Da ist es wieder. Wie Messer. Ich werd noch verrückt.«
»Leg dich doch hin. Die Ärztin muß jeden Moment dasein, ich hab in der Sanitätsstelle angerufen. Was glaubst du denn, was es ist?«
»Ich weiß, was es ist.« Banggartz schleppte sich zu dem graubezogenen Sofa in der Ecke des Büros. »Die Galle. Es ist nicht das erste Mal.«
Sonneberg reichte ihm ein Glas Wasser. »Warum hast du mir nie was gesagt?«
»Weil es lächerlich ist. Mann wie ein Baum, sagt der Professor, Befund negativ, kein Stein, nichts. Aber die Anfälle kommen, und immer, wenn man sie am wenigsten gebrauchen kann.« Er trank in kleinen Schlucken. »Der Witte meldet sich nicht so bald wieder, sage ich dir, der drückt sich. In ein paar Minuten ist die Schicht zu Ende, und wir können das Malheur ausbaden.«
»Wenn Witte nicht gewesen wäre, hätten wir jetzt Streik«, sagte Sonneberg.
»Streik . . .« Banggartz stöhnte. »Das waren doch nur Drohungen. Wir haben uns einen Schreck einjagen lassen, und nun müssen wir geradestehen für die Versprechungen, die Witte gemacht hat, und wer trägt die Verantwortung der Partei gegenüber?«
Sonneberg blickte auf seine Jacke, die er über eine Stuhllehne

geworfen hatte.
»Geh nur, geh.« Banggartz zog die Knie hoch und lag da wie ein enormer Fötus. »Du hättest längst in den Hallen sein müssen, den Kollegen erklären.«
Sonneberg griff nach der Jacke.
Banggartz richtete sich auf. »Warte, ich komm mit. Hilf mir.«
»In dem Zustand nützt du nichts.«
Banggartz hockte auf dem Sofarand, der Schweiß stand ihm in großen Tropfen auf der Stirn. »Mann wie ein Baum, da siehst du.« Und dann: »Ich hab versucht, Pettenkofer zu erreichen. Ich komm nicht durch.«
Es klopfte. Die Ärztin trat ein, sehr jung, häßliches Entlein.
Banggartz betrachtete sie mit Mißtrauen. »Die Galle«, sage er. »Geben Sie mir eine Spritze oder irgend was. Ich kann mir keine Krankheit leisten.« Und zu Sonneberg: »Geh. Unser Fräulein Doktor wird mich schon hinkriegen, dann komme ich nach.«
Sonneberg schob seinen Hemdsärmel zurück, blickte auf die Uhr. »Jetzt kommt's auch nicht mehr drauf an.«
Die Ärztin stellte schüchterne Fragen, zum Anfall, zu früheren Anfällen. Banggartz nannte den Namen des Professors, bei dem er gewesen war ; die Ärztin nickte, bohrte ihre Finger in seine Bauchwand: »Tut das weh?«
Er unterdrückte einen Aufschrei. »Sie werden ja wissen, Fräulein Doktor, wie schwierig alles ist, und gerad heute . . .«
»Ich gebe Ihnen jetzt eine Spritze«, sagte die Ärztin, »dann lassen Sie sich nach Hause fahren.«
»Ist es die Galle?«
»Bitte, legen Sie sich auf den Bauch.«
»Aber der Professor hat doch gesagt: kein Befund!«
Sie präparierte die Spritze. »Wenn der Herr Professor das sagt, wird er schon recht haben. Auch eine gesunde Galle kann verrückt spielen, aber der Grund dafür liegt dann woanders.«
»Wo?« fragte Sonneberg.
»In der Psyche.«
Die Nadel. Banggartz zuckte zusammen. »Nach Hause fahren kommt nicht in Frage«, sagte er, während die Ärztin die Haut um den Einstich herum massierte.
»In der Psyche«, sagte Sonneberg. »Ja, dann ist es besser, er fährt nach Hause.« Und zu Banggartz: »Du kannst nicht vernünftig mit den Arbeitern reden, wenn du dich kaum auf den Beinen halten kannst.«
»Meinst du wirklich?«
In Banggartz' Ton lag Schmerz, Besorgnis, Zweifel; Sonneberg glaubte aber auch etwas anderes herauszuhören: Hoffnung, daß der

Kelch nun an ihm vorübergehe, verhohlene Erleichterung.
Die Ärztin packte ihre Instrumente zusammen.
»Ich fühl mich schläfrig«, sagte Banggartz.
»Das war zu erwarten«, sagte die Ärztin.
Er müßte mir leid tun, dachte Sonneberg. Vielleicht mangelt's mir an Mitgefühl.

34

Dienstag, 16. Juni 1953, 13.50 Uhr
stellte der Arbeiter Kallmann mit einem kurzen Fluch seine Maschine ab. Er hatte schlecht gearbeitet, hatte nicht mal die alte Norm erreicht, von der neuen nicht zu reden. Er griff nach dem Werg, um die Maschine zu säubern. Der Griff war Gewohnheit: er erwartete, seine Maschine in sauberem Zustand zu übernehmen, und übergab sie ebenso sauber.
Doch heute nicht. Er schmiß das Werg zurück in die Kiste. Scheiß auf die Maschine und scheiß auf die Leute, die behaupteten, sie gehörte ihm. Brachten einen anständigen Arbeiter zu dem Punkt, wo ihm die Hände zitterten und wo er Ausschuß produzierte statt Qualität. Was hatte Dora gesagt – es hätte jemand gefragt nach ihm, gestern abend. Wenn er jetzt nach Haus ging und sie dort auf ihn warteten: Kommen Sie mit, Herr Kallmann, wir hätten da ein paar Fragen . . . Wenigstens das würde der Genosse Witte doch veranlaßt haben im Lauf des Vormittags, lange genug war er ja schon weg.
Hinter ihm hüstelte einer.
Kallmann wandte sich um. »Hau ab, Csisek. Ich hab meine eignen Sorgen.«
Csisek ließ ein trockenes Lachen hören.
»Ich möcht bloß wissen, was dich so heiter stimmt.«
»Das weißt du nicht?«
Kallmann blickte ihn an. Das dumme Grinsen, wie ein Säugling, der aufstoßen mußte, machte ihn noch gereizter, als er schon war.
»In der Stadt ist Rabatz.«
»Was für Rabatz?« sagte Kallmann.
»Krach. Auflauf. Demonstration.«
»Westgerüchte.«
»Und dein Freund Witte ist immer noch nicht zurück.«
»Der wird sich schon einstellen.«
»Gleich ist die Schicht vorbei. Auch wenn er jetzt noch käme, kann er nichts mehr ausrichten, er und die Parteiknaben. Was meinst du, sind alle geladen, daß sie wieder mal an der Nase herumgeführt worden sind.«

Kallmann, nur um die Hände zu beschäftigen, holte das Werg wieder aus der Kiste und begann zu putzen. »Und was willst du da von mir?«
»Du sollst uns führen.«
Wenn der Ruf kommt, dachte Kallmann, und rieb stärker. Wenn der Ruf kommt, hatte Quelle gesagt, und: Unsere Leute sind überall. Unsere Leute. Ein feiner Haufen.
»Ich soll euch führen. Und du, was machst du? Du und deine Freunde? Ich habe mein Teil getan. Mehr als mein Teil, wenn du mich fragst. Aber wie ich dort gestanden hab heut früh, dem Genossen Witte gegenüber, und wie es hart auf hart ging und ich meinen Kopf hinhalten durfte für euch, da hab ich nicht viel von Unterstützung bemerkt.«
»Ich«, sagte Csisek, »bin nur ein kleiner Mann.«
»Und was bin ich? Der Mensch fällt immer nur auf die eigne Nase. Danke.«
»Du bist unser Führer«, sagte Csisek. »Früher hatten wir bessere. Man muß nehmen, was man kriegt.«
Kallmann holte aus. Die Sirene, langgezogen und klagend, rettete Csisek. Die Arbeiter verließen ihre Maschinen; Kallmann, immer noch zornrot, warf das Werg in die Kiste, griff nach seiner Aktentasche und strebte dem Ausgang zu, Csisek immer ein paar Schritte hinter ihm her.
Um 14.10 Uhr erreichte Kallmann, nachdem er mehrere Versuche, ihn anzusprechen, abgewehrt hatte, das Haupttor und geriet in das Gemisch aus zwei Schichten: der heimkehrenden, die zu erfahren hoffte, was draußen geschehen war, und der antretenden, die hören wollte, was sich im Betrieb ereignet hatte. Aus den Gerüchten, Behauptungen, Befürchtungen schälte sich für Kallmann nur eine Tatsache heraus: der Wagen, den Witte des Morgens benutzt hatte, war ohne Witte ins Werk zurückgekehrt; nach den Angaben des großen wie des kleinen Klaus war in diesem Wagen vor kurzer Zeit ein sehr bleich aussehender Banggartz zum Tor hinausgefahren worden. Was den kleinen Klaus zu der Vermutung veranlaßte, Witte möchte verhaftet worden sein, und den großen zu der Warnung, er, Kallmann, solle sich in acht nehmen, daß ihm nicht ein gleiches geschehe, nur der dicke Mosigkeit schien die Situation erheiternd zu finden und strahlte wie ein Pfannkuchen.
Kallmann klemmte die Aktentasche fester unter den Arm und machte Anstalten zum Gehen.
»Und was jetzt?« fragte der Dreher Bartel. »Wohin?«
Kallmann runzelte die Brauen. »Ich hab keine Lust mehr.«
»Ihr müßt Verständnis haben für den Kollegen Kallmann«, sagte Csisek sarkastisch. »Er glaubt, ihr seid eine Bande von lauter

Hosenscheißern.«
Trotzdem hing er sich an Kallmann, als der tatsächlich wegging, wie auch der große und der kleine Klaus und andere noch, Bekannte wie Unbekannte. Kallmann, ausschreitend, blickte sich um: das war kein rebellischer Haufe, das waren Ratlose zumeist, sie hatten Erwartungen gehabt, auf die nichts erfolgt war. Was bildete sich dieser Quelle ein? Man konnte die Menschen nicht aufziehen wie eine Uhr und sie ablaufen lassen und dann annehmen, die Feder würde sich morgen wieder so spannen wie heute.
Plötzlich war da Gadebusch. Er schien gerannt zu sein. Er schwitzte und tat geheimnisvoll.
Kallmann schwante Böses.
Gadebusch zog ihn beiseite. »Morgen früh«, flüsterte er, »steigt die Sache.«
Kallmann blieb stehen. Er hatte ein Gefühl, als ob ihm der Magen in die Knie rutschte.
Die anderen hatten bemerkt, daß etwas im Gange war, hielten an, wollten wissen. Gadebusch stieß Kallmann an, doch der schwieg. So begann er denn zu sprechen, rotfleckig das Gesicht, Spuckebläschen an den Mundwinkeln: von Streik . . . Streik war ausgebrochen . . . Demonstration . . . eine große Demonstration hatte stattgefunden . . . Bauarbeiter . . . die Bauarbeiter der Stalinallee . . . forderten Normherabsetzung und das noch und jenes . . .
Kallmann sah alles überdeutlich: das Aufglimmen in Csiseks Augen, die offenen Mäuler des großen wie des kleinen Klaus; den dicken Mosigkeit, erschrocken; die Köpfe der Kollegen, kahl, borstig, kraus; die Bäume am Chausseerand, das Gras im Graben, die Wolke am Himmel.
Gadebusch hatte geendet. Er war kein Redner, er war einer von den Stillen im Lande, er hatte sich hinreißen lassen von seinen Gefühlen. Nun stand er da, und alle staunten über ihn; er selber aber ärgerte sich: wieso sagte Kallmann auch nichts, die rechten Worte finden im rechten Moment, das war Kallmanns Metier.
Morgen früh, dachte Kallmann, steigt die Sache; der Zug rollte, der Teufel mochte wissen, wohin die Reise ging. Gadebusch nickte ihm zu. Kallmann, schwerfälligen Schritts, schloß sich ihm an, warum auch nicht, und die anderen folgten.

35

Dienstag, 16. Juni 1953, 14.50 Uhr
durchschritt Witte das Haupttor von VEB Merkur. Äußerlich, stellte er fest, hatte sich im Betrieb nichts verändert. Die Transpa-

rente mit ihren Losungen, die Aufrufe an die Arbeiter hingen an den üblichen Plätzen; die Porträts der Besten, ein wenig verblaßt schon unter den Einflüssen des Wetters, blickten aus ihren üblichen Rahmen; aus den Schornsteinen stieg der übliche dicke Rauch auf.
Der Alte in der Pförtnerbude begrüßte ihn. »Kannst du mal einen Moment hereinkommen?«
Witte tat ihm den Gefallen.
»Hör dir das an.« Eine Kopfbewegung in Richtung des Wandsokkels, auf dem, glanzlos und zerkratzt, ein Radioapparat älteren Jahrgangs stand.
Die Stimme aus dem Lautsprecher, verhalten und korrekt, sprach von den Ereignissen in Ost-Berlin, von drohendem Generalstreik. Das weitere Programm des Senders, so erklärte die Stimme, werde nach Bedarf unterbrochen werden, um dem Hörer die jeweils neuesten Nachrichten über die Entwicklung sowie Kommentare, zu bringen.
»Stell's ab.«
Ein leises Klicken, dann Stille. Witte dachte an den leeren Tisch, der auf dem Platz vor dem Haus der Ministerien zurückgeblieben war; die Jacke, die das Mädchen sich vom Leib gerissen hatte, lag immer noch darauf. Und dann die gespenstische halbe Stunde, in der nichts geschah, vom Hause her nichts, von der Demonstration her nichts, man wartete, keiner wußte, worauf, die Leute fingen an wegzugehen, und er hoffte, vielleicht verläuft sich alles doch wieder. Aber schließlich wurden die Anführer aktiv, der Zug formierte sich von neuem und marschierte ab, mit sämtlichen Transparenten und *Nieder mit den Normen!* rufend, obwohl der Minister erklärt hatte, die Normerhöhung werde zurückgezogen; es ging auch gar nicht mehr um die Normen.
»Wie sieht's aus in der Stadt?«
Witte bemerkte das Alterströpfchen am Ende der langen gekrümmten Nase. »Die Westsender übertreiben«, sagte er, »wie immer. Hier ist alles friedlich?«
»Ja.«
»Die Frühschicht ruhig nach Haus gegangen?«
»Ja.«
»Sonst irgendwelche Zwischenfälle?«
»Der Genosse Banggartz ist weggefahren. Er sah nicht gut aus.«
»Ach.« Witte überlegte. »Aber Sonneberg ist da?«
»Ja.«
»Und wieso bist du nicht abgelöst worden?«
»Die Kollegin ist gekommen. Ich hab sie Kaffee holen geschickt.«
»Überstunden zahlt dir keiner, Alter.«
»Was soll ich zu Haus, allein, an einem solchen Tag. Ich würd's nicht

aushalten.« Der Pförtner wischte sich den Tropfen von der Nase. Dann schaltete er den Radioapparat wieder ein und drehte an den Knöpfen. »Mal hören, was unsre zu sagen haben.«
Unsre berichteten über Erfolge beim Aufbau in der Usbekischen Sozialistischen Sowjetrepublik. Witte ging. Er fand Sonneberg im Büro. Sonneberg saß am Telefon und rief Genossen an, die ihrerseits wieder Genossen mobilisieren sollten, zum Besuch einer Tagung des Berliner Parteiaktivs heut abend im Friedrichstadtpalast. Also wurde doch etwas unternommen, dachte Witte erleichtert, wenn auch erheblich mehr vonnöten war als eine Versammlung von einigen tausend Genossen.
Sonneberg gab Namen durch, Adressen; bat, ordnete an, forderte. »Hunger?« fragte er zwischendurch, und schob Witte ein Päckchen Stullen zu. Witte aß dankbar; er hatte, erinnerte er sich jetzt erst, seit seinem hastigen Frühstück nichts mehr in den Magen bekommen.
»Was ist mit Banggartz?« erkundigte er sich kauend.
»Krank«, sagte Sonneberg zwischen zwei Anrufen. »Galle. Nerven. Oder alles zusammen.«
»Über die Galle hat er schon mehrmals geklagt«, sagte Witte. Und nach einer Pause: »Trotzdem, mir ist so einer immer noch lieber als jemand, der jede Schwenkung begeistert mitmacht.«
»Schwenkung?« sagte Sonneberg, aber da kam sein Anruf, und er mußte ins Telefon sprechen.
Witte nahm ein zweites Brot. »Historisch gesehen«, sagte er, »ist es ein Glück, in dieser Zeit zu leben. Bei uns ändert sich doch was. Stell dir vor, du lebtest in einem Jahrhundert, wo alles träge dahinfließt, keine Umstürze, kein Auf und Ab, Väter, Söhne, Enkel, alle das gleiche trübe Dasein.«
»Und sonst bedrückt dich nichts?« sagte Sonneberg, eine neue Nummer wählend.
Witte lächelte. »Was Unrechtes daran, wenn einer sich freut, daß er lebendig ist?«
Sonneberg erledigte seinen Anruf, sein Ton gereizt. Dann wandte er sich Witte zu. »Vielleicht bin ich begriffsstutzig. Du warst den halben Tag unterwegs. Ich weiß nicht, wo du warst und was du erreicht hast; jedenfalls erscheinst du zu spät, um die Frühschicht, von der das meiste abhängt, noch zu beeinflussen. Aus blauem Himmel ruft die Bezirksleitung an wegen der Parteiaktivtagung, folglich geht irgendwas vor, aber ich erfahre nichts. Banggartz läßt sich vom Arzt nach Haus schicken. Und du sitzt da und schwafelst von Glück.«
»Ich habe versucht, dir aus der Stadt telefonisch Bescheid zu geben, nachdem ich Banggartz nicht erreichen konnte.«

»Ist mir ausgerichtet worden. Was war denn die große Nachricht?«
»Die Normerhöhung wurde zurückgenommen.«
»Was? . . .« Sonneberg sprang auf, lief ein paar Schritte, kam zurück, setzte sich wieder. »Und das erwähnst du so nebenher?«
»Ich dachte, du wüßtest schon.«
»Zurückgenommen . . .Für VEB Merkur?«
»Für alle.«
»Hast du das schriftlich?«
»Du glaubst, ich saug mir das aus den Fingern?«
»Ich«, sagte Sonneberg, »hab nur eine offizielle Mitteilung erhalten: betreffs der Parteiaktivtagung. Von einer Rücknahme der Normerhöhung, kein Wort.«
»Ich«, sagte Witte, »war Zeuge, wie ein leibhaftiger Minister es auf offener Straße verkündete, in Anwesenheit von bescheiden geschätzt sechstausend Demonstranten.«
»Demonstranten? . . .«
»Demonstranten. Lärmenden, rebellischen, respektlosen Individuen.«
»Und nun triumphierst du.« Sonnebergs Rücken krümmte sich; er schien zu verfallen. »Die Partei hat unrecht gehabt. Wir alle haben unrecht gehabt. Nur du hast alles immer richtig gesehen. Ein Glück, Genosse Witte, in dieser Zeit zu leben.«
Witte schob das dritte und letzte Brot, nach dem er schon gegriffen hatte, zurück. »Friß es selber. Vielleicht kann ich die andern zwei wieder auskotzen.«
Sonneberg zuckte zusammen. »Ach, was bist du für ein großer Mann. Aber versuch mal, auch unsereinen zu verstehen. Ich hab gelernt, daß eine Erkenntnis erst dann richtig ist, wenn ein entsprechender Parteibeschluß vorliegt.« Er nahm den Hörer vom Telefon, wählte. »Genosse Dr. Rottluff? . . . Der Genosse Witte ist eingetroffen. Wir möchten zu dir hinüberkommen . . . Ja, gleich. Danke.«
Irgendwo pfiff eine Lokomotive.
»Meinst du, ich habe keine Zweifel gehabt? Ich habe sie unterdrückt. Die Linie, hab ich gesagt, Disziplin, die Partei hat immer recht. Was bin ich nun – ein treuer Genosse? Ein Dummkopf? Ein Opportunist?«
»Die Partei hat dir nie verboten, einen Standpunkt zu haben.«
»Du hast gegen die Normerhöhung opponiert. Es hätte nicht viel gefehlt, du hättest eine Fraktion um dich herum gebildet. Du hast gegen die Anordnung der Parteileitung den Betrieb betreten und hast auf eigene Faust Politik gemacht. Wie kann es also sein, daß am Ende du recht hast und wir unrecht?«
Die Sonne verkroch sich hinter einer plötzlichen Wolke. Violette

Schatten breiteten sich über Wände, Bilder, Schreibtisch. Sonnebergs Augen, tief in den Höhlen, erschienen dunkler noch als sonst.
»Recht, unrecht«, sagte Witte. »Die Weltgeschichte ist nicht ja-ja Nein-nein. Aber ein Gutes hat dieser Tag: wenn wir ihn überstanden haben, und den morgigen auch, werden wir feststellen, daß es nicht mehr so sein kann wie früher. Ein jeder wird für sich selber zu denken haben, und wer es nicht tut, kann nicht mehr als Kommunist gelten.«
Die Tür hatte sich geöffnet.
»Ich dachte, ihr wolltet zu mir kommen.«
»Wir haben uns festgeredet.« Sonneberg, innerlich dankbar, daß er Wittes Imperativen entgehen konnte, bot dem Werkleiter einen Stuhl an.
»Ich hätte auch noch gewartet«, sagte der. »Aber das Ministerium hat eben angerufen: Die Normerhöhung ist zurückgezogen.«
Witte warf Sonneberg einen Blick zu. Sonneberg schwieg.
»Und gerade haben wir der zweiten Schicht erklärt«, seufzte Dr. Rottluff, »wie notwendig und nützlich die Normerhöhung ist, und warum wir auf der Maßnahme bestehen müssen, trotz aller Schwierigkeiten.«
Sonneberg lachte unfroh.
Dr. Rottluff schob den altmodischen breiten Ehering hin und her über sein Fingergelenk. »Wie sollen wir zu den Arbeitern gehen, ich bitte euch. Wie sollen wir ihnen sagen, daß alles, was wir ihnen vor einer Viertelstunde gepredigt haben, und gestern und vergangene Woche und letzten Monat und die ganze Zeit . . .« Er sah den Ausdruck auf Wittes Gesicht, die Bitterkeit, und brach ab. »Na, dann gehen wir«, sagte er. »Predigen wir das Gegenteil.«

36

Dienstag, 16. Juni 1953, 15.15 Uhr
erblickte der Arbeiter Kallmann das große gläserne Schild rechts vom Eingang der Bierschwemme, blondes Kindl schelmisch hervorlugend hinter ringförmig gerahmtem Bierseidel, und drinnen den schlecht gelüfteten Schankraum, vollgepfropft. Dann erkannte er die drei Geweihe wieder, die verstaubt an der Wand hingen, und den zerbeulten Zinnkrug auf der Konsole; er war gar nicht weit von zu Hause; hierher kam er mitunter, wenn er Doras Blicke oder die gurgelnden Laute des Sohns nicht länger ertragen zu können meinte.
Jubelnde Begrüßung. Die große Verbrüderung war im Gange, Kumpel alle, ob man sich kannte oder nicht, noch einen Korn, prost,

und der Arm um die Schulter, und menschliche Wärme. Hinter dem Ausschank stand Gadebusch, zwischen der Wirtin und ihrer Tochter, riesige rosige Frauen, mit Schweißflecken in den Achselhöhlen. Gadebusch tat, als hätte er das Lokal gepachtet; schwungvoll goß er aus Flaschen mit silberschnäuzigen Korken den Schnaps in die Gläser und schob sie den Leuten in die Hand; so viel Geld besaß er doch gar nicht, dachte Kallmann, woher hatte er es? Nur Mosigkeit trank Brause.
Kallmann verlangte Bier. Nach den Schnäpsen tat das gut, der kühle Schaum an den Lippen. »Kallmann ist unser Mann!« rief einer, und ein anderer: »Das wird mal ein Streik, der haut alles in die Pfanne.« Der kleine Klaus fragte: »Aber wenn sie nun doch die Normen senken?«
Kallmann trank. Grundsätze. Sogar Herr Heyse, der Oberbuchhalter von früher, hatte ihm diese bescheinigen müssen. Gadebusch grinste ihn an, das Schicksal nahm seinen Lauf.
Die Stimme Mosigkeits, unüberhörbar: »Mir hat einer gesagt, die Normerhöhung wär schon zurückgenommen.«
»Wir husten ihnen auf die Normen«, sagte Csisek. »Und wenn sie die Normen halbieren und die Löhne verdoppeln – es ist ihr ganzes System.«
»System . . .«, sagte der große Klaus zweifelnd, und tippte Kallmann an.
Kallmann trank. »Deins. Es ist deins. Aber wer will es denn haben? Ihr vielleicht? Ich?«
Er sah Mosigkeit vor sich und schob ihn zur Seite. »Wollen den großen Herrn spielen über uns, wo sie nicht das Schwarze unterm Fingernagel besser sind wie unsereiner. Früher die, wenn die einen antrieben, denen gehörte der Laden. Aber heute die, und hier?«
Er stellte das geleerte Glas auf die Theke; die Wirtstochter füllte nach. Er leckte sich die Lippen. »Wir sind alle Arbeiter, deutsche Arbeiter. Ich, ich habe unterm Kaiser gearbeitet, in der Republik, unter Hitler, und jetzt unter Ulbricht.«
Er trank. »Aber wenn ich nun zu euch käme und sagte: Mehr arbeiten! Schneller arbeiten! – ich, wo mir keine Fabrik gehört und nichts –, und rauf mit den Normen um zehn Prozent, das würde euch gefallen, was? Da würdet ihr auch streiken. Ich selber würde gegen mich selber streiken.«
Mosigkeit blickte ihn interessiert an; der kleine Klaus lachte, hörte auf zu lachen; Csisek sagte: »Kallmann ist unser Mann.«
Kallmann nickte. »Also ich soll euch führen. Aber ich kenn euch doch. Weil ich mich selber kenne. Heut früh hab ich das Maul aufreißen müssen für euch, weil keiner von euch das Maul riskieren wollte. Weil ihr nur Mut habt, wenn ihr im Rudel lauft.«

Er trank. »Was glotzt ihr mich an. Behaupte ich denn, ich wär was Besseres wie ihr? Das ist eben Demokratie: einer wie der andere. Und darum wird gestreikt. Und wenn sie uns pampig kommen von der Partei, so ein Genosse Witte . . .«
Er hob die Hände und ließ sie erschöpft sinken. »Ach, was ihr schon wißt . . .«
»Du bist besoffen«, sagte Gadebusch.
Kallmann wandte sich ihm zu, stemmte die Fäuste auf die Theke. »Wenn der Ruf zum Streik kommt, so ist gesagt worden, werde ich einer der Führer sein. Auch dein Führer, du dreckiger Zuhälter.«
Gadebusch wollte zuschlagen, bemerkte jemanden, beherrschte sich.
Eine müde Stimme: »Komm nach Haus, August.«
Kallmann fuhr herum. »Dora! . . . Was willst du hier.«
»Das Essen steht auf dem Tisch«, sagte sie.
Einer wieherte: »Papa muß ans Schürzenband.«
Kallmann sah seine Frau wie durch einen Dunstschleier, das welke Gesicht, die Falten, die Augen, in denen die Angst stand und die Sorge. »Mach, daß du hier rauskommst«, sagte er. »Geh.«
»Kallmann führt uns«, höhnte ein andrer, »in Mutterns Küche.«
»Komm mit, August«, sagte sie. »Das sind nicht deine Leute, die hier. Das nimmt ein schlimmes Ende.«
»Ich hab dir's gesagt, Dora«, drohte er. »Jetzt geh!«
Sie blieb aber stehen.
»Laß sie doch«, sagte Mosigkeit beschwichtigend, »sie hat ja recht.«
Kallmann ging an ihm vorbei auf seine Frau zu, packte sie bei den Schultern und schob sie mitten durchs Lokal hindurch zur Tür. Dort gab er ihr einen Stoß, daß sie taumelte und rücklings aufs Pflaster fiel.
Sie schrie auf: »August!«
Der Rock war ihr beim Sturz verrutscht; Kallmann sah ein Stück nackten, blaugeäderten, altersgeschwollenen Oberschenkel. Er floh zurück in die Kneipe.
»Mensch«, sagte der kleine Klaus, »Mensch.«
»Wenn sie sich auch einmischt in Männersachen«, verteidigte der große.
»Frauen mischen sich immer ein in Männersachen«, wandte der kleine ein, »das liegt in ihrer Natur.«
»Hört auf!« brüllte Kallmann.
Gadebusch, das Gesicht ausdruckslos, schob ihm einen Schnaps zu. Kallmann trank. Gespräch und Gelächter wurden wieder laut. Kallmann fühlte sich allein. Der Schnaps war gratis und das Bier, alles war frei – aber man zahlte. Man zahlte.

37

Dienstag, 16. Juni 1953, 16.15 Uhr
räusperte sich der Kellner im Restaurant des Bahnhofs Friedrichstraße, wedelte mit der Serviette über den Tisch und sagte zu Gudrun Kasischke alias Goodie Cass: »Ich hab bald Feierabend, Fräulein.«
Goodie schlug die Beine übereinander, so daß ein Stück nackter Schenkel zu sehen war, und lächelte: »Da können Sie aber froh sein.«
»Ich meine«, sagte er, »ich muß abrechnen.«
Goodie betrachtete die fast geleerte Tasse Kaffee, die nun schon seit einer Dreiviertelstunde vor ihr stand, und dachte kurz nach

> *über die Unsicherheit des Lebens:*
> die paar Kröten für das Gesöff da könnt er doch auch wo soll ich denn hin wenn du mal untertauchen willst hat mein Fred gesagt ein Bahnhof denn wo viel Menschen sind da laß dich ruhig nieder und ich kann auch nicht mehr so müde bin ich und kaputt wie der einen schon anschaut vielleicht ruft er sogar den Geschäftsführer und der holt die Polente die hängen heut hier herum massenweise Ihre Papiere Fräulein kommen Sie bitte mit vielleicht wär man am sichersten aufgehoben im Ostknast für die nächsten Tage aber wo ist wer sicher wenn es hier losgeht

»Ich muß Sie doch bitten, Fräulein«, der Kellner riß einen Zettel aus seinem Block und legte ihn ihr vor, »zahlen Sie nun, oder –«
»Gestatten Sie«, sagte ein Herr, »ist der Stuhl hier noch frei?«
»Aber bitte«, sagte sie.
»Danke sehr«, sagte der Herr, stellte sein Köfferchen neben den Stuhl und nahm Platz. Und zu dem Kellner: »Was haben Sie denn Gutes?«
»Ich kassier nur«, sagte der. »Ich mach jetzt Schluß.«
Der Herr zückte einen Geldschein und warf einen Blick auf das Bein, das Goodie bis über den Strumpfsaum entblößt hatte. »Die Dame ist mein Gast.«
»Das kann ich nicht annehmen«, sagte Goodie, zog ein Spiegelchen aus ihrer Handtasche und prüfte ihre Lippen.
Der Kellner schob dem Herrn den Zettel zu.
»Runden Sie das ab«, sagte der Herr, »und schicken Sie Ihren Nachfolger.«
»Aber das war doch nicht nötig«, sagte Goodie, »wo Sie mich gar nicht kennen.«
»Darf ich mich vorstellen«, sagte er. »Siebendraht, Benno Siebendraht aus Chemnitz, jetzt Karl-Marx-Stadt.«
»Ich heiße Gudrun.« Sie betrachtete ihn: zwischen dem schief

sitzenden Knoten der schwarzen Krawatte und dem Ansatz des sich bereits lichtenden Haars ein teigiges Gesicht mit zerfließenden Zügen, die Augen lüstern. »Meine Freunde nennen mich Goodie.«
»Bitte, Fräulein Goodie.« Er bot ihr die Speisekarte, die ein andrer Kellner inzwischen gebracht hatte.
»Ich hab schon gegessen, danke«, sagte sie, und schluckte.
»Machen Sie mir die Freude, Fräulein Goodie«, sagte er. »Ich hab mir eine Freude verdient, an einem Tag wie heute.«
»Tag wie heute?«
»Was erschrecken Sie, Fräulein Goodie. Sie betrifft es doch nicht. Ich habe meine Tante heute zur ewigen Ruhe gebettet.«
»Mein herzliches Beileid.« Goodie erlaubte ihm einen Einblick in ihren Busen.
»Ich war ihr Lieblingsneffe«, sagte er, »und bin der Haupterbe. Aber wählen Sie doch.«
Während Goodie sich in die Speisekarte vertiefte, dachte sie nach

über Männer und Möglichkeiten:

ein Schnitzel mit Kartoffeln und Beilage zum Anfang man muß die Möglichkeiten in den Männern entwickeln was wollen sie alle Sex ja aber wichtiger Anerkanntwerden als Mann ein Hauch du hast mich geschafft Süßer dafür geben sie Schweinsschnitzel Geld Sicherheit überwintern müßt ich diesen Sommer warum nicht in Chemnitz jetzt Karl-Marx-Stadt mit Benno dem Haupterben seiner Tante er sieht ganz aus als wär er alleinstehend

»Wie wär's mit einem schönen Schweineschnitzel?« schlug er vor.
»Ich hab doch schon gegessen«, protestierte sie wieder, doch nicht sehr ernsthaft.
»Zweimal Schnitzel«, sagte er dem Kellner, »und vorher zwei doppelte Weinbrand.«
»Sie sind zu liebenswürdig«, sagte sie.
»Die Liebenswürdigkeit ist ganz Ihrerseits«, sagte er, »da Sie mir Gesellschaft leisten. Ich bin leider nicht sehr kontaktfreudig, die meiste Zeit verbringe ich bei meiner Arbeit und meinen Büchern.«
»Sind Sie gar Schriftsteller?«
»Das nicht«, sagte er geschmeichelt, »Buchhalter. Und Sie, Fräulein Goodie?«
»Ich bin auf künstlerischem Gebiet tätig.«
»Das hab ich mir beinah gedacht. Sie haben so was Künstlerisches an sich. Aber Sie dürfen nicht glauben, daß meine Arbeit als Buchhalter eine unschöpferische ist. So habe ich jetzt zum Beispiel Berechnungen durchgeführt, wieviel es kostet, eine Stadt wie Chemnitz in

Karl-Marx-Stadt umzubenennen, einschließlich Beschilderung, Briefköpfe, Formulare, Stempel; was meinen Sie, wie sich das summiert . . .«
Sie ließ ihn reden und bedachte dabei

die andere Seite der Rechnung:
wie eine Platte die einer aufgelegt hat wenn ich den aushalte dann halte ich alles aus aber wenn ich mit ihm nach Chemnitz jetzt Karl-Marx-Stadt fahre was wird aus Witte das ist die andere Seite der Rechnung obwohl ich hab genug abgekriegt wegen ihm ich hätt den Fusel nicht so kippen sollen der Kopf schwimmt mir nein die Rechnung hat nur eine Seite meine

»Ist Ihnen nicht gut, Fräulein Goodie?«
Sie ließ ihm ihre Hand, die er besorgt tätschelte.
»Sie bedürfen menschlicher Hilfe«, sagte er und ermahnte sie, das Schnitzel nicht kalt werden zu lassen.
Sie zerschnitt das Fleisch und zerquetschte die Kartoffeln und aß, hungrig, doch mit Vorsicht; die Zähne schmerzten immer noch.
»Ich könnte meinen Zug versäumen, Fräulein Goodie. Das ließe mir Zeit, mich um Sie zu kümmern.«
Goodie begann zu hoffen. »Den Zug versäumen – wegen mir? Ich möchte Ihnen keine Ungelegenheiten machen, und vielleicht wartet Ihre Frau zu Haus auf Sie, oder Ihr Fräulein Braut.«
»Ich bin alleinstehend. Außerdem, Fräulein Goodie, wen das Schicksal zusammengeführt hat, der stemme sich nicht dagegen.«
»Glauben Sie, Herr Siebendraht«, sie wischte sich den Mund und lächelte ihn an, »daß das Schicksal auch in Chemnitz, jetzt Karl-Marx-Stadt . . .«
Sie verstummte.
»Ist das eine Überraschung!« Heinz Hofer, Arme freudig erhoben, trat an den Tisch. »Hat meine Mutter doch recht gehabt. Weit weg wird sie nicht sein, hat sie gesagt, du triffst sie schon wieder.«
Er zog einen Stuhl heran, setzte sich zwischen Goodie und Siebendraht und ergriff ihre Hand.
Siebendraht richtete sich auf. »Was wollen Sie! Wer sind Sie!«
»Ein guter Bekannter der jungen Dame.«
»Guter Bekannter!« Goodie versuchte, ihm ihre Hand zu entziehen.
»Mehr als das, ein Freund! . . . Mein Herr«, dies zu Siebendraht, mit vertraulich gesenkter Stimme, »ich weiß nicht, in welchem Verhältnis Sie zu Fräulein Kasischke stehen und was für Absichten Sie ihr gegenüber haben . . .«
»Nur die ehrenhaftesten.«
»Um so besser. Denn sie hat Menschen, die ihr nahestehen, und die

sich Sorgen um sie machen.« Er preßte Goodies Hand. »Ja, meine Liebe, das vergißt du. Wenn du wüßtest, wie dein Fred sich um dich grämt.«
Goodie wurde blaß. »Mein Fred?«
»Da staunst du, wie sich alles zusammenfügt. Sie soll nur zurückkommen, sagt Fred, was will sie allein, und ohne Geld, und krank und zerschlagen, sie geht uns noch kaputt . . .« Und wieder zu Siebendraht: »Vielleicht können Sie ihr gut zureden . . .«
Goodies Gedanken jagten sich auf der Suche nach dem

Ausweg aus einer ausweglosen Situation:

da staunst du wie sich alles zusammenfügt mit meinem Fred wenn ich den Kopf jetzt verlier ist es aus dieser Hofer hab ich doch gleich ein ungutes Gefühl gehabt daß hinter dem mehr steckt als nur wer ist das der mit der Hasenscharte der da rumsteht wie zufällig und der mit dem Weibergesicht und der andere dort wenn die Not am größten ist Gottes Hilfe hilf dir selbst so hilft dir Gott

»Wissen Sie, Herr Siebendraht«, sagte sie überlaut, »was der Kerl hier ist? Ein Zuhälter ist der, und nur wenn er eine Frau allein vor sich hat, die sich nicht wehren kann . . .«
An den umstehenden Tischen horchten sie auf; der Kellner näherte sich. Hofer war momentan sprachlos.
» . . . aber ich bin nicht allein!« schrie sie ihn an. »Dieser Herr wird's dir zeigen, du Schuft!«
Siebendraht bemühte sich, Hofer fest ins Auge zu blicken. »Ich fordere Sie auf, diese Dame nicht weiter zu belästigen.«
Hofer schob den Hut mit der Feder nach hinten, lehnte sich zurück und lachte. Dann sagte er: »Hau ab, alter Kacker. Los. Beeilung.«
Siebendraht erhob sich. Der Alkohol, dem er schon nach dem Begräbnis zugesprochen hatte, das Publikum um ihn herum, und die junge Dame, vor der er sich beweisen mußte, gaben ihm Festigkeit. »Da werden wir mal den Objektleiter kommen lassen«, sagte er heiser. »Wir werden schon sehen, wer hier wen rauswirft.«
Hofer nahm den Hut ab.
Goodie sah die Hasenscharte hinter Siebendraht auftauchen, daneben das Weibergesicht, und rief, bevor Hofer ihr den Mund zuhalten konnte: »Benno! Achtung!«
Siebendraht griff nach seinem Teller, schlug zu; der Teller zerbarst auf Hofers Schädel; Kartoffeln, Schnitzel, Sauce klebten ihm im Haar. Der Kellner hob anklagend die Serviette. Siebendraht, im Würgegriff des Manns mit dem Weibergesicht, ging zu Boden. Die Hasenscharte war überall, Arme wie Dreschflegel; Geschirr zerklirrte, Stühle zerbrachen; Gebrüll, Hilferufe, Flüche.
Dann ein Pfiff, gellend: die Polizei.

38

Dienstag, 16. Juni 1953, 16.40 Uhr
tippte in einem der katakombenähnlichen Räume unterhalb der Gleisanlagen des Bahnhofs Friedrichstraße ein junger Volkspolizist, mit den Zeigefingern nach den betreffenden Buchstaben suchend, anhand der ihm vorliegenden Ausweispapiere die Personalien der von seinen Kollegen eingebrachten Bürger auf Formularbogen im Format DIN A 4, mit Durchschlag. Die Verhöre wurden durchgeführt von einem ältlichen Leutnant, der an einem zerkratzten Tisch saß, vor sich ein bereits zur Hälfte gefülltes Notizbuch, mehrere Bleistifte und einen metallenen Bleistiftspitzer. Seitlich von ihm, den Ellbogen auf die Tischkante gestützt, saß Ewers, scheinbar uninteressiert, er trug Zivil, seine zerknitterte Tweedjacke.
»Also, Herr Siebendraht«, sagte der Leutnant, »nun erzählen Sie den Vorfall mal mit Ihren eignen Worten.«
Siebendraht, fahl, die Augen verschreckt, erklärte hastig, er sei völlig unschuldig. Er sprach von seiner verstorbenen Tante, von dem Begräbnis, und daß er sich auf der Heimreise befunden habe nach Chemnitz, jetzt Karl-Marx-Stadt.
»Fassen Sie sich kurz, bitte«, sagte der Leutnant. »Wie ist es zu der Prügelei gekommen?«
Eben deshalb, betonte Siebendraht, müsse er die Sache von Anfang an berichten. Er habe noch anderthalb Stunden Zeit gehabt, bevor sein Zug abging nach Chemnitz, jetzt Karl-Marx-Stadt. So mancher in seiner Lage wäre vielleicht noch mal nach West-Berlin hinübergefahren, auf eine Stippvisite, aber nicht er als Buchhalter in einem Betrieb, welcher für unsre sowjetischen Freunde, Sie verstehen, Vertrauen gegen Vertrauen.
»Sie haben dem andern Herrn den Teller auf den Kopf geknallt«, sagte der Leutnant. »Oder?«
Er habe friedlich am Tisch gesessen mit der Dame, verteidigte sich Siebendraht, bei Schnitzel mit Kartoffeln und Beilage. Da habe der andere Herr sich in unmißverständlicher Weise der Dame genähert.
»Die Dame gehört zu Ihnen?« fragte der Leutnant.
Er habe die Dame im Restaurant kennengelernt, gab Siebendraht zu, und habe mit ihr ein Gespräch über verschiedene allgemein interessierende Fragen geführt, darunter auch solche statistischer Natur.
Ewers hob den Kopf und musterte Goodie. Diese spürte den Blick und lächelte müde; auch er lächelte.
»Hübner«, sagte der Leutnant zu dem Polizisten, der die beiden Delinquenten hereingeführt hatte und der nun wartend neben der

Tür stand, »wo ist der andere Herr?«
»Weg, Genosse Leutnant«, sagte der Polizist.
»Weg?«
»Ich sagte ihm, kommen Sie mit«, sagte der Polizist, »und er kam mit, wie sich's gehört, und auf einmal war er weg.«
»Das kompliziert die Sache«, sagte der Leutnant.
Ewers lehnte sich hinüber zu ihm und flüsterte ihm ein paar Worte zu.
»Wenn Sie meinen«, sagte der Leutnant. Und zu Siebendraht. »Ihre Fahrkarte nach Karl-Marx-Stadt haben Sie?« Und da Siebendraht eifrig nickte: »Das zerschlagene Geschirr haben Sie bezahlt?«
Ewers rieb sich die Schläfen und schloß die Augen. Gegenüber vom Bahnhof, am andern Ufer der Spree, lag der Friedrichstadtpalast, in dem am Abend die Parteiaktivtagung stattfinden sollte. Also warf man ein großes Netz aus und brachte dies und das zutage, kleine Fische zumeist, auch mal einen buntschillernden, um den es einem leid tat.
»Sie können gehen«, hörte er den Leutnant sagen.
Die Tür; Stimmen; dann wieder Stille bis auf das schnarrende Geräusch der Schreibmaschine, in die ein neuer Bogen Papier eingelegt wurde.
Ewers öffnete die Augen. »Sie sind immer noch hier, Fräulein?«
»Ich wußte nicht« – sie stand vor ihm, hastig atmend, die Finger um den Griff der Handtasche gekrampft –, »ob ich auch mit – entlassen war – mit dem Herrn.«
»Aber selbstverständlich«, sagte der Leutnant.
Sie zögerte.
»Wollen Sie noch was?« fragte Ewers.
»Nein, nein.«
Sie wandte sich abrupt um und ging hinaus mit schaukelnden Hüften. Ewers blickte ihr nach. Enorme politische Kräfte waren in Bewegung geraten, überall krachte es in den Nähten, aber dies war von Ewigkeitswert, klassenindifferent: ein Paar wohlgeformter Hinterbacken. Er stand auf, begab sich zu dem jungen Polizisten an der Schreibmaschine und ließ sich die Laufzettel geben, die dieser ausgefüllt hatte. *Siebendraht,* las er, *Benno,* und die Daten; und dann: *Kasischke, Gudrun . . .*
Kasischke Witte Kallmann Streik – der ganze Zusammenhang, so logisch und unglaubhaft zugleich, stand ihm vor Augen. »Entschuldigung«, murmelte er, stülpte sich seine Baskenkappe auf den Kopf und stürzte hinaus.
Draußen stand der Polizist Hübner noch.
»Wo ist sie hin?« herrschte Ewers ihn an.
»Wer?«

»Die Kasischke. Die Person, die Sie vorhin gebracht haben.«
Der Mann begriff. »Weg.«
»Weg! Wie der andere Kerl auch. Kommen Sie, rasch, wir müssen diese Kasischke finden.«
Aber er wußte, die Mühe war zwecklos. Ein Mensch verlor sich in einem großen Bahnhof.

39

Dienstag, 16. Juni 1953, 18.00 Uhr
beendeten Dr. Rottluff, Sonneberg und Witte ihren Canossagang, wie der Werkleiter es nannte, und beschlossen in einem kurzen Gespräch, welches in Dr. Rottluffs Arbeitsraum stattfand, daß
der Genosse Dr. Rottluff nach Hause gehen könne, sich aber zur Verfügung zu halten und auf jeden Fall am morgigen Tag um sechs Uhr früh, zugleich mit der ersten Schicht, wieder im Werk zu sein habe;
der Genosse Sonneberg im Werk bleiben und hier auch die Nacht verbringen würde, damit für alle Eventualitäten, die sich während der zweiten bzw. der Spätschicht ergeben mochten, ein verantwortlicher Genosse anwesend sei und eingreifen könne;
der Genosse Witte die zur Parteiaktivtagung delegierten Genossen eine halbe Stunde vor Beginn der Veranstaltung am vereinbarten Ort, nämlich vorm Eingang des Schiffbauerdammtheaters schräg gegenüber dem Friedrichstadtpalast, treffen und zusammen mit diesen an der Tagung teilnehmen solle; danach solle er allein oder gemeinsam mit den delegierten Genossen, dies nach seinem Ermessen, ins Werk zurückkehren, zwecks sofortiger Berichterstattung und möglicherweise durchzuführender Maßnahmen.
Witte griff nach seiner Jacke und machte sich auf den Weg.
Vor der Pförtnerbude stand der Alte, die Abendluft schnuppernd, und winkte ihn herbei. »Da ist eine Frau, die versucht gerade, dich anzurufen.«
Die Kasischke, dachte er. Dann sah er, im Viereck der geöffneten Tür, die Silhouette.
»Anna –«
»Ich komme sicher ungelegen«, sagte sie. »Ich mußte Sie sehen.«
»Etwas nicht in Ordnung?« fragte er hastig.
Sie schüttelte den Kopf, lächelte.
Er nahm ihre Hand. »Kommen Sie. Ich muß sowieso in die Stadt.«
Und führte sie, mit einem Nicken in Richtung des Pförtners, durchs Tor hinaus und ein Stück die Chaussee entlang und dann rechts ab

auf einen Feldweg. Das Korn stand hüfthoch, dazwischen wuchs Mohn.
Sie begann zu erzählen, halblaut, ohne ihn anzublicken: von ihrer Nacht bei Greta, und wie dankbar sie ihm sei, aber lange ginge es nicht so; von ihren Gesprächen mit der Witwe und mit ihrem Mann, den Andeutungen, den beängstigenden, und wie sollte sie wissen, was Fakt war und was nicht; von ihrem Spießrutenlauf und dem Tag, der dann folgte, die Scharwenzel kopflos, die Gerüchte, der Abschaum der Demonstration, der hineingespült wurde in den Laden, Schnaps forderte und Bier, drohte; und immer wiederkehrend bei allem, wie ein Leitmotiv, der Gedanke an ihn, und wenn ihm etwas zustieße, obwohl sie kein Anrecht habe auf ihn, auch nicht das Anrecht, sich um ihn Sorgen zu machen, es könne ja sein, daß das Fräulein Kasischke, das ihn habe sprechen wollen, da zuständig wäre; wie auch immer, jedenfalls habe sie um fünf Uhr nachmittags der Scharwenzel gesagt, jetzt müsse sie fort, und sei gegangen, trotz des Gezeters; er möge sie auslachen, wenn er wolle, oder sie tadeln; für sie sei es wichtig gewesen, festzustellen, daß er gesund, wenn auch müde aussehe, sehr wichtig.
Auf einmal war der Betrieb nicht mehr da und die Stadt ganz fern, die Zeit stand still. Ein Bahndamm, eine Unterführung, auf der andern Seite Gras, dann ein langsam fließender Bach, Büsche: eine kleine abgeschlossene Welt im flimmernden Licht der späten Sonne.
Witte ließ sich ins Gras sinken und zog Anna zu sich.
Sie strich ihm übers Haar.
Er küßte sie, ihren Mund, ihren Hals, ihre Brüste. Er spürte, wie sie sich gegen ihn preßte, wie ihr Leib sich spannte und dann weich wurde, gab. Sie streichelte ihn und sagte: »Ich brauch dich so sehr.«
Und später sagte sie: »Ich will, daß es nie aufhört.«
Die Schienen auf dem Bahndamm begannen zu singen. Das ferne Klirren kam näher, das Zischen der Lokomotive; ein Funkenschauer.
Sie lag, ohne sich zu rühren, während die Schatten der Güterwagen einer nach dem andern über das Gras und ihrer beider Körper hinwegglitten. Witte küßte sie noch einmal, sehr zart; dann löste er sich von ihr, blickte den roten Schlußlichtern nach, die in den fahlblauen Himmel entschwanden, und sagte: »Wir haben noch eine knappe Viertelstunde, Anna, nicht mehr.«
»So laß uns still sein«, sagte sie, »du und ich, zusammen.«

Aus einem am 16. Juni 1953 um 18.30 Uhr gesendeten Bericht des Rundfunks im Amerikanischen Sektor (RIAS) über den Besuch einer Delegation Ostberliner Bauarbeiter im Gebäude des Senders

Die Delegation bat den RIAS, ihre Forderungen zur Kenntnis zu bringen. Sie erklärte, daß sie sich nicht an den RIAS gewandt hätte, wenn sich Grotewohl oder Ulbricht zu einer Diskussion mit den Demonstranten bereit gefunden hätten. Die Delegation erklärte des weiteren, daß, wenn ihre Forderungen nicht bis zum Morgen des 17. Juni erfüllt worden seien, die Arbeit in Ost-Berlin ruhen werde.

Meldung des Rundfunks im Amerikanischen Sektor (RIAS), gesendet am Dienstag, 16. Juni 1953, um 19.30 Uhr und danach stündlich mehrmals wiederholt

Eine Delegation der Bauarbeiter, von denen die Aktion ausgegangen war, hat dem RIAS heute eine Resolution mit der Bitte um Veröffentlichung überreicht. Darin heißt es: die Arbeiter haben durch ihren Streik und ihre Demonstration bewiesen, daß sie in der Lage sind, den Staat zur Bewilligung ihrer berechtigten Forderungen zu veranlassen. Die Arbeiter werden von der Möglichkeit jederzeit wieder Gebrauch machen, wenn die Organe des Staates und der SED nicht unverzüglich folgende Maßnahmen einleiten:

Erstens: Auszahlung der Löhne nach den alten Normen schon bei der nächsten Lohnzahlung;
zweitens: sofortige Senkung der Lebenshaltungskosten;
drittens: freie und geheime Wahlen;
viertens: keine Maßregelung der Streikenden und ihrer Sprecher.

Aus der Rede des Generalsekretärs des Zentralkomitees der SED, Walter Ulbricht, auf der Tagung des Berliner Parteiaktivs

... ab Sommer 1952 wurde Kurs genommen auf den beschleunigten Aufbau des Sozialismus ... Eine Reihe Planaufgaben, die für die Jahre 1954 und 1955 vorgesehen waren, wurden auf das Jahr 1953 vorverlegt, und Aufgaben, die im Fünfjahrplan überhaupt nicht vorgesehen waren, wurden zusätzlich beschlossen ... Der Versuch, die aus dem falschen Kurs entspringenden Widersprüche zu lösen, führte zu einer Reihe fehlerhafter Maßnahmen, zu verschärften Methoden der Eintreibung der Ablieferungsrückstände, verschärften Methoden der Steuererhebung, was dazu führte, daß viele Einzelbauern nicht mehr an der ordnungsgemäßen Weiterführung ihrer Wirtschaften interessiert waren. Es wurden Überspitzungen im Sparsamkeitsregime durchgeführt, wie zum Beispiel die Beschränkung der Fahrpreisermäßigungen für Arbeiter, Schwerbeschädigte, Schüler, Lehrlinge usw., Verschlechterungen auf dem Gebiet der Sozialversicherung, Entzug der Lebensmittelkarten für einen großen Teil des Mittelstandes, eine unzureichende Belieferung der Privatindustrie und der Handwerksbetriebe mit Rohstoffen, die Sperrung langfristiger Kredite für Einzelbauern und Privatunternehmer und anderes. Die Fehler korrigierte die Regierung der Deutschen Demokratischen Republik durch ihre Beschlüsse vom 11. Juni ...

... ist es nach wie vor richtig, die Arbeitsproduktivität zu erhöhen, aber es ist falsch, auf administrativem Wege Normerhöhungen zu verfügen. Deshalb hat das Politbüro der SED in seiner heutigen Sitzung beschlossen, der Regierung vorzuschlagen, die Anordnungen der einzelnen Ministerien auf obligatorische Erhöhung der Arbeitsnormen als unrichtig aufzuheben. Wir sind der Meinung, daß eine Erhöhung der Normen nur auf der Grundlage der Überzeugung und der Freiwilligkeit erfolgen kann ...

... Zweifellos besteht das Grundübel bei uns darin, daß mit den Methoden des Administrierens gearbeitet wird ... Die Beschlüsse über die Arbeitsnormen und die Anordnungen der Minister für ihre Industriezweige sind ein charakteristisches Beispiel dafür. Es werden vom Zentralkomitee der Partei und von der Regierung viele Anordnungen gegeben, es wird viel Papier verschrieben, aber es gibt wenig lebendige Anleitung und ernste Kontrolle der Durchführung der Beschlüsse ...

... Wenn jetzt von Parteimitgliedern und Werktätigen die Frage gestellt wird: Welche Garantien gibt es, daß eine solche fehlerhafte politische Linie nicht wiederholt wird, so möchte ich darauf antworten: Die Garantie, daß solche Fehler nicht wiederholt werden, liegt in der weiteren Festigung der Verbindung der Parteiführung und der Partei mit den Massen und in der weiteren Entwicklung und offenen Entfaltung der Selbstkritik und der Kritik von unten ... Bisher wurde meist nur Kritik von oben nach unten geübt. Aber es ist nicht nur das Recht, sondern auch die Pflicht der Parteimitglieder, Kritik an den führenden Genossen zu üben. Auch die führenden Genossen sind keine Menschen, die von der Kritik für ihre Mängel ausgenommen sind ...

... ist entscheidend, daß vor allem in der Partei die volle Verantwortung der gewählten Leitungen hergestellt wird ... Einer der Gründe, warum sich bei uns gewisse Fehler entwickeln konnten, ist die Tatsache, daß vielfach die innerparteiliche Demokratie verletzt wurde und in den Parteimitgliederversammlungen viele Zitate vorgetragen wurden, aber wenig lebendiger Meinungsaustausch über den tieferen Sinn unserer Politik, über den Inhalt der Beschlüsse und die besten Methoden ihrer Durchführung ... Es ist einer der wesentlichsten Fehler der leitenden Funktionäre der Partei und des Staatsapparates, daß sie ihre Arbeit nicht genügend elastisch durchführen, daß sie nicht von den Ratschlägen Lenins und Stalins ausgehen, daß man die Massen überzeugen muß, daß man keine Maßnahmen durchführen kann, die man nicht den Massen erklärt hat und die Massen dafür gewonnen hat ...

... welche außerordentlichen Maßnahmen planen die Partei, der Block und die Regierung, um diesen Kurs durchzuführen? Die erste Aufgabe ist die Festigung des Bündnisses der Arbeiterklasse mit den werktätigen Bauern ... Ein entschiedener Umschwung muß in der Stellung zur Intelligenz erfolgen ... durch die Tätigkeit der privaten Industrie, des Handwerks und des Handels die Versorgung der Bevölkerung mit Waren des Massenbedarfs bedeutend verbessern ... haben wir die Absicht, die Investitionen vor allem in der Schwerindustrie und bei der Polizei bedeutend zu kürzen ... Das Zentralkomitee unserer Partei hat das Präsidium des Zentralkomitees der Kommunistischen Partei der Sowjetunion gebeten, daß zu dem abgeschlossenen Handelsvertrag ein Zusatzabkommen abgeschlossen wird, durch das uns zusätzlich Waren des Massenverbrauchs zur Verfügung gestellt werden ... Es handelt sich aber nicht nur um diese großen Maßnahmen. Notwendig ist, daß von den Mitarbeitern des Partei- und Staatsapparates, vor allen Dingen in den Kreis- und Gemeinderäten, mit dem formalen Verhalten zu den Sorgen und Nöten der einzelnen Menschen Schluß gemacht wird ...

... worin besteht die Bedeutung der neuen politischen Linie unserer Partei für den Kampf um ein einiges, demokratisches Deutschland? Die Schaffung einer vorbildlichen demokratischen Ordnung, der Aufbau einer Friedenswirtschaft, die zu einem höheren Lebensstandard führt, als er in Westdeutschland besteht, wird von größter Bedeutung sein für die friedliche Lösung der deutschen Frage ... Wir wollen und werden durch die patriotische Initiative der Bevölkerung in der Deutschen Demokratischen Republik erreichen, daß unsere Heimat durch soziale Gerechtigkeit, durch Wohlstand des Volkes, durch Rechtssicherheit und freiheitliche Atmosphäre, wie durch die Pflege der guten alten Traditionen, die Zustimmung aller Menschen findet. So dienen unsere Beschlüsse der Einheit des deutschen Vaterlandes und dem Frieden.

Aus der Rede des Vorsitzenden des Zentralkomitees der SED, Otto Grotewohl, auf der Tagung des Berliner Parteiaktivs

... das Politbüro unserer Partei und die Regierung denken nicht daran, der ernsthaften Aussprache mit unserem Volk aus dem Wege zu gehen ... Es gibt Menschen, die sagen, warum hat die Regierung nicht auf uns gehört? Natürlich haben wir auf alle diese Stimmen gehört. Gerade weil wir auf sie gehört haben, sind wir zu jenen Vorschlägen und Maßnahmen gekommen, um die es heute geht ... Nun, wir sind in diesem Augenblick weit davon entfernt, nach Lorbeeren und Anerkennung zu fischen. Uns geht es einzig und allein um die Sache unseres Volkes ... Wir nehmen keine Zuflucht zu demagogischen Tricks, Beschönigungsversuchen und Ablenkungsmanövern. Unsere Fehler, die wir offen bekennen, sind auch keineswegs der Ausdruck von Verständnislosigkeit. Im Gegenteil, diese Fehler sind entstanden aus der ehrlichen Absicht heraus, die Entwicklung zur schnelleren Hebung der Lebenshaltung für das ganze Volk zu beschleunigen. An dieser Stelle setzte der grundlegende Fehler ein ...

... eine völlige Verschiebung zwischen dem Lohn- und Warenfonds, denn der Warenfonds folgte nicht im richtigen Verhältnis. Der Warenfonds hatte eine Höhe von 14 Milliarden DM, während der Lohnfonds am Ende des Jahres 1952 bereits eine Höhe von 18 Milliarden DM erreicht hatte. Diese plötzlich und unter völliger

Verschleierung entstandene Differenz von vier Milliarden DM zwischen Lohn und Ware mußte zwangsläufig zu einem tiefen Einfall in die Versorgungslage der Bevölkerung führen. Dazu kam die auf dem Zucker- und Lebensmittelmarkt überall sich aus der Schlechtwetterperiode ergebende Verknappung der Lebensmittel. Sabotage und fehlerhafte Arbeit ...

... es ist uns heute völlig klar, daß nicht eine einzige Stufe im Prozeß der Höherentwicklung übersprungen werden kann. Ein allgemeines Gesetz der Ökonomie kann nicht durch Beschlüsse aufgehoben werden ...

... bei der Durchführung aller dieser Maßnahmen stießen wir auf den erbitterten Widerstand des Gegners. Der Klassenkampf verschärfte sich auf der ganzen Linie und in allen gesellschaftlichen Äußerungen. Hetze und Verleumdung aller Art führten zu Nichterfüllung bei der Ablieferung, zur künstlichen Erhöhung von Steuerschulden und zum stillen und oft auch offenen Widerstand gegen die Maßnahmen in der Wirtschaft und im Staat. Wir versuchten die Beseitigung dieser Mängel mit fast ausschließlich administrativen Mitteln. Das war falsch. Die Methode des Administrierens, der polizeilichen Eingriffe und die Schärfe der Justiz sind falsch und ersticken die schöpferischen Kräfte eines Volkes. Das zeigte uns die darauf einsetzende Wirkung: Einschränkung der allgemeinen Versorgung, die Einengung und zerstörende Wirkung auf Einzelhändler und Mittelstand, die Flucht der Bauern aus den Dörfern nach dem Westen Deutschlands und das berechtigte Anwachsen der Unzufriedenheit in der Arbeiterschaft über die verschiedensten Maßnahmen ...

... die Flucht nach dem Westen bedeutete die Schaffung einer großen Propagandaarmee im Westen, die sich gegen den Osten, gegen die DDR, wendet. Darüber hinaus aber mußte die Auswirkung dieser Politik zur Verbreiterung der Kluft zwischen den Menschen im Westen und im Osten Deutschlands führen. Das ist natürlich letzten Endes ein unerträglicher Fehler und Zustand, denn er berührt gleichzeitig das zentralste und entscheidendste Problem der ganzen deutschen Nation ...

... man muß eine Wendung vollziehen. Es handelt sich nicht um die Durchführung kleiner und unbedeutender Maßnahmen, sondern es handelt sich für uns jetzt darum, eine notwendige und unaufschiebbare Schwenkung in der erforderlichen Ordnung und Disziplin zu vollziehen. Der Gegner spricht von Zusammenbruch und Katastrophe. Weder das eine noch das andere ist berechtigt ...

... das Zentralkomitee der Partei wird eine völlige und umfassende Darstellung aller Fehler und notwendigen Maßnahmen erhalten. Das Politbüro wird sich dem Zentralkomitee zur vollen Verantwortung stellen. Es wird kein Fehler und kein Mangel in Partei und Verwaltung unausgesprochen oder im dunkeln bleiben. Das führende Organ unserer Partei, das Zentralkomitee, soll dann seine Entscheidungen treffen. Wir sind Blut vom Blute der Arbeiterklasse und Fleisch vom Fleische unseres Volkes. Mit diesen Bindungen werden die Parteileitung und die Regierung nicht nur mit ganzem theoretischem Ernst, sondern auch mit praktischen Taten die Fehler überwinden und erfolgreich für eine bessere Zukunft, für die Wiederherstellung der nationalen Einheit und für den Frieden arbeiten.

40

Dienstag, 16. Juni 1953, 21.45 Uhr
ging die Parteiaktivtagung im Friedrichstadtpalast ihrem Ende zu. Witte, der im Gedränge vor Beginn der Veranstaltung von den Genossen seiner Gruppe getrennt worden war, saß unter ihm Unbekannten in einer der hintersten Reihen des großen Varietétheaters und suchte sich über das, was in den letzten fünf Viertelstunden gesagt worden war, klarzuwerden. Und über seine Gefühle. Und über die Gefühle der in dem Dunst von Staub und Insektenpulver Versammelten.
Versammelt waren die eilig Zusammengerafften, dem Apparat sofort Verfügbaren; Bereitwillige und Bereitwillig-sein-Müssende, sich um das Banner der Partei Scharende sowie dem Banner Verpflichtete: schwer zu sagen, zu welcher Kategorie der einzelne gehörte. Dennoch gab es gemeinsame Reaktionen; diese allerdings unterschieden sich von denen bei sonstigen politischen Massenveranstaltungen: auffällig das kollektive Erschrecken bei gewissen Eröffnungen seitens der Redner, das bedrückte Schweigen nach Erklärungen, die als Ermutigungen gedacht waren; selbst der Beifall war anders als sonst, er kam, wenn überhaupt, nur zögernd und blieb verhalten.
Und die Redner. Im Hintergrund die von oben angestrahlten Reihen fast bewegungsloser höherer Funktionäre, sprachen sie in der Manier, in der sie immer sprachen, belehrend, die Augen weniger auf ihre Zuhörer gerichtet als auf das Papier vor ihnen; und doch waren da sonderbare Töne: eine Abstraktion, als wäre es nicht ihre Partei, von der sie sprachen, als wären es nicht sie selbst, ihr Politbüro, ihr Zentralkomitee, die geirrt hatten. Oder wollten sie andeuten, sie hätten alles längst gewußt, waren aber durch Mächte außerhalb ihrer Kontrolle, unbekannte, unheimliche, gezwungen worden, sich so und nicht anders zu verhalten? Wie dann die Wandlung so plötzlich, die Erkenntnis von einer Stunde auf die nächste, eine Analyse in kürzester Frist gefertigt, Warendecke, Lohnfonds, Bauernflucht, Herzlosigkeit, Bürokratismus, Mangel an Demokratie, und nicht nur innerparteilich? Also gewußt, aber

unterdrückt, dem eignen Bewußtsein vorenthalten; und nun diese noch merkwürdigere Zurückhaltung: Führer, die nicht führen wollten oder konnten, die keine Anweisungen gaben, nur vage Versprechen – und das in einer Situation, die Anweisungen erforderte, und in einer Partei, wo auch die kleinsten Aktionen auf ordentliche Anordnung hin erfolgten.
Als Witte, nachdem die Versammlung für geschlossen erklärt wurde, ins Foyer geschwemmt und dort gegen die Wand gepreßt wurde, ging ihm der Vers durch den Kopf

– uns aus dem Elend zu erlösen
können wir nur selber tun –

und dann dachte er, unvermittelt, an den Smolny, und dachte: wenn der Impuls zu einer Revolution von einem Institut für höhere Töchter ausgehen konnte, warum sollte der Impuls zur Verteidigung einer Revolution, selbst einer geschenkten, nicht von einem Varietétheater ausgehen können? Der Vergleich, so sehr er historisch hinkte, hatte etwas Tröstliches an sich, und Witte war denn auch, während er dem Ausgang zustrebte, in einer optimistischeren Stimmung, als der Verlauf der Versammlung sie rechtfertigte.
Er beeilte sich, den Vorplatz des Friedrichstadtpalasts zu erreichen; hier, unter einer Bogenlampe in Nähe des Spreeufers, hatte er sich mit seiner Gruppe verabredet, um Weiteres zu besprechen, und er befürchtete, der eine oder andre Genosse möchte, entmutigt, nicht lange warten und lieber nach Hause gehen. Seine Befürchtungen erwiesen sich als unnötig; die Genossen selber schienen in dieser Stunde ein Bedürfnis nach Sicherheit im Kollektiv zu haben; am Ende fehlten von denen, die sich vor Beginn der Veranstaltung zusammengefunden hatten, nur zwei.
Man begrüßte sich halblaut; zunächst wurde kaum gesprochen: Begräbnisstimmung, doch ohne Aussicht auf den Schnaps im Wirtshaus, den es gewöhnlich gab, sobald die Leiche unter der Erde war. Dann wandte sich Roeder, der mit Greta zusammen aus dem Friedrichstadtpalast gekommen war, an Witte: »Na, sag uns doch was.«
Witte bemerkte den Unterton von Ressentiment, blieb aber zurückhaltend. »Um etwas Vernünftiges zu sagen, müßte ich erst mal hören, was euch jetzt am meisten beschäftigt.«
Sie schienen ihre Gedanken zu kauen. Endlich raffte sich Dronke auf. »Ich hätte gerne gewußt, was wir eigentlich richtig gemacht haben.«
»Wir?« fuhr Roeder auf; das Licht der Bogenlampe fiel auf seine rechte Gesichtsseite, die er bis dahin vorsichtig im Schatten gehalten hatte. »Wir? Hast du etwas zu entscheiden gehabt?«
»Die Partei«, sagte Witte ruhig, »das sind wir alle. Auch du.«

»Sollen wir jetzt auch noch daran schuld sein, daß die Kritik von unten nicht stattgefunden hat?« Gretas Gegenwart spornte Roeder an, aus sich herauszugehen. »Du hast doch am eignen Leib erfahren, Genosse Witte, was passiert, wenn einer das Maul aufmacht. Dabei bist du ein alter Genosse.«
Panowsky, soeben hinzugetreten, mißbilligte auf der Stelle. »Da bin ich aber anderer Meinung. Was ist das für eine großartige Partei, die den Mut hat, vor aller Welt ihre Fehler zu bekennen. Das ist doch beeindruckend!«
»Ich, Kleiner«, Dronke legte die Hand begütigend auf Panowskys Schulter, »wäre eher beeindruckt, wenn nicht so viel Fehler gemacht worden wären.«
Man lachte, ein wenig zu laut, froh, daß einer was von sich gegeben hatte, worüber sich lachen ließ; selbst Witte lächelte. Nur Greta blieb ernst und sagte: »Statt euch zu amüsieren, überlegt euch lieber, was wir morgen tun, wenn gestreikt wird.«
»Von Streik war kein Wort in den Reden«, sagte Panowsky.
»Drum«, sagte Roeder.
Inzwischen war auch Teterow hinzugekommen. »Die Normerhöhung ist zurückgenommen«, sagte er. »Warum soll einer noch streiken?«
»Weil die Leute verärgert sind«, sagte der Genosse Plötz aus der Gießerei, »weil ihnen das Ganze nicht paßt, die ganze Partei, die ganze Regierung.« Und Greta fügte hinzu: »Es hat Demonstrationen gegeben, jeder weiß das. Im Westsender haben sie angekündigt, morgen erst recht, und noch mehr.«
»Westinformationen«, erboste sich Teterow. »Wenn Streik und Demonstrationen zu erwarten wären, dann hätten's die Genossen, die heut zu uns gesprochen haben, ja wohl gewußt und hätten konkret erklärt, was wir jetzt tun sollen.«
»Vielleicht wieder ein Fehler«, sagte der Genosse Besmer, der Maschinenschlosser war in Halle drei, aber Panowsky trumpfte auf: »Und wenn sie's gewußt haben? Und längst die notwendigen Vorkehrungen getroffen haben und nur nichts sagen wollten, um den Gegner nicht zu warnen?«
»Sind die Kollegen im Betrieb, die unzufrieden sind, unsre Gegner?« fragte Roeder.
Teterow gab sich kategorisch. »Wer gegen unsern Staat auftritt, macht sich zu unserm Gegner«, und Panowsky pflichtete ihm bei: »Der Klassenkampf verschärft sich, das ist ja wohl deutlich genug gesagt worden heute abend, und der Gegner hat seine Leute überall, auch unter den Kollegen.«
»Wir machen's dem Gegner doch erst möglich«, sagte Dronke düster, »das hast du auch gehört . . .«

Es war Zeit, einzugreifen, dachte Witte und sagte: »Greta hat recht – was tun wir, wenn morgen gestreikt wird?«
Der Meister Hellwege hatte bisher geschwiegen. Jetzt sagte er auf seine bedächtige Art: »Streiks hat's früher auch gegeben, dann hat man sich geeinigt, die Kollegen sind doch nicht unvernünftig.«
»Früher – im Kapitalismus, meinst du?«
Hellwege nickte.
»Im Kapitalismus«, erklärte Witte, »gefährdet der Streik ein paar Unternehmerprofite; bei uns gefährdet er den Staat.«
»Den Arbeiterstaat?«
Die Frage war von Dronke gekommen. Witte blickte ihn an. »Den Staat der Werktätigen. Unsern Staat.«
»Und der ist so wacklig?«
Witte schluckte. Dann sagte er: »Nicht, wenn wir ihn stützen.«
»Konkret«, forderte Roeder. »Du hast Gretas Frage noch immer nicht beantwortet.«
»Konkret«, sagte Witte, »konkret heißt das: unsern Betrieb verteidigen; die Arbeit aufrechterhalten; den Streik verhindern, durch Überredung wo möglich, wo nicht, durch Niederschlagung.«
Panowsky wandte ein: »Aber die führenden Genossen . . .«
» . . . haben davon nichts erwähnt«, ergänzte Witte, »das wissen wir. Das zeigt ja gerade, wie die Sache steht. Ich schlage vor, wir trennen uns jetzt nicht. Wir gehen zusammen zurück in den Betrieb und helfen dort, das Nötige für morgen früh zu organisieren. Wenn einer dagegen ist, soll er's jetzt sagen. Keiner? Also, gehen wir.«
Doch sahen sie, als sie nun gehen wollten, daß sich aus einem Teil derer, die in der Versammlung gewesen waren, ein Zug bildete, spontan, noch lose gefügt, eine höchst undemonstrative Demonstration, ohne Losungen, ohne Transparente. Und ohne ein Wort darüber zu verlieren, ebenso spontan, schlossen Witte und seine Genossen sich dem Zug an.

Aus dem Kommentar von Eberhard Schütz, Programmdirektor des Rundfunks im Amerikanischen Sektor (RIAS), gesendet von RIAS am 16. Juni 1953 um 20.30 Uhr und wiederholt um 22.40 Uhr

. . . Ein jeder in der Sowjetzone und in Ost-Berlin kann heute abend selbstbewußt seinen persönlichen Sieg über das sowjetdeutsche Regime in der Kernfrage registrieren. Denn es ist die Kernfrage, es ist das Kernproblem für die SED, ob sie durch eine Steigerung der industriellen Produktion, durch eine steigende Ausbeutung der arbeitenden Bevölkerung den Besitz der Zone für die Sowjets so wichtig, so bedeutsam machen kann, daß die Zone und ihr Industriepotential zu wichtig wird, um Tauschobjekt auf dem diplomatischen Markt zu sein – um gegebenenfalls aufgegeben zu werden und mit der Zone die SED . . . Sie, unsere Hörer, und wir wissen, daß ein totalitäres Regime in seiner Existenz abhängt von der totalen Wirksamkeit seiner Macht. Wer war es denn, der uns versuchte einzuhämmern, daß es keine Fehler, keine menschlichen Irrtümer gäbe, sondern nur Verbrechen? ... Sollten Sie, verehrte Hörerinnen und Hörer, sich heute damit begnügen, Fehler als Fehler zu betrachten? ... Es ist heute Ihre Aufgabe, verehrte Hörerinnen und Hörer, den sowjetrussischen und den sowjetdeutschen Machthabern klarzumachen, daß Sie und wir diese In-Anführungszeichen-Fehler nicht länger als Fehler anerkennen ... Macht Euch die Ungewißheit, die Unsicherheit der Funktionäre zunutze. Verlangt das Mögliche – wer von uns in West-Berlin wäre bereit, heute zu sagen, daß das, was vor acht Tagen noch unmöglich schien, heute nicht möglich wäre ... Die sowjetdeutschen Machthaber sind letzten Endes Mandatsverwalter des Kremls, und es ist der Kreml, der bestimmt, ob die Bauarbeiter der Stalinallee demonstrieren dürfen, ohne daß die Volkspolizei einschreitet ... Jeder einzelne, jeder unserer Hörer muß für sich selbst wissen, ob die Umstände seiner persönlichen Situation in seinem Betrieb es erlauben, den Widerstandswillen der Bevölkerung der Zone auszudrücken, jeder einzelne muß wissen, wie weit er gehen kann ...

41

Dienstag, 16. Juni 1953, 22.15 Uhr
bewegte sich der vom Friedrichstadtpalast herkommende Demonstrationszug, bestehend aus etwa sechshundert loyalen Genossen, in östlicher Richtung, durch stumme Straßen, deren spärliche Gasbeleuchtung im Verein mit dem Widerschein der Lichtreklamen über West-Berlin den dunklen Ruinen ringsum eine gespenstische Aura verlieh.

Greta ging neben Witte, der leise vor sich hin pfiff, Fetzen der Marseillaise, was ihm in den Kopf kam, und darüber nachdachte, daß dieses Herummarschieren mitten in der Nacht kompletter Unsinn war, emotionell verständlich, doch sonst ohne Wirkung, und daß er bald dafür sorgen müßte, seine Gruppe möglichst intakt auf die S-Bahn und in den Betrieb zu lotsen. Rechts von Greta trottete Roeder, die heile Gesichtshälfte ihr zugekehrt; einen Moment lang hob sich seine Silhouette gegen das Türkis eines hohlen Fensters ab; Greta suchte ihn in ein Gespräch zu ziehen, über Unverfängliches; er schwieg verbissen; nur einmal, als er stolperte, ein Loch in der Straße, fluchte er böse.

Plötzlich Gebrüll und aus den Ruinen heraus ein Steinhagel; ein Mann, getroffen, schrie: »Scheißkerle!«

Der Zug geriet in Unordnung, löste sich auf; die einen duckten sich, suchten Schutz hinter Mauerresten, die andern setzten sich zur

Wehr, Ziegel gab es genug, doch kein Ziel. Witte sah den schwarzen Brocken, der auf ihn zuwirbelte; er zuckte zur Seite, hörte den dumpfen Aufschlag.
»Mein Gott!« sagte Roeder, Panik im Ton, »Greta!«
Greta sank zusammen.
Roeder kniete sich hin, schüttelte sie, bettete ihren Kopf auf seinen Schoß, streichelte ihr das Gesicht.
»Blutet sie?« fragte Witte.
Roeder antwortete nicht – wollte nicht antworten, oder hatte nicht gehört. Der Meister Hellwege kam, Dronke, andere, standen da und flüsterten wie an einem Krankenbett; immer noch flogen Steine, landeten krachend; eine Gaslaterne zersplitterte. Panowsky und noch ein paar Unternehmungslustige schlugen sich in die Ruinen. Rufe.
»Laß mal sehen«, sagte Witte. Er beugte sich über Greta, riß die Bluse auf, den Büstenhalter, sah Verfärbungen, geplatzte Haut, betastete Schlüsselbein, Schulter, Brustkorb, befürchtete Rippenbruch, innere Verletzungen.
»Deine Wiederbelebungsversuche«, sagte Roeder, »kannst du dir schenken.«
Witte erhob sich mit Mühe, des Beins wegen; sagte grob: »Also kümmere du dich.«
»Wie käm ich dazu. Der Stein ist für dich gewesen.«
Witte biß sich auf die Lippe.
Wieder klirrte es. Panowsky kam zurück, verschmutzt, erhitzt; berichtete: »Zwecklos, nichts zu sehen.« Dann, aufgeregt: »Mensch, da, sie kommt zu sich!«
Greta bewegte den Kopf, öffnete die Augen, murmelte etwas. Panowsky, unter Berufung auf einen von ihm mit Auszeichnung bestandenen Erste-Hilfe-Lehrgang, hob Gretas Lid, begutachtete die Reaktion des Auges, fühlte den Puls, nickte gewichtig. Dann, Kopf und Schulter stützend, half er ihr, sich aufzurichten.
Greta erkannte Witte, versuchte ein Lächeln, fragte mit schwerer Zunge: »Dir ist – nichts – passiert?«
»Nein.«
Witte glaubte Roeders Lachen zu hören. Aber Roeder war nicht mehr da, verschluckt von der Nacht.
»Ich – will – nach Haus.«
»Nein, Greta, du mußt zum Arzt. Wir bringen dich hin.«
Sie zog sich die Bluse zurecht, verzerrte dabei das Gesicht, sie litt Schmerzen. »Ich will nach Haus. Geht nur, ich komm schon zurecht. Morgen bin ich wieder im Betrieb.«
Ein fernes Echo: Steingeprassel. Dann Stille. Der Spuk schien verhallt zu sein, die letzten Genossen zogen vorbei; die bei ihm

geblieben waren von seiner Gruppe, sah Witte, warteten auf seine Entscheidung.
Er half Greta auf die Beine. Sie stützte sich auf ihn und Panowsky, atmete tief durch. »Geht's?« fragte er.
»Es geht, danke.«
Witte bat Panowsky, Greta nach Haus zu bringen, warnte Greta – »daß du mir morgen im Bett bleibst; und laß einen Arzt kommen«. Und zu den andern: »Los, zur S-Bahn, auf schnellstem Wege.«
Ein polterndes Geräusch von den Ruinen her; Gestalten tauchten seitlich auf, schattenhaft, huschten über die Straße, verschwanden im nächsten Ruinenfeld. Alles, was Witte hatte schlucken müssen an diesem Abend, kam ihm hoch; ohne sich weiter zu besinnen, lief er den Burschen nach, hinter ihm Dronke und noch einer, doch die verloren sich bald. Witte, keuchend, kroch über verfallene Mauern, stieg durch halb verschüttete Türen. Das fahle Westlicht lieh den Trümmern diffuse Schatten und dem Kraut, das in den Ritzen wucherte, ganz eigene Farben. Eine Treppe führte ins Leere; zerfetzte Stahlträger, rostrot, ragten in rosig gerandete Wolken; ein loses Stück Wellblech, bewegt von der nächtlichen Brise, klapperte. Ein Stein geriet ins Rollen; jemand fluchte, unterdrückte den Fluch. Witte stand still, lauschte. Ruinen gab es, dachte er, da verfaulten die Toten noch in den Kellern.
Ein hohles Klopfen, nahbei.
Witte tat einen Schritt, der Boden gab nach. Er verlor den Halt; ein Gesteinssplitter grub sich ihm in die Kniescheibe, die zerkratzte Hand blutete. Dann sah er etwas aufblinken, blanke Messerklinge, bückte sich danach, geriet wieder ins Rutschen, glitt in kraterartige Tiefe.
Der Staub senkte sich. »Roeder!«
Die Maske reagierte nicht. Die Maske neigte sich über einen dunklen Gegenstand, Melone etwa oder ähnliche Großfrucht, die gurgelnde Laute von sich gab.
»Hör auf«, sagte Witte, »du bringst den Kerl um.«
Roeder reagierte nicht.
»Genug ist genug, Roeder.«
»Scher dich«, sagte Roeder, »zu deiner Greta. Oder zu wem du willst.« Und stieß den Schädel, der wunderbarerweise dabei nicht zerbarst, noch einmal auf den Stein. Dann richtete er sich auf und gab dem reglos Daliegenden einen Tritt, daß der abrollte ins dunkle Regenwasser auf dem Grund des Trichters.
»Und jetzt«, fragte Witte, »bin ich an der Reihe?«
Roeder schob sein von dem Messer zerfetztes Hemd in die Hose. »Schöne Sprüche und Blümchen und Kultur, und sich ducken, auch wenn's die Frau abkriegt. Kein Wunder, daß die Arbeiter euch eins

husten. Weil ihr nie zugeschlagen habt, weil ihr immer nur euch habt prügeln lassen, jawohl!«
Er brach in Gelächter aus.
»Und was hast du getan«, sagte Witte, »damals, als wir geprügelt wurden?«
Roeder hielt die Hand vor die zusammengestückelte Seite seines Gesichts, als suchte er sie wieder zu schützen.
»Pack an«, befahl Witte. Und nachdem sie den vor sich hin wimmernden Burschen aus dem Trichter heraus und quer durch das Ruinenfeld zur Straße gezerrt hatten: »Damit er seinen Freunden berichten kann.«

42

Dienstag, 16. Juni 1953, 23.30 Uhr
erhob sich Anna aus dem Polstersessel, dem einzigen, in der Wohnung der Greta Dahlewitz. Der Bezug des Sessels war abgeschabt; alles in der Stube, obwohl peinlich sauber und wohlplaciert, zeigte die Spuren langer Benutzung.
Die Kinder in der Kammer nebenan schliefen längst. Nein, dachte sie, noch eine Nacht hier, unmöglich.
Der Junge hatte das Klappbett aus dem Verschlag neben der Küche hervorgeholt und es ins Zimmer geschleppt und aufgebaut; er kannte die Handgriffe und schien genau zu wissen, wo das Bett, wenn einer es brauchte, seinen Platz hatte: das Bett, ihr zugedacht für diese Nächte von dem Mann, den sie liebte, das Bett, in dem er – wie oft wohl – selber geschlafen hatte.
Jede Parkbank ist besser als diese Situation, dachte sie, jeder Hauseingang.
Gestern noch scheu und schweigsam in Anwesenheit der Mutter, waren sie beide heute lieb und hilfreich gewesen, der Junge Ernst und das Mädchen Claudia. Das Mädchen brachte ein Handtuch, als sie sich wusch am Küchenabguß. Der Junge schnitt Kartoffeln in die Bratpfanne und setzte Teller auf den Küchentisch. Sie waren, erzählte er, gewohnt, ihr Abendbrot selber zu machen und dann ins Bett zu gehen; die Mutter war abends oft weg, gesellschaftlich tätig, sagte er, es klang sonderbar aus kindlichem Munde, und nun, wo Onkel Martin nicht mehr kam, ging sie noch öfter fort. Mutti hat erst geweint, piepste die Kleine. Aber nun würde der Vater bald kommen und alles würde gut sein, der Vater sei kriegsgefangen, und warum er nicht schriebe, weil er in einem Schweigelager wäre, sie wüßte es, in ihrer Klasse hätte es eine gesagt. Quatsch, bestritt der Junge, mein Vater, der ist so einer, wenn er lebte, da kriegte er

auch einen Brief durch. Er ist eben tot. Die Kleine hatte das Bild gebracht, verblaßt schon, ein flachsblonder lächelnder Jüngling in einer zu großen Uniform. Sie habe auch einen Brief von ihm, geschrieben an sie am Tag nach ihrer Geburt; die Mutter hätte ihn in einer Schachtel. Der Junge mokierte sich: Brief an sie, Neugeborene können nicht lesen. Worauf die Kleine zu heulen begann, sich aber bald tröstete und sagte, wenn sie groß wäre, ginge sie zu ihrem Onkel Martin. Sie wüßte, wo er arbeitete, er hätte es ihr genau beschrieben. Claudia, Mädchen, würde er sagen, ich hab schon auf dich gewartet, weil ich dich nämlich liebhab. Der Junge aber hatte gehöhnt: Das glaubst du so, die Marianne von nebenan, die hatte auch einen Onkel, die kommen eine Zeitlang und bringen Geschenke, und dann nicht mehr.
Wo habe ich meine Tasche, dachte sie. Noch mal in die Kammer schauen, nach den Kindern: beide schlafen. Zwei solche Kinder, das ist doch auch ein Glück.
In den Gedanken hinein drangen Stimmen vom Treppenflur her, nach der Stille sehr laut; dann der Schlüssel. Anna verließ die Kinder, schloß hastig die Kammer.
»So, da wären wir«, sagte Panowsky. »Guten Abend, Fräulein.«
Greta ließ sich in den Sessel sinken.
»Brauchst du noch Hilfe?« fragte Panowsky.
»Sie«, dies mit Kopfbewegung in Annas Richtung, »ist doch da. Aber ein Schnaps täte uns gut. Geh mal in die Küche, zweites Fach im Schrank, hinter den Tassen, da müßte noch was sein.«
Panowsky holte den Schnaps, dunkler Rest in einer Viertelflasche.
»Steht schon eine Weile«, sagte Greta, ohne sich zu rühren. »Alleine trink ich nicht gern.«
Panowsky goß ein.
»Vielleicht wollen Sie auch was?« sagte Greta in Annas Richtung.
»Danke, nein.«
»Na denn«, sagte Panowsky, »auf die Gesundheit.«
»Auf morgen«, sagte Greta.
»Morgen«, sagte Panowsky, »bleibst du im Bett.«
»Mann«, sagte Greta, »morgen wird jeder von uns gebraucht.«
Panowsky kippte das Gläschen, dann murmelte er etwas von der S-Bahn, die er noch kriegen müßte, wenn er zum Betrieb wollte, und ging.
»Auch ich«, sagte Anna, »gehe jetzt lieber.«
Greta wandte den Kopf. »Wieso – haben Sie eine bessere Bleibe?«
»Es war schon gestern eine Zumutung.«
»Und was, bitte, hat sich seit gestern verändert?«
Anna hatte keine Antwort.
»Es ist mir ganz lieb, daß Sie hier sind«, sagte Greta, »sonst müßt ich

den Jungen wecken, und der braucht seinen Schlaf.« Sie blickte auf Annas Reisetasche. »Ich denke, wir gehen zu Bett. Für mich jedenfalls ist das jetzt das Beste.«
Anna half ihr beim Entkleiden; zuckte zurück, als sie die Haut sah zwischen Schlüsselbein und Brustwarze.
»Morgen wird das erst eine Farbenpracht werden«, sagte Greta. »Ich glaub nicht, daß etwas gebrochen ist, aber Prellungen, hab ich gehört, können noch schmerzhafter sein.«
»Wie ist das um Gottes willen gekommen?«
»Ein Ziegelstein, nehme ich an; nach der Parteiversammlung im Friedrichstadtpalast.« Greta legte sich ächzend in die Kissen, streckte die Beine, ließ sich zudecken. »Allerhand Gesindel unterwegs. Wenn es brodelt, steigt der Dreck nach oben.«
Und dachte, während Anna sich über sie lehnte: Was die für Brüste hat, was bin ich dagegen mit meinen leergesaugten.
Und sagte: »Nein, dem Witte ist nichts passiert, Sie können beruhigt sein.«
Anna sagte: »Ich möchte Ihnen eine kalte Kompresse machen.«
Greta nickte. »Handtücher sind im Schrank, im untersten Schub, aber wringen Sie das Wasser bitte aus, damit es nicht aufs Laken tropft.« Sie erschauerte, als Anna das feuchte Tuch auf das fiebrige Fleisch tat. »Ich bin manchmal zu geradeheraus, wissen Sie. Das Leben hat mir nicht immer fein mitgespielt.«
»Mir auch nicht.« Anna überlegte. »Kann ich noch etwas für Sie tun? Einen Tee vielleicht?«
»Ich meine, wir versuchen lieber zu schlafen. Sie müssen doch auch zeitig heraus.« Und da Anna wieder zögerte: »Machen Sie sich nicht lächerlich. Stellen Sie Ihre Tasche zurück in die Ecke und kommen Sie endlich zu Bett.«
Anna nickte müde. »Vielleicht haben Sie recht.« Sie begann, sich auszuziehen. Es war ihr peinlich, daß Greta sie dabei beobachtete, und sie beeilte sich.
»Fertig?« Greta knipste das Licht aus. »Dann gute Nacht.«
Sie hörte, wie das Klappbett knarrte, und dachte: Es sind die Scharniere. So hat es auch immer geknarrt, wenn er sich hinlegte, bis er bequem lag. Was hab ich mir für Illusionen gemacht, er brauchte eine Familie, er liebte die Kinder. So hab ich denn dagestanden neben ihm, wie der Stein geflogen kam; nein, das hat nichts mit ihm zu tun, das war Zufall.
»Gute Nacht«, sagte Anna, »wecken Sie mich, wenn Sie was wollen.«
Und dachte. Dem Witte ist nichts passiert, hat sie gesagt; alles andere ist unwichtig, auch wie sie's gesagt hat, als ob sie mir einen Knochen hinschmisse. Ich kann es ja verstehen.

»Ich wollte Sie schon gestern fragen«, sagte Greta, »Kinder haben Sie keine?«
Und dachte: Sie wird wohl der Frau ähneln, die ihm gestorben ist und die Lehrerin war in der Zeit vor Hitler; sie hat auch so etwas Intellektuelles an sich, von andern Sachen nicht zu reden; die Männer hängen sich immer an den gleichen Typ, was hatte ich da für Chancen.
»Mein Kind war totgeboren«, sagte Anna.
Und dachte aber nicht an das Totgeborene, sondern dachte: Morgen wird jeder gebraucht, hat sie gesagt; morgen wird sie an seiner Seite sein, nicht ich. Und vielleicht werden sie kommen, die ihn gestern mit einem Lachen umgebracht hätten und es morgen mit Vergnügen wieder täten; er kennt keine Rücksicht auf sich selbst. Ich will aber wieder ein Kind haben, und von ihm.
»Jeder trägt eben sein Päckchen«, sagte Greta.
Und dachte: Eines, das nie gelebt hat, schmerzt nicht lange, und er wird ihr schon ein Kind machen, wenn sie eins haben will; bei mir hat er sich immer in acht genommen, mir zuliebe, hab ich geglaubt, aber nun weiß ich, das war's nicht. Und ich sitze da, zu alt für Träume, zu jung für Erinnerungen. Nur morgen werde ich an seiner Seite sein, nicht sie.
»Glauben Sie, daß es morgen schlimm wird?« sagte Anna.
Und dachte: Sie kennt die Menschen, wo er arbeitet, die Welt, in der er sich bewegt; was kenne ich? Und sie erscheint so ruhig; sie hat eine innere Kraft, und was hab ich, Angst.
»Leicht wird es nicht sein«, sagte Greta. »Aber wenn wir zusammenstehen . . .«
Und dachte: Wenn sie bei ihm gewesen wäre, und sie hätt's getroffen, ob er sie dann auch von einem andern hätte wegbringen lassen, ab, fertig. Wann werde ich mich an all das gewöhnen; ich bin doch eine vernünftige Frau, das hat er selber gesagt; wahrscheinlich reden sie alle von Vernunft, wenn es soweit ist, daß sie gehen.
»Wir, damit meinen Sie die Partei? . . .« sagte Anna.
Und dachte an den Soldaten, der in ihrem Zimmer gestorben war, an die Eisblumen am Fenster, und an Witte, der auf dem Klappbett geschlafen hatte, auf dem sie nun schlafen sollte, und an das Gras am Fuße des Bahndamms und an den fahlblauen Nachmittagshimmel und an den Funkenregen.
»Selbstverständlich die Partei«, sagte Greta.
Und dachte: Da heißt es, das Leben macht einen hart. Andre vielleicht. Bei mir tut alles weh, innerlich.

Meldung des Rundfunks im Amerikanischen Sektor (RIAS), gesendet am Dienstag, 16. Juni 1953, um 23.00 Uhr und wiederholt

um 24.00 Uhr sowie am 17. Juni um 1.00 Uhr, 2.00 Uhr, 3.00 Uhr und 4.00 Uhr
Arbeiter aller Industriezweige Ost-Berlins forderten in den Abendstunden besonders nachdrücklich, daß die Ostberliner sich am Mittwoch früh um sieben Uhr am Strausberger Platz zu einer gemeinsamen Demonstration versammeln sollen. Diese Ankündigungen und Aufrufe wurden von verschiedenen Demonstrationsgruppen bekanntgegeben. Vertreter der Arbeiter und anderer Gruppen der Ostberliner Bevölkerung hoben hervor, daß die Bewegung weit über Ost-Berlin und über den Rahmen einer Protestdemonstration gegen die Normerhöhung hinausgegangen sei.

43

Mittwoch, 17. Juni 1953, 2.00 Uhr
endete die Beratung im Büro der Parteileitung von VEB Merkur. Die Teilnehmer, von der Parteiaktivtagung zurückgekehrte sowie zusätzlich von Sonneberg mobilisierte Genossen, machten sich an die Durchführung der ihnen zugewiesenen Aufgaben. Da sich nicht mit Gewißheit voraussagen ließ, wie sich die Dinge am Morgen entwickeln würden, waren diese Aufgaben sehr verschiedenartig: von der Besetzung strategischer Punkte im Betrieb, wie etwa der Hauptschaltanlage, des Dispatcherbüros, der Telefonzentrale, bis zum Tippen und Anschlagen von Bekanntmachungen über die Rücknahme der Normerhöhung. Weiter hatten die Teilnehmer einen Katalog von Argumenten erhalten, teils den Worten der führenden Genossen auf der Parteiaktivtagung entnommen, teils von Witte vor Beginn der Beratung entworfen: als Hilfe bei der Beantwortung von Fragen und bei der Entgegnung auf Zweifel und Einwände. Wittes Argumente waren in einfacher Sprache gehalten und schlugen in mancher Hinsicht ungewöhnliche Töne an; doch enthielt sich Sonneberg trotz seines Unbehagens jeglichen Einspruchs. Erst nachdem er mit Witte allein zurückgeblieben war, sagte er: »Na, wenn das mal gutgeht.«
Witte nahm sich noch einmal die Kladde vor, in der er sich die geplanten Maßnahmen notiert hatte. »Wieso – fehlt noch was?«
»Zugestanden, die Reden im Friedrichstadtpalast waren beunruhigend; aber wenn ich dich richtig verstanden habe, war von dem, was wir hier tun, nichts darin gesagt.«
Witte sah ihn müde an.
»Leg dich lieber hin«, sagte Sonneberg, auf das Sofa in der Ecke weisend.

»Später vielleicht.«
»Was wir hier tun, ist das Ergebnis nur deiner eigenen Schlußfolgerungen.«
»Ja«, sagte Witte, »das ist neu: selber schlußfolgern, selber handeln.«
»Und wer trägt die Verantwortung?«
Witte seufzte.
»Du siehst erschöpft aus«, sagte Sonneberg.
»Weiß ich. Und was machen wir mit den Toren?«
»Welchen Toren?«
»Sämtlichen.« Witte deutete auf den Grundplan von VEB Merkur, der, die Hallen, Werkstraßen, Gleise, Nebengebäude, Einzäunungen säuberlich eingezeichnet, an der Wand hing. »Wir haben ein Haupttor, vier Nebentore, zwei Gleiseinfahrten und etwa ein Dutzend andere Ausgänge.«
»Ich folge dir nicht.«
»Wichtig sind das Haupttor und die beiden Nebentore, die in Richtung Innenstadt führen. Ich habe das vorhin nicht erwähnt; aber dir sag ich's jetzt: diese Tore müssen verschlossen werden, sobald die Frühschicht im Werk ist.«
»Das sagst *du*?«
Witte rieb sich die Augen.
»Wirklich, du mußt dich hinlegen.«
»Sobald alles geregelt ist.«
»Hör zu. Heut früh noch – entschuldige, es ist schon der siebzehnte – also gestern früh noch stellst du dich demonstrativ auf die Seite der aufsässigen Kollegen, versprichst ihnen, als ihr Delegierter dich für die Rücknahme der Normerhöhungen einzusetzen, und nun willst du sie einsperren?«
»Ja.«
»Wer hat jetzt kein Vertrauen zur Arbeiterklasse, Genosse Witte? Wir sind doch nicht in Feindesland.«
Witte preßte die Fingerspitzen gegeneinander und lehnte den Kopf zurück. »Nicht in Feindesland . . .«, wiederholte er. »Und morgen früh, wenn sie von Henningsdorf und von Bergmann–Borsig hierherkommen und sagen: Streikt mit, Kollegen – wie viele von unsern Arbeitern, Genosse Sonneberg, halten dann zu uns?«
»Du wirst mich noch völlig irremachen. Wenn es tatsächlich so wäre, wen repräsentieren wir dann überhaupt?«
Ja, wen, dachte Witte. Die Klasse, die Marx und Engels einst gesichtet, die 1871 in Paris auf die Barrikaden stieg und 1917 den Winterpalast erstürmte und 1933, von heroischen Ausnahmen abgesehen, die Flagge strich? Für wen hütete man den Gral? Und wer hatte die Gralshüter ernannt?

»Wen, bitte!«
»Ich würde meinen«, Witte lächelte Sonneberg freundlich an, »die Revolution. Auch wenn den meisten zur Zeit wenig an ihr liegt, sie ist historisch notwendig. Wir vollziehen die Historie – mehr schlecht als recht, aber doch.«
»Laß das bloß keinen hören.«
»Was willst du? Es muß doch einen Sinn geben in der Weltgeschichte. Oder sollen wir zurückkehren zum Glauben an den lieben Gott?«
»Kaum.«
»Also. Dann ist unsere Aufgabe in dieser beschissenen Lage, das, was wir haben, ganz gleich, wie's uns zugefallen ist, zu verteidigen. Mit allen Mitteln. Auch mit dem Riegel am Tor.«
Sonneberg antwortete nicht.
Witte hörte das schüchterne Klopfen an der Tür und sagte: »Herein.«
Ein Bauch schob sich durch die Tür, dann der ganze Mann.
»Mosigkeit!« Sonneberg war nicht übermäßig erfreut. »Woher kommst *du* denn?«
»Von zu Haus.«
»Um die Zeit?«
»Wie ich sehe«, sagte Mosigkeit, »schlaft ihr auch noch nicht.«
»Setz dich«, sagte Witte. »Was hast du auf der Seele?«
Mosigkeit setzte sich. »Man hört dies und das. Man kombiniert, macht sich ein Bild. Ich hab gestern schon mit dir reden wollen, Kollege Witte. Aber immer warst du schon weg, wie ein Floh auf der Bettdecke.«
Witte wartete.
»Andererseits, vielleicht denk ich mir zuviel.«
»Komm zur Sache«, sagte Sonneberg.
»Eigentlich waren es auch nur ein paar Worte, zufällig aufgeschnappt.« Mosigkeit strich sich unsichtbare Krümchen vom Knie. »Und trotzdem.«
»Worte von wem?« Sonneberg wurde ungeduldig.
»Gadebusch. Pietrzuch.«
»Gadebusch«, wiederholte Witte, »Pietrzuch. Und was haben sie gesagt?«
»Daß sie dich ausschalten werden.«
»Haben sie auch gesagt, wie?«
»Ja, wie.« Mosigkeit seufzte, wobei sich die Pausbäckchen blähten. »Mit Gewalt, nehme ich an.«
Witte begann, seine Müdigkeit zu spüren. Er zwang sich, hinzuhören, mitzudenken; aber es war ihm, als beträfe die Bedrohung, von der Mosigkeit berichtete, gar nicht ihn, sondern einen dritten, ihm im Grunde gleichgültigen Menschen.

»Du bist sicher, daß du genau verstanden hast?« sagte Sonneberg zu Mosigkeit.
»Doch. Obwohl ziemlich viel Lärm ringsum war, weil der Kollege Witte sich gerade mit Kallmann herumstritt. Und dann hab ich die beiden wieder beobachtet, gestern nachmittag, in der Kneipe, und wieder haben sie vom Kollegen Witte geredet, aber wie sie merkten, daß ich hinhörte, war Schluß, und dann kam noch der Kallmann dazu.«
»Kallmann ist kein Gewaltmensch«, sagte Witte.
»Wirklich nicht?« Mosigkeit verzog den Mund. »Wie der mit seiner Frau umgegangen ist gestern . . . Und wo der Gadebusch eigentlich herkommt, und was er früher gemacht hat, genau weiß das auch keiner.«
In Wittes Kopf kreisten die Namen. Der Pietrzuch, der Gadebusch, der Kallmann, der Csisek, der Wiesener . . . Gretas Aufzählung am Tag nach dem Dampferausflug . . . und die Kasischke finden wir bei Gadebusch, in einem Gartenhäuschen hinter Friedrichshagen . . . aber das hatte er von einem andern, von diesem Hofer.
»Genosse Witte!«
Witte schrak zusammen.
Sonneberg blickte ihn an. »Ich habe dich schon zweimal gefragt: Was tun wir, wenn das wirklich ernst ist?«
»Was kannst du tun? Ich kann mir doch keine Leibwache zulegen oder mich einigeln hinter irgendwelchen Mauern . . .«
Witte nahm eine Zigarette aus der Schachtel, die Sonneberg auf dem Tisch liegen hatte, zündete sie an, bemerkte, daß ihm die Hand zitterte, und sagte: »Das wäre dann wohl alles.«
Mosigkeit stand auf, um zu gehen.
»Moment, Kollege Mosigkeit.«
Mosigkeit kehrte um und blickte fragend auf Witte.
»Du könntest uns helfen, Freund der Damenwelt und Liebling der werktätigen Bevölkerung.«
Mosigkeit grinste. »Ich dachte schon, ich wär auch für dich nur ein Clown.«
»Ein guter Clown ist ein Künstler.« Witte hustete; er hatte schon zuviel geraucht. »Ein guter Clown kann improvisieren. Ich möchte dich in den Betriebsfunk setzen: da brauchen wir jemanden, der sofort reagieren kann und dem man nicht jedes Wort vorschreiben muß.«
Mosigkeit war plötzlich heiser. »Das ist eine große Verantwortung. Aber wenn du's mir zutraust . . .«
»Geh. Meld dich unten beim Genossen Dronke.« Witte wartete, bis Mosigkeit die Tür hinter sich geschlossen hatte. Dann sagte er zu Sonneberg: »Bedenken?«

»Manchmal versteh ich dich wirklich nicht. Du willst die Tore zusperren lassen, weil du den Arbeitern so wenig traust, und dann übergibst du einem, der nicht mal in der Partei ist, den Betriebsfunk.«
Witte drückte die Zigarette aus, ging zum Sofa und legte sich nieder. Sonneberg holte eine Decke aus dem Schrank und deckte ihn zu.
»Mit den Toren« – Witte gähnte – »also wie machen wir das?«
»Ich habe dir doch gesagt . . .« Sonneberg unterbrach sich. Witte waren die Augen zugefallen; er atmete tief und regelmäßig. Sonneberg steckte seine Zigaretten ein, schaltete das Licht aus und verließ das Büro.
Bis 3.57 schlief Witte fest und traumlos. Erwachend, fand er sich auf dem Sofa liegend, die Hände über der Brust gefaltet; er war wie gelähmt. Im Zimmer war alles noch dunkel; ein erster rosiger Schimmer erhellte die Fenster.
Die Tür knarrte leise in den Angeln, eine Hand tastete nach dem Lichtschalter.
»Sonneberg?«
»Jemand hier?« fragte der Eindringling, ärgerlich eher als erschrocken.
Witte richtete sich auf. Das Licht ging an, die leeren Seltersflaschen auf dem Tisch, die Zigarettenreste in den Aschbechern beleuchtend: Stilleben nach der Debatte.
»Ich dachte, du hättest es mit der Galle«, sagte Witte.
Banggartz blinzelte. »Ach, *du* bist das. Hast geschlafen? Tut mir leid, daß ich gestört habe. Ich habe was arbeiten wollen.«
Witte suchte nach seinen Schuhen. Eine Dusche jetzt, heiß, darauf kalt, und er würde in Verfassung sein für den Tag. »Die Galle«, fragte er, »das bessert sich so rasch?«
»Ich hab den Hintern voll Zäpfchen.« Banggartz ging schleppend zum Schreibtisch, setzte sich, die Schultern gekrümmt. Tränensäckchen, Wangen, Gesichtshaut, alles hing; das dünne Haar war schlaff und glanzlos. »Man sagt, es ist schlimmer als Kinderkriegen. Und es nimmt kein Ende. Da liegst du im Bett, die Wärmflasche deine einzige Gesellschaft, und denkst nach über die Dinge. Erstaunlich, wie viele Gedanken der Mensch sich von einer Kolik zur nächsten machen kann.«
Witte fand einen Rest Selterswasser und trank, um den schlechten Geschmack auf der Zunge loszuwerden.
»Du bist allein hier?« fragte Banggartz.
»Sonneberg ist da; auch andere Genossen, soweit erreichbar. Wir hielten das für ratsam.«
»So steht es also.«
»Als ob du's nicht gewußt hättest.«

»Gut«, sagte Banggartz, »also hab ich's gewußt.«
Witte wartete.
»Also war ich ein elender Deserteur. Aber ich bin wieder hier.«
»Du bist krank.«
»Krank, gesund. In mir steckte eine Art Filter, der ließ nur durch, was zu den Begriffen in meinem Kopf paßte. Jetzt ist der Filter zerstört. Da ist die Galle eingesprungen. Bin ich also krank?«
Witte sehnte sich nach einer Tasse Kaffee.
»Im Körper denkt nicht nur das Gehirn«, sagte Banggartz, »verstehst du? Der Körper ist listig, listiger als du. Der Körper entscheidet, wo du nicht zu entscheiden wagst. Du glaubst mir nicht? Du bildest dir wohl ein, du bist ohne innere Widersprüche?«
»Ich habe nie von mir behauptet, ich wäre hundert Prozent monolithisch. Du warst immer der, der keinen Spielraum zuließ für das Variable am Menschen.«
»Monolithisch.« Banggartz wiegte den Kopf. »Das bedeutet: ganz aus einem Stück?«
»Genau.«
»Monolithisch. Ja. Und da darfst du auch nicht den kleinsten Riß zulassen, sonst bricht das Ganze entzwei.«
»Das ist deine Entschuldigung, oder wie?«
»Ich hab eine Welt gesucht, die in Ordnung ist. Ich hab Sachen erlebt als kleiner Junge, da wären andre längst vor die Hunde gegangen, und auch nachher noch. In Klump hauen alles, hab ich mir gesagt, sollen sie doch. Einmal, im Krieg, wär ich fast abgesoffen. Die andern haben geschrien und gejammert; mir war es egal. Erst nachher, nach dem Krieg, als die Partei mir erklärt hat, warum ich so gelebt hab und wie alles zusammenhängt, da war ich zum ersten Mal froh, daß ich lebe. Wenn du deinen Kurs bestimmen willst auf See, brauchst du feste Bezugspunkte; wenn du ein Mensch werden willst, genauso. Und auf einmal sind die nicht mehr fest.«
»Vielleicht stimmen nur deine Berechnungen nicht.«
»Oder ich taug nicht zum Rechnen«, sagte Banggartz.
»Auch möglich.«
Banggartz richtete sich auf. »Was ist der schwierigste Posten, den ihr habt?«
»Das Haupttor.«
»Das übernehme ich.«
Banggartz, die Hand an den Tischrand geklammert, erhob sich mühsam. Ein kranker Mann, dachte Witte, ein Versager, und an *der* Stelle. Aber vielleicht gerade darum würde er stehen.
Sonneberg, ein Tablett in der Hand, stieß die Tür mit dem Fuß auf. »Kaffee!« sagte er noch von draußen, »und Schmalzbrote.« Dann,

bereits im Zimmer: »Du bist auch hier, Genosse Banggartz?«
»Es hat ihn nicht zu Hause gehalten«, sagte Witte – der einzige Triumph, den er sich gönnte. »Ist alles erledigt?«
Sonneberg nahm die Tassen vom Tablett, goß ein. »Alles. Für jeden Punkt ein verantwortlicher Mann.«
»Für jeden«, Witte genoß den Kaffee, »sogar für das Haupttor – den Genossen Banggartz.«
»So?« sagte Sonneberg überrascht. »Na, dann . . .« Und zu Banggartz: »Der ganze Alarmzustand ist Wittes Idee.«
»Soll das ein Lob sein?« Witte stellte seine Tasse hin, trat ans Fenster, öffnete es weit und sog die Luft ein. »Wißt ihr«, sagte er schließlich, »vielleicht kriegen wir Regen.«

44

Mittwoch, 17. Juni 1953, 4.20 Uhr
flog ein großer bunter Vogel, ein Eichelhäher, beunruhigt von seinem Ast auf, stieß einen Warnruf aus und verschwand zwischen den Wipfeln der Kiefern. Etwa einhundertfünfzig Meter entfernt, wo die Chaussee, noch glänzend vom Tau des Morgens, sich durch den Wald zog, wurde ein Motor angeworfen. Eine Eidechse, die auf einem flachen Stein den ersten Sonnenstrahl erwartete, verkroch sich eilig. Zwischen zwei Kiefern zeigte sich, olivgrau, ein Geschützrohr, gefolgt von dem zugehörigen Panzerturm. Der Panzer überquerte den Straßengraben, neigte sich dabei leicht, gewann die Chaussee, zögerte eine Sekunde, als müsse er sich orientieren, und drehte sich dann scheppernd um neunzig Grad. Der ganze Wald wurde lebendig, gebar gepanzerte Fahrzeuge bestückt mit Kanonen, von deren Mündungen die schützende Hülle bereits entfernt war, mit Flak und Pak und Maschinengewehren. Die Fahrzeuge reihten sich ein, eine Kolonne, deren Ende im Dämmer des Horizonts lag, wo Kiefern und Himmel miteinander verflossen.
Oberstleutnant Bjelin, Nikolaj Nikolajewitsch, betrachtete von der Luke eines der Panzer aus Kolonne, Wald, Chaussee, Himmel. Am Himmel trieben langsam Wolken, angestrahlt von einer noch nicht sichtbaren Sonne. Vielleicht kriegen wir Regen, dachte er, und sog prüfend die Luft ein, doch die roch nur nach Auspuffgasen. Er dachte an Solowjow, der jetzt in der Redaktion sitzen würde, nervös nach durchwachter Nacht, die dunklen Augen hin und her wandernd zwischen den Telefonen auf seinem Tisch und der Tür zu dem Nebenraum, in dem die Fernschreiber tickten. Er war da anders: sein Fett vielleicht, das eine beruhigende Schicht legte zwischen sein Gemüt und die Umwelt. Er wußte aus langer Erfahrung im Krieg

und aus dem, was man so Frieden nannte – welches von beiden war ihm gefährlicher gewesen in seiner Zeit? –, daß in dem Spiel der in Bewegung geratenen Kräfte notwendigerweise der Augenblick kommt, wo der einzelne nichts mehr tun kann und nur noch spürt, wie er mitgeschwemmt wird. Er war kein Zyniker, auch wenn er sich mitunter so gab. Er fand, daß das Ganze überhaupt nur erträglich war, wenn man trotz des tödlichen Ernstes der Sache die Komik sah, die sich aus den immer wirrer werdenden Widersprüchen ergab, in deren Verschlingungen Tausende kleiner Laokoons verknotet waren, priesterlich wie dieser und lauthals verkündend, die würgenden Schlangen seien nur ein Produkt der Einbildung des Beschauers und die Widersprüche nicht existent.
Flüchtig gedachte er Wittes. Die Deutschen, dachte er, auch und besonders die Kommunisten unter ihnen, kommen ebensowenig von ihrer Vergangenheit los wie wir von der unseren: Wieviel von unsrer Einstellung zu den Dingen, unsrer Haltung den Menschen gegenüber wurde geprägt durch die Jahrhunderte zaristischer Herrschaft, wie viele unsrer Probleme wurzeln dort; und was uns Knute und Ikone, ist jenen das preußische Exerzierreglement.
Schließlich auch dachte er an Wladimir Semjonowitsch, der die Entscheidung gefällt hatte – mehr noch eigentlich an dessen Gegenspieler drüben, auf der anderen Seite; und er fragte sich, wie stark dieses Mannes Nerven wohl sein mochten und ob er begriff, daß der Aufmarsch kein Bluff war und daß es von nun an um Krieg ging oder Frieden.
Die Kiefern bewegten sich leicht im Morgenwind. Über dem rosigen Rand einer Wolke hob sich ein Flugzeug diagonal in den Himmel. Krieg, dachte Bjelin fröstelnd, Krieg, wo noch an allen Ecken die Ruinen des vergangenen den Menschen ins Gesicht starrten. Man brauchte nicht viel Phantasie anzuwenden, um das Szenario zu sehen. Was auch immer sich da anbahnte im Osten dieser geteilten Stadt, ob Streik, Demonstration, Aufstand, ob durch schuldhaftes Versagen oder schicksalhafte Verstrickung, ob organisiert oder provoziert oder spontan, es mußte zerschlagen werden, bevor es zu der großen Konfrontation am Brandenburger Tor führte.
Die Kolonne begann zu rollen, stumm, nur das Rasseln der Raupenketten war hörbar und das Rattern der Räder und ein gelegentlich aufheulender Motor. Nein, dachte Bjelin, Krieg nicht. Es gab eine Stadt namens Berlin und eine andere, die hieß Stalingrad. Und trotz aller menschlichen Torheit und Verbrechen geschah nichts in Berlin oder irgendwo, dessen Ausgang nicht bei Stalingrad vorbestimmt war.

Aus der Erklärung des Rundfunks im Amerikanischen Sektor (RIAS), gesendet am Mittwoch, 17. Juni, um 5.36 Uhr

In den letzten Wochen konnten wir ihnen, liebe Hörer, über Arbeitsniederlegungen in allen Bezirken der Sowjetzone berichten ... Aber gestern ging es nicht mehr nur um die Normen. Aus dem Protest gegen eine willkürliche Lohnsenkung wurde ein Protest gegen das gesamte Regime, daraus wurde Forderung nach freien Wahlen und nach dem Rücktritt der Zonenregierung ... Nach dem Marsch der Arbeiter durch Berlin, abends in den spontanen Kundgebungen in allen Bezirken Ost-Berlins, wurde eine Parole ausgegeben, eine Anweisung, die über den gestrigen Tag hinausging. Und die hieß: Morgen geht es weiter. Wir treffen uns morgen früh um sieben Uhr auf dem Strausberger Platz. In einigen Betrieben haben bereits in dieser Nacht die Arbeitsniederlegungen begonnen ...

Aus der anschließend gesendeten Erklärung von Ernst Scharnowski, Vorsitzender des Landesverbandes Berlin (West) des Deutschen Gewerkschaftsbundes

... als dienstältester demokratischer Gewerkschaftler und Vorsitzender des Deutschen Gewerkschaftsbundes östlich der Elbe kann ich Euch in der Ostzone und Ost-Berlin keine Anweisungen erteilen. Ich kann Euch nur aus ehrlichster Verbundenheit gute Ratschläge geben ... Die Maßnahmen, die Ihr als Ostberliner Bauarbeiter in voller eigener Verantwortung und ohne fremde Einmischung selbst beschlossen habt, erfüllen uns mit Bewunderung und Genugtuung ... Die gesamte Ostberliner Bevölkerung darf deshalb auf die stärksten und erfolgreichsten Gruppen der Ostberliner Arbeiterbewegung vertrauen ...
Tretet darum der Bewegung der Ostberliner Bauarbeiter, BVGer und Eisenbahner bei und sucht Eure Strausberger Plätze überall auf. Je größer die Beteiligung ist, desto machtvoller und disziplinierter wird die Bewegung für Euch mit gutem Erfolg verlaufen ...

45

Mittwoch, 17. Juni 1953, 5.50 Uhr

wartete der Arbeiter Csisek vor dem Haupttor von VEB Merkur auf den Arbeiter Kallmann, erblickte diesen im Gedränge, das heute größer zu sein schien als an anderen Tagen, und bahnte sich einen Weg zu ihm hin. Kallmann, die Aktentasche mit Doras Stullen und Thermosflasche unterm Arm, suchte sich der Fragesteller zu erwehren, die ihn von mehreren Seiten gleichzeitig bestürmten, ob er schon wisse und wie nun weiter. Erst wäge, dann wage, dachte Kallmann; gestern die Sauferei war schlimm genug gewesen, und danach noch die Besprechung, wer eigentlich hatte mitgeredet und

was war gesagt worden, und dann Dora zu Hause und der Junge, Dora, die schwieg und ein großes Heftpflaster trug, wo ihr die Haut geplatzt war bei ihrem Fall. Er bemerkte den Pförtner, Geiernase über Stoppelkinn, mißtrauischer Blick, und hatte ein ungutes Gefühl; auch war ihm eine Spinne über den Frühstückstisch gekrochen, Spinne am Morgen bringt Kummer und Sorgen, schließlich war das kein gewöhnlicher Morgen heute.
Csisek, der ihn endlich erreicht hatte, nachdem der Engpaß am Tor überwunden war, bedeutete ihm mit einer Kopfbewegung, ihm zu folgen. Kallmann gehorchte mürrisch: Csisek mochte etwas wissen, mehr jedenfalls als er, Csisek vertrug wohl den Schnaps auch besser, es gab Kleine, Dürre, die tranken den stärksten Mann unter den Tisch.
»Mensch«, sagte Csisek, sobald sie sich abseits des Hauptstroms der Schicht befanden, »hast du gemerkt, die Genossen sind früh aufgestanden heute; das ist dein Freund Witte, er ist wieder da und macht sich bemerkbar, ich hab ihn schon gesehen am Tor.«
Kallmann knurrte etwas Bösartiges. Die Spinne, dachte er, er hatte die verfluchte Spinne mit dem Daumen zerquetscht, direkt neben dem Brotteller auf dem Wachstuch, mit dem zernarbten Daumen.
»Eine Delegation war da«, sagte Csisek, »zwei Mann von Bergmann-Borsig, sie sind nicht ins Werk hineingegangen wegen dem Betriebsschutz am Tor, sie haben draußen mit den Kollegen gesprochen; sie streiken heute, haben sie gesagt, wir sollen mitmachen; ich hab ihnen gesagt, sie sollen verduften, wie ich den Witte gesehen hab; besser ist besser.«
Kallmann nickte ohne Begeisterung: die Sache war im Laufen; selbst wenn einer sie noch stoppen wollte, es war zu spät dafür.
»Im ganzen Werk hängen Anschläge«, sagte Csisek. »Die Normerhöhungen sind zurückgenommen, die alten Löhne gelten wieder. Gezeichnet Dr. Rottluff, Sonneberg, Witte.«
Kallmann blickte ihn an, verkniffenen Auges, und leckte sich die Lippen.
»Äußere dich gefälligst«, sagte Csisek. »Wir müssen doch was tun!«
»Das ist der Sieg«, sagte Kallmann.
»Sieg? Wieso?«
»Für was haben wir denn gekämpft? Daß die Normerhöhung aufgehoben wird. Nun ist sie aufgehoben. Oder?«
»Hör dir das an!« Csisek griff sich an den Kopf. »Als ob dieser Mensch nicht wüßte, wo er lebt. Heute geben sie nach, weil ein paar tausend Mann ihnen die Faust gezeigt haben. Und morgen? Morgen braten sie dir wieder eins über. Verpflichtungen, Wettbewerb, zu Ehren von Ulbrichts sechzigstem Geburtstag, zu Ehren des Jahres-

tags der Gründung des Vaterlands der Werktätigen, die Preise hoch, die Löhne runter, noch rationeller arbeiten, Steigerung der Produktivität, und wehe, wenn du das Maul aufmachst, Kritik ja, aber bitte positiv, sonst kannst du in Waldheim drüber nachdenken, oder in Bautzen . . .«
Kallmann kratzte sich am Nacken. Was hatte ihm Witte gesagt? Es kann aber nur aus deiner Haut kommen, hatte Witte gesagt.
»Wie lange willst du noch warten?« forderte Csisek.
»Du mußt sie wohl sehr hassen.«
»Du etwa nicht?«
Aus deiner Haut, dachte Kallmann. Aus deiner Haut die großen schwarzen Limousinen mit den weißen Gardinchen, die Extraläden mit Extrawaren, die Extravillen mit Extrawachen in Extralandschaft. Aus seiner Haut kam alles, aus seinen Knochen, und was sprang dabei heraus für ihn, was hatte er dabei zu sagen? . . .
»Also los«, sagte Csisek.
Kallmann folgte ihm.

46

Mittwoch, 17. Juni 1953, 6.25 Uhr
stand der Dreher Bartel, Olympiadematerial von 1936, wenn nicht sein Bruch gewesen wäre, inmitten einer größeren Anzahl Kollegen vor dem Anschlagbrett in Halle sieben und las zum dritten Mal schon die dort mit Reißzwecken befestigte Mitteilung von der Rücknahme der Normerhöhung. »Mann«, war die einzige Äußerung, die sich ihm entrang, »Mann, Mann . . .« Tatsächlich wußte er aus den westlichen Nachrichtensendungen des Vorabends von dieser Entwicklung, doch hatte er den Meldungen nur in begrenztem Maße Glauben geschenkt, wie er denn auch die Zusage des Genossen Witte, bei der Regierung für die Forderungen seiner Kollegen eintreten zu wollen, mit Skepsis beurteilt hatte. Nun aber war es offiziell, gezeichnet Dr. Rottluff, Sonneberg, Witte.
Der Dreher Bartel, das Gehör geschult für derlei Geräusch, stellte fest, daß nur etwa die Hälfte der Maschinen angelaufen war. Er stieß den alten Schreyer, der neben ihm eingekeilt stand und den Hals in Richtung des Textes reckte, in die Seite. Der zeigte grinsend die Zahnlücken und sagte mit Befriedigung: »Ha! . . .« Und dann: »Wenn jetzt das Material richtig rankäme und die Maschine nicht dauernd bockte, dann könnte einer was schaffen.«
»Und was würd's dir nützen?« fragte der glatzköpfige Wiesener erregt. »Wenn sie dir's mit den Normen nicht aus der Tasche ziehen, dann eben auf andre Art.« Er reckte sich hoch, gestikulierte:

»Nein, Kollegen – das ist nur der erste Schritt! So billig kommen sie diesmal nicht weg, die Genossen. Da sind noch 'ne Menge Sachen, die jetzt in Ordnung kommen müssen, bei uns hier im Betrieb, und nicht nur hier.«
Daß der Wiesener sich als ein solcher Volksredner entpuppte, erstaunte den Dreher Bartel, und er dachte: der muß ja einen heiligen Zorn im Bauch haben; aber wer hatte keinen. Wiesener erklomm den Dampfheizungskörper, klammerte sich mit der Linken ans Fensterkreuz und beschrieb mit der Rechten einen großen, seine Zuhörer, die Halle, das Werk, ja, die ganze Stadt umfassenden Kreis. »Und dafür wird schon gestreikt in der Stalinallee, und von Bergmann-Borsig haben sie hergeschickt zu uns und uns aufgefordert . . .«
Er brach ab. Durch den Gang zwischen den Maschinen kam langsam ein Elektrokarren gefahren, gesteuert von der Genossin Dahlewitz, blasses Gesicht unter ausgewaschenem Kopftuch. Der Karren hielt auf das Anschlagbrett zu. Der Karren blieb stehen.
»Wie siehst du denn aus, Greta«, fragte Bartel. »Ist dir nicht gut?«
»Ich hab eins abgekriegt von irgendwelchen Halbstarken«, sagte sie, »gestern nacht. Und was macht ihr hier?«
»Wir bereden was«, sagte Wiesener.
»Was beredet ihr?«
Plötzlich war Kallmann da. Möglich, daß er schon eine Weile anwesend war, und sie hatten es nicht bemerkt. Kallmann nahm Greta bei der Hand, väterlich. »Was werden sie bereden, Mädchen, was überall heute beredet wird: wie es weitergehen soll.«
»Gearbeitet wird«, sagte sie. »Nur so geht es weiter.«
Kallmann schien amüsiert. »Es gibt aber Kollegen, die sind da anderer Meinung.«
»Gearbeitet wird, wenn unsre Bedingungen erfüllt sind«, rief Wiesener, immer noch auf dem Heizkörper balancierend, vom Fenster her.
»Sie sind erfüllt«, sagte Greta. »Da steht es, am Anschlagbrett.«
»Kleine Fische, kleine Fische«, Wieseners Erregung übertrug sich auf die Versammelten, »und was ist mit der Demokratie, der langversprochenen, und freien Wahlen in ganz Deutschland?«
»Die Regierung ist eine Arbeiterregierung«, erwiderte Greta, »und wird auf berechtigte Beschwerden der Arbeiter hören.«
»Ach nein«, der Dreher Bartel war selbst überrascht, sich sprechen zu hören, »jetzt sind sie auf einmal in Eile, die Genossen, uns was zuliebe zu tun.«
»Jawohl, euch zuliebe – wie immer!« rief Greta. »Auch wenn ihr's jetzt nicht erkennen wollt: was die Partei tut, ist für die Arbeiter. Die Partei, das sind die Besten der Arbeiterklasse, das ist Blut von

eurem Blut, Fleisch von eurem Fleisch –«
»Mensch, Greta« – Wiesener deutete gegen seine Stirn – »der Witte hat dich doch sitzenlassen. Da hast du das Fleisch von deinem Fleisch.«
Greta versuchte zu antworten; ihre Stimme ging unter in Gelächter. Kallmann verschränkte die Arme. Das Lachen hörte auf; nur das Klatschen der Treibriemen war zu hören und das Surren und Kreischen der wenigen Maschinen, die noch liefen.
»Wir sind doch sehr geduldig gewesen, Greta«, sagte Kallmann in die Stille hinein, »das mußt du zugeben.« Er blickte sie freundlich an. »Während unsre Arbeiterregierung, wie sie jetzt selber eingestanden hat, ihre Fehler machte, einen nach dem andern, haben wir stillgehalten und haben alles hingenommen, und gewartet. Lange genug gewartet«, wiederholte er mit leicht erhobener Stimme, so daß es Bartel kalt über den Rücken lief, »nicht nur hier bei VEB Merkur, überall. Und jetzt ist es soweit. Jetzt hat es angefangen . . .« Er holte tief Atem. » . . . an der Stalinallee hat es angefangen, bei den Bauarbeitern, die mit den Normen genauso übers Ohr gehauen wurden wie wir und die genauso ausgebeutet werden wie wir von unsrer Arbeiterregierung, und ihr Ruf ist ergangen« – er sprach nicht mehr zu Greta, er sprach über sie hinweg, zu allen – »und ist gehört worden bei Bergmann-Borsig und in Hennigsdorf und in den großen Betrieben überall in Ost-Berlin, der Ruf: Streik!« Und beide Fäuste hebend: »Generalstreik!«
»Ihr seid ja verrückt.«
Das war noch einmal Greta. Aber keiner beachtete sie. Es war eine Kraft ausgegangen von Kallmanns Worten, eine innere Bewegung, die stärker wirkte als alle Bedenken. Bartel erkannte es an den Gesichtern um ihn herum und an sich selber, an dem Fieber, das in ihm war und ihm die Hitze in den Kopf trieb.
»Dem Ruf sind gefolgt unsre Kollegen bei EAW Stalin«, verkündete Kallmann feierlich, »im KWO, bei LEW Beimler, bei der BVG, wo sie dabei sind, die Arbeit niederzulegen, und die Eisenbahner wollen sich anschließen.«
Bartel lauschte der Aufzählung. Vielleicht nicht alle, dachte er ergriffen, vielleicht nicht hundert Prozent. Aber wenn auch nur die Hälfte stimmte, was für eine Macht!
»Wir sitzen alle in dem gleichen Boot«, erklärte Kallmann. »Wir haben es satt, uns von Leuten herumkommandieren zu lassen, die nicht besser sind als wir. Herrschaft der Arbeiterklasse – wir sind die Arbeiterklasse, wo herrschen wir? Diktatur des Proletariats – wir sind das Proletariat, und nicht mal unsre eigenen Löhne und Normen dürfen wir diktieren.«

Bartel stimmte ein in den heiseren Chor der Zustimmung, in dem Gretas Zuruf unterging.
»Früher, da hat der deutsche Arbeiter seine Rechte verteidigt!« rief Kallmann. »Früher, da wußte jeder:

Alle Räder stehen still,
wenn dein starker Arm es will ...«

Bartel spürte Kallmanns Hand auf seiner Schulter. »Los«, sagte Kallmann, »gehen wir.«
»Gehen wir«, wiederholte Bartel und legte seinerseits den Arm um den alten Schreyer; der begriff zwar nicht ganz, wie ihm geschah, zog aber dennoch mit, den Gang entlang, zwischen den Maschinen. Irgendwo zurück blieb Greta, blieb der Elektrokarren, das Anschlagbrett. Ohne sich umzublicken, wußte Bartel die Masse der Kollegen hinter sich; es war, als würde er vorwärtsgetragen, es lag etwas Erregendes und Befriedigendes in diesem Schwung, es war wie eine neue Frau nach jahrelangem Beischlaf nur mit der eigenen, oder wie ein echtes Pilsner nach dem faden Gebräu, das einem heutzutage vorgesetzt wurde. Von rechts schlossen sich welche an und von links welche, darunter viele, die er menschlich wie als Kollegen hoch achtete; er bemerkte Lehnert, den AGL-Vorsitzenden, unschlüssig, das Hütchen schief auf dem Silberhaar, aber dann kam er doch mit, wo alles feierte, durfte Lehnert nicht fehlen. Bartel ahnte, was nun folgen würde: Kallmann würde sie herausführen aus der Halle, und aus den Nachbarhallen würden andere treten und mitmarschieren, und so würde der Zug anschwellen von Halle zu Halle, von Abteilung zu Abteilung, und diesmal würden sie nicht haltmachen vor irgendeinem Verwaltungsgebäude und sich Reden anhören und sich vertrösten lassen von irgendeinem Witte ...
Sein Bruchband.
Das Bruchband war ins Rutschen geraten. Bartel versuchte stehenzubleiben; der hinter ihm trat ihm auf die Hacken.
»Was ist los?« knurrte Kallmann.
Bartel blickte sich scheu um. Sie waren schon zum Tor der Halle hinaus und bogen ein in die Werkstraße. Er stolperte, hatte nicht aufgepaßt auf die Schienen, das Bruchband glitt tiefer, ein Schmerz, unerträglich.
»Ich muß mal ...«
» ... verschwinden?« sagte Kallmann. »Das könnte dir so passen, abhauen jetzt, wo es ernst wird.«
Bartel erbleichte.
»Nein, mein Lieber«, Kallmann griff ihn am Handgelenk, »mitgegangen, mitgefangen.«
Mitgehangen, dachte Bartel. »Schon gut, schon gut«, sagte er, damit Kallmann ihm die Hand freigab, »ich komme ja.«

Dann steckte er die Hände in die Hosentaschen, um sein Gedärm irgendwie zusammenzuhalten, und trottete, die Schultern gekrümmt, im Gleichschritt mit.

47

Mittwoch, 17. Juni 1953, 6.35 Uhr
saß Paula Priest, Telefonistin bei VEB Merkur, vor ihrem altertümlichen Schaltschrank, verband oder trennte, je nach Bedarf, und sprach in blasiertem Tonfall die üblichen stereotypen Wendungen in die vor ihrem Kinn hängende Sprechmuschel. Zugleich experimentierte sie mit der Wirkung ihrer Formen, die unter dem sommerlich leichten Kleid sehr zu Geltung kamen, auf den Genossen Panowsky. Panowsky schluckte. Paula Priest öffnete ihre Augen extrem weit und fragte mit kindlich hoher Stimme: »Also keine Gespräche nach draußen?«
Er suchte den Blick von ihr zu wenden. »Keine.«
»Aber warum denn?«
»Aus Vorsicht.«
»Ja, ja«, sagte sie, »heut soll es ja draußen bumsen.«
Er spielte mit dem Reservehörer, den sie für ihn angeschlossen hatte. »Und woher wissen Sie das, Kollegin Priest?«
»In meiner Stellung!« Sie zupfte sich die Löckchen zurecht; das setzte die Brüste in ein neues Profil.
Er räusperte sich. »Nur wenn ich Anweisung gebe, können Sie nach draußen durchschalten.«
»Da sind Sie aber ein wichtiger Mann geworden«, sagte sie.
»Auf seinem Posten«, sagte er, »ist jeder wichtig.«
Mehrere einkommende Gespräche. Er hörte mit: Anrufe offenbar geschäftlicher Natur; das Leben ging merkwürdigerweise auch heute seinen Gang.
»Ich hör auch manchmal mit«, sagte sie. »Aber meist ist es langweilig.«
»Ich höre mit, weil es ein Kode sein kann.«
Sie lächelte ihn an.
»Ein Kode ist, wenn etwas geheim ist«, belehrte er.
»Ich weiß«, sagte sie, »ich lese auch Bücher.«
Sie liest auch Bücher, dachte er, ich habe sie unterschätzt. Sobald wieder Ruhe ist, werde ich mich um sie kümmern; man muß ihr die richtigen Bücher in die Hand geben und mit ihr darüber diskutieren, ihre Anlagen entwickeln; jeder Mensch ist uns wertvoll, wo wäre ich, hätten die Genossen sich nicht mit mir beschäftigt.
»Na, Süße?«

Am offenen Fenster ein Haarschopf, karottenrot, darunter ein pickliges Grinsen.
»Karlchen«, warnte Paula, »daß du mir draußen bleibst.«
Am Schaltschrank blinkte es auf; Paula vermittelte, sprach ihre Sprüche.
»Kollegin Priest«, fragte Panowsky, »Sie kennen den Mann?«
Paula kicherte. »Mann? Das ist doch Karlchen.«
Karlchen Mielich schwang ein Bein aufs Fensterbrett.
»Karlchen«, rief Paula, »mein Blumentopf!«
Panowsky nahm seinen Hörer vom Kopf, legte ihn auf den Schaltschrank und begab sich zum Fenster. Er war kleiner als Mielich, aber stämmiger gebaut.
Mielich saß bereits rittlings auf dem Fensterbrett.
»Karlchen«, mahnte Paula, »keine Balgerei. Der Kollege Panowsky ist dienstlich hier.«
»Klapp den Schrank zu, Süße«, sagte Mielich. »Heut ist Schluß mit dem Schalten.«
Ein Licht am Schaltbrett, wiederholt, dringlich, ein ausgehendes Gespräch. Paula führte den Stecker ein. »Ich kann Sie leider nicht vermitteln, Kollege . . . Weil es nicht geht, Kollege . . . Heut nicht . . . Heut gehen keine Gespräche aus dem Werk heraus . . . Wer sind Sie, Kollege . . . Hallo . . . Hallo . . .«
Mielich zog das zweite Bein nach. »Heute gibt's Rabatz, Süße. Was willst du hier sitzen und –«
»Hau ab«, sagte Panowsky.
»Du hast hier einen Dreck zu befehlen«, sagte Mielich.
Panowsky packte ihn am Kragen, schüttelte ihn, sprach mit jedem Stoß: »Doch – hab ich – hier – zu befehlen!«
Mielich riß sich los. »Nicht mehr lange!« Dann retirierte er hastig, sein Fuß verfing sich in den Ranken von Paulas Pflanze, der Topf zerschellte, Paula kreischte auf.
»Scherben?« fragte Witte, von der Tür her. »Was ist passiert?«
»Nichts«, Panowsky klaubte die Scherben auf, »eine kleine Auseinandersetzung, der Kerl ist schon weg.« Er hielt Paula die Pflanze hin, hilflose Geste, fast rührend.
Am Schaltschrank wurde es lebhaft. Paula, die schutzlose Pflanze neben sich, ließ das Spaghetti der Kabel virtuos durch die Finger gleiten. »Ja? . . . Bitte? . . . Hallo! . . . Sofort, der Kollege Witte ist hier . . .« Sie nahm Kopfhörer und Sprechmuschel ab und reichte sie Witte hin. »Für Sie. Der Kollege Sonneberg.«
»Witte am Apparat.«
Paula Priest schlug lässig die Knie übereinander, Witte zur Ansicht.
»Ich verstehe«, sagte Witte. »Sag Greta, sie hat richtig gehandelt, und ich danke ihr.«

Panowsky sah Wittes Gesicht und erschrak.
»Wir haben ja alles besprochen für den Fall«, sagte Witte. »Jetzt müssen wir eingreifen, bevor die Sache unkontrollierbar wird. Wegen des Tors weißt du Bescheid. Ich geh jetzt zum Funkraum, unterwegs seh ich mir die Lage noch mal an. Wenn notwendig, spreche ich dann über den Betriebsfunk. Hinterher melde ich mich bei dir . . .«
»Genosse Witte!« – warnend, von Panowsky.
Witte wandte sich um. In der Tür stand Gadebusch, bescheiden, Mütze in der Hand. »Entschuldigung – ich hätt nur gern mal telefoniert.«
»Also«, sagte Witte in die Sprechmuschel, »Hals- und Beinbruch.« Und dachte, wie lange steht der schon da, wieviel hat er mitbekommen.
Gadebusch trat näher. »Nämlich, meine Schwester liegt im Krankenhaus, die Wehen dauern schon seit gestern früh.«
»Hat meine Kusine auch gehabt«, sagte Paula Priest. »Vierundzwanzig Stunden ist noch gar nichts.«
Ausschalten, dachte Witte, ausschalten war das Wort, wenn Mosigkeit richtig gehört hatte, ausschalten, mich: der Gadebusch, der Pietrzuch . . . Aber das erschien so unwahrscheinlich jetzt, wo man den Menschen vor sich hatte, schmächtig, durchschnittliches Beamtengesicht, freundlich, fast unterwürfig.
»Wo liegt deine Schwester?« fragte Witte.
Die Lider zuckten. »In Köpenick.«
»Name?«
»Luise. Luise Reuschle.«
All das klang echt, mochte sogar wahr sein. Und doch, dachte Witte, wenn dieser nun der Mann wäre, der die Fäden hält, der Kallmann ist es nicht, der schiebt nicht, der wird geschoben, aber so einer, ein Stiller, Unauffälliger, wenn ich nur Zeit hätte, eine halbe Stunde tät's schon, aber ich muß weg.
»Der Genosse Panowsky«, sagte Witte, »wird dann mal in Köpenick anrufen, im Krankenhaus, und dir Bescheid geben.«
Gadebusch setzte seine Mütze auf. »Dann kann ich ja wieder an meine Arbeit gehen.«
»Noch eine Frage«, sagte Witte. »Wohnt bei dir eine Gudrun Kasischke?«
Die Augen, dachte Witte, gehetzt, gefährlich. Doch Gadebusch hatte sich sofort wieder in der Gewalt. »Wohn*te*«, lächelte er mit gelben Zähnen, »wo sie jetzt ist, weiß ich nicht.«
Am Schaltbrett blinkte es auf.
»Wieder für Sie, Genosse Witte«, sagte Paula Priest. »Der Kollege Mosigkeit.«

Witte wandte sich zum Schaltschrank, nahm Hörer und Sprechmuschel entgegen. »Ja, Witte . . . Ich hab jetzt keine Zeit für lange Fragen . . . Wart auf mich, ich bin schon auf dem Wege . . . Ja, sicher . . . Bis dann.«
Als er sich umwandte, war Gadebusch fort.
»Warum hast du ihn nicht gehalten«, fragte er Panowsky. »Ich wollte noch . . .«
»Ja?« sagte Panowsky.
Witte winkte ärgerlich ab und ging. Panowsky schüttelte den Kopf. Dann begann er, mit Hilfe eines Bogens Zeitungspapier die Erde zusammenzufegen, die noch unter dem Fensterbrett lag.
»Was telefonieren Sie da, Kollegin Priest?« fragte er plötzlich.
»Moment«, sagte sie, »Moment.« Und dann. »Im Krankenhaus Köpenick haben sie keine Luise Reuschle, nicht im Kreißsaal und nicht in der Gynäkologie.«

48

Mittwoch, 17. Juni 1953, 6.45 Uhr
war die Arbeit in Halle neun immer noch nicht richtig angelaufen. Die Leute schienen auf etwas zu warten; keiner wußte richtig, worauf und woher es kommen würde; der Meister Hellwege lief herum wie eine Mutterhenne auf der Suche nach ihren verlorenen Küken.
Um 6.50 Uhr stellte der Arbeiter Csisek seine Maschine ab und sagte laut und vernehmlich: »Schluß jetzt!«
Ein paar Kollegen sammelten sich um ihn.
»Schluß«, sagte der große Klaus. »Und dann?«
»In Halle sieben«, sagte Csisek, »haben sie die Arbeit niedergelegt.«
Der große Klaus schwieg, die Nachricht wog schwer. Der kleine sagte: »Die Normen sind aber doch wieder herunter.«
Andere kamen hinzu, wollten hören; einer bestätigte, daß in Halle sieben schon gestreikt wurde, ein zweiter sprach sogar von Generalstreik.
»Generalstreik«, sagte der kleine Klaus, »das hab ich auch gehört, im RIAS; im Radio erzählen sie viel, drüben wie hier.«
»Die Kollegen in Halle sieben«, sagte Csisek, »rechnen auf uns.«
Der Meister Hellwege kam angelaufen; sie ließen ihn durch. »Mach, daß du an deine Arbeit kommst, Csisek«, sagte er. »Fürs Quatschen kriegt keiner bezahlt.«
»In Halle sieben«, wiederholte Csisek, »haben sie die Arbeit niedergelegt.«
»Woher weißt du?« Hellwege hatte eine lange Oberlippe, die zu

zittern begann, wenn er in Erregung geriet. »Gerüchte verbreiten, das dulde ich nicht.«
Csisek tat empört. »Geh doch selber rüber und sieh nach!« Und an die andern gewandt: »Oder ist es vielleicht verboten, den Krempel hinzuschmeißen? Wo steht das im Gesetzbuch?«
Hellwege suchte seine Oberlippe zu beherrschen. Das war genau die Frage, die er Witte gestellt hatte, nach der Sache im Friedrichstadtpalast. Und hatte zu hören bekommen über Streiks früher und heute, hier bei uns oder drüben im Westen, ein wesentlicher Unterschied.
»Vielleicht haben sie Gründe«, sagte Csisek, »die Kollegen in Halle sieben. Und die Kollegen bei Bergmann-Borsig, und im Stahlwerk Hennigsdorf, und an der Stalinallee.«
»Trotzdem«, sagte Hellwege, »bei mir wird nicht gestreikt, nicht in unsrer Abteilung.«
»Du warst doch immer ein anständiger Mensch«, sagte Csisek, »und hast für die Kollegen getan, was sich tun ließ, und für unsere Rechte.«
Beifälliges Gemurmel.
»Dir will ja auch keiner was Übles.« Csisek griff nach dem Parteiabzeichen, das Hellwege unter dem Kittel trug, entfernte es vorsichtig und steckte es ihm in die Tasche. »Siehst du, jetzt bist du wie einer von uns. Die Kollegen wissen sehr gut, wer für die Arbeiter ist.«
Die Stimmung wurde ausgesprochen freundlich. Hellwege war nicht sicher, sollte er sich wehren oder gute Miene machen zu einem Spiel, von dem er nicht wußte, ob es böse war oder wohlgemeint.
Csisek nahm ihn beim Arm.
»Wohin?«
»Nicht weit. Kannst ja hierbleiben in deiner Halle, wenn du so willst.«
Hellwege blickte sich um. Dronke, laut Wittes Anordnung mitverantwortlich für die Halle, war nirgends zu sehen. Der große Klaus lächelte ihm zu, der kleine nickte ermunternd. Csisek schob ihn, nicht etwa gewaltsam, eher wie man einen überredet, noch auf ein Glas Bier mitzukommen.
Dann erkannte Hellwege, wohin der Weg führte: zum Hauptschalter. Der war, neben anderen Schaltern, in Manneshöhe auf eine grauweiße Platte montiert, die ganze Anlage geschützt durch ein metallenes Gitter; den Schlüssel zu dem Schloß am Gitter hatte er – nur er.
»Ein einziger Handgriff«, erläuterte Csisek, »und den mach ich. Wer will dir dann einen Vorwurf machen: kein Strom, keine Arbeit, was kannst du dafür.«
Was kann ich dafür, dachte Hellwege. Noch wurde gearbeitet, hier

und dort. Der Schlüssel war der totale Streik.
»Den Schlüssel«, forderte Csisek. »Mach kein Theater.«
Hellwege begann in seinen Taschen zu kramen. Den Schlüssel. Er dachte an seine Frau, die zu Hause lag, krank an der Leber. Wenn sie ihn hier zusammenschlugen, wer würde leiden.
»Wird's bald?«
Hellwege kramte. Die Stimmung war nicht länger so freundlich. Der große Klaus betrachtete ihn gespannt; der kleine leckte sich die Lippen.
»Los, her damit!« Befehlston.
Hellwege duckte den Kopf. Csisek selbst staunte: da war er, auferstanden, Unteroffizier Csisek von der Stadtkommandantur in Rowno in der Ukraine. »Na also«, sagte er und nahm den Schlüssel entgegen, »warum nicht gleich.«
Und sah Dronke.
Dronke hatte sich vor das metallene Gitter hingebaut; seine massige Figur verdeckte das Schaltbrett zum Teil; er blickte friedlich drein, ähnlich jenem Stier, von dem erzählt wird, daß er es vorzog, an den Blumen des Feldes zu riechen, statt sich dem Matador entgegenzustürzen.
»Laß mich da ran!« kommandierte Csisek.
Dronke, Hände in den Hosentaschen, rührte sich nicht.
»Kollege Dronke«, sagte der große Klaus begütigend, »mach Platz, du siehst doch, wie es ist.« Und der kleine fügte hinzu: »Was tut's dir weh, wenn Schluß ist für heute.«
Dronke schwieg.
»Kollege Dronke«, redete der große Klaus ihm zu, »überall streiken die Kollegen, auch du bist ein Arbeiter.« Und der kleine sagte: »Komm doch mit nach draußen, überzeug dich.«
Dronke schüttelte den Kopf.
»So sag wenigstens was!« rief Csisek, rot im Gesicht.
»Was soll einer da sagen«, knurrte Dronke. Wie diesen Menschen, die er kannte und die ihn kannten, klarmachen, was er selbst kaum verstand: daß sie von ihrem Standpunkt aus recht haben mochten, und daß er trotzdem hier stehen und die Anlage verteidigen würde bis Hilfe eintraf – oder bis sie ihn niederschlugen.
Csisek trat vor, ihn beiseite zu schieben. Dronke stieß ihn zurück: nicht mit den Händen, mit dem Bauch. Csisek wich aus, suchte an dem Bauch vorbei zu dem Schloß am Gitter zu gelangen, aber der Bauch, hart wie ein Sack Zement, war überall, zwang ihn immer wieder zum Rückzug. Csisek, wütend, trommelte mit den Fäusten auf Dronkes Brust. Er beschimpfte Dronke, Witte, die Partei, die führenden Genossen; unflätige Namen, mit denen er, in besseren Tagen, die Zwangsarbeiter von Rowno belegt hatte. Dronke wölbte

den Bauch weiter vor und ertrug die Faustschläge, deren Kraft nachließ, und die Speichelbläschen, die ihm ins Gesicht sprühten; Csisek jedoch, abgeschlagen, in Zeitnot, steigerte sich in einen Haß hinein, der ihn jede Hemmung vergessen ließ und brüllte: »Strei–i –i–ik!«
Dronke nahm die Hände aus den Taschen.
»Strei – i – i – ik!« Csisek wandte sich ab von Dronke und lief schwitzend, das Haar wirr, quer durch die Halle zum Ausgang; ihm nach, erst zögernd, dann immer rascher, die andern.
Als wenige Minuten später Dr. Rottluff in die Halle neun kam, stellte er fest, daß an insgesamt vier Maschinen noch gearbeitet wurde. Der Bericht des Meisters Hellwege war derart konfus, daß sich daraus kaum etwas entnehmen ließ. Der Arbeiter Dronke stand vor der vergitterten Schaltanlage, die Hände wieder in den Hosentaschen.

49

Mittwoch, 17. Juni 1953, 7.10 Uhr
eilte Witte zu Halle sieben, wo sich, wie Greta Dahlewitz dem Genossen Sonneberg gemeldet hatte, Unruhe, ja Streikaktionen anbahnten. Erst sehen, was dort los ist, dachte Witte, und eingreifen; danach zum Betriebsfunk: was man über die Lautsprecher redete, hing weitgehend ab von der Entwicklung in den Werkhallen.
Doch wurde er aufgehalten: ein einzelner Mann, der auf ihn zulief und gestikulierte – Teterow. Teterow, atemlos, berichtete: »Die holen – die Leute heraus – aus der Gießerei – aus Halle zwei und drei – und fünf – und neun . . .«
»Und in den andern Abteilungen?«
Teterow zuckte die Achseln.
»Halle sieben?«
»Die?« Teterow spuckte. »Die sind schon raus. Die waren die ersten.«
Witte überlegte. Der Umweg zu Halle sieben war ein Fehler gewesen; er hätte sofort zum Funkraum gehen sollen, sprechen, Stimme der Vernunft, in jedem Winkel des Werks.
»Da!« sagte Teterow.
Wo die Straße eine Biegung machte nach Halle sieben zu, zwischen Halle neun und dem Kesselhaus, kamen schon welche.
Zu spät, dachte Witte. Und dann: Dies sind nicht mir Fremde wie die gestern, und nicht auf irgendwelchen Straßen; diese kennen mich und ich sie, wir haben zusammen gearbeitet, und sie marschieren auf einer Straße im Werk.

Teterow blickte ihn an.
»Los, lauf«, sagte Witte, »lauf zu Sonneberg. Er und alle sofort zum Haupttor.«
»Und du?«
»Ich bleibe.«
»Hier?«
»Hier.«
»Allein?«
»Ja.«
»Du bist verrückt.«
»Geh jetzt, ich bitte dich.«
Teterow rannte los. Witte stand in der Mitte der Straße, links das Gleis und eine rote Ziegelwand, rechts eine Schutthalde, und dachte, man muß sie aufhalten, jetzt, bevor sie sich mit den andern vereinigen, mit denen aus der Gießerei, aus Halle zwei und drei, und fünf, und neun, und unaufhaltbar werden.
Die da auf ihn zukamen, hatten sich zu einer Kolonne formiert; an der Spitze sangen sie, Kallmann dirigierte mit erhobenem Arm –
»Brüder, zur Sonne, zur Freiheit . . .«
Irre, dachte Witte, irre. Irre auch er selber, ein Mann gegen weit mehr als hundert, zweihundert vielleicht, eine Stimme gegen Massengebrüll, große Geste, heroisch, aber zwecklos, um wieviel besser das Mikrophon, nur konnte er jetzt nicht mehr weg, sie hatten ihn gesehen, gesehen und erkannt, wenn er sich umdrehte und ging, war es schäbige Flucht.
Der Gesang zerflatterte, verstummte.
Witte sah die Gesichter: Pickel, Falten, Stoppelkinn; die Augen, unruhige, neugierige, skeptische, auch feindselige. Kallmann sagte etwas zu Bartel, der neben ihm lief; Bartel nickte. Nur Sekunden noch –
»Bleibt mal stehen«, rief Witte.
Vielleicht hatten sie ihn nicht alle gehört.
Witte tat einen Schritt auf sie zu, auf Bartel, herrschte ihn an, »Bleib stehen!«, suchte ihn an der Jacke zu packen, fahlblaue Arbeitsjacke, mehrmals geflickt, Bartel wich aus, glitt vorbei, auch Kallmann war vorbei, Witte sah den großen Klaus, den kleinen, »so wartet doch, hört doch!« sie machten einen Bogen um ihn, der große links, der kleine rechts, es war eine lächerliche Situation, er redete auf die einzelnen ein, sie ließen ihn stehen, wenn er sie griff, am Ärmel, an der Brust, schüttelten sie ihn ab, er konnte doch nicht mittrippeln mit ihnen, blaffendes Hündchen, das um Aufmerksamkeit bettelte, er sah Gadebusch, Gadebusch schien erschrocken zu sein, oder wütend, Witte brüllte ihn an, sinnlos: »Willst wohl zu deiner Schwester in Köpenick!«, und da begannen sie wieder zu singen,

Witte erkannte Kallmanns Baß, der sich immer weiter entfernte –
»... Brüder, zum Lichte empor! ...«
und dann waren es schon nicht mehr viele, die er hätte ansprechen können, sie waren vorbeigeflutet an ihm wie das Wasser am Brückenpfeiler, und die, die das alte Lied noch oder schon wieder kannten, sangen –
»... hell aus dem dunklen Verga – angnen ...«
Am Schluß kam der rothaarige Mielich, grinste, riß das Maul auf, darin eine dicke, lange Zunge –
»... leuchtet die Zukunft hervor!«
Witte stürzte sich auf ihn, packte ihn, schüttelte ihn: »Welche Zukunft! Antworte!«
Einen Moment lang war Mielich verwirrt, dann brach er in Gelächter aus, ein blödes, meckerndes Gelächter. Witte ließ ihn los. Irre, dachte er, irre.

50

Mittwoch, 17. Juni 1953, 7.15 Uhr
wartete Mosigkeit noch immer.
Er war nervös. Die stickige Luft im Funkraum legte sich ihm auf die Brust; die gepolsterte Doppeltür, die Wände mit dem sonderbaren Punktmuster schufen eine stumpfe, bedrückende Stille. Ächzend erhob er sich, stieß das Fenster auf: eine schwärzliche Wolke verdeckte die Sonne, ein plötzlicher Wind ließ Staub von den Dächern der umliegenden Hallen aufwirbeln. Hastig schloß er das Fenster wieder, lief zur Tür, öffnete. Der Korridor, in dem sich sonst immer irgendwelche Leute aufhielten, war verödet; nirgends auch nur das Tippen einer Schreibmaschine. Er trat zurück an den Tisch. Da stand die Apparatur, Knöpfe und Skalen sauber beschriftet, idiotensicher, davor das Mikrophon wenn er nun einfach anfing zu sprechen, etwa: *Die Normen sind wieder in Ordnung, seid vernünftig, Kollegen, gefährdet nicht, was ihr habt, wer hat es aufgebaut, wir selber, also.* Im Notfall nach eigenem Urteil, hatte Witte gesagt, hatte aber auch gesagt: Wart auf mich, ich bin schon auf dem Wege. Vielleicht war etwas Unvorhergesehenes passiert. Im Notfall. Wann trat der Notfall ein: wenn sie die Arbeit hinschmissen durchs Werk zogen die Fenster zertrümmerten die Genossen niederschlugen zum Tor hinausmarschierten oder wann?
Er griff nach dem Telefon.
»Finger weg, Dicker!«
Das Auge, starr auf Mosigkeit gerichtet, war aus Glas: der Kollege Pietrzuch, die gepolsterte Tür hinter sich schließend. Das andere

Auge, das lebendige, inspizierte den Raum; zwinkerte dann: »Wen wolltest du da anrufen?«
Mosigkeit rieb sich die Handflächen, die auf einmal verschwitzt waren. »Was verschafft uns die Ehre?«
»Mach jetzt keine Witze. Wir streiken.«
Mosigkeit schüttelte den Kopf.
»Wo ist Witte?«
Mosigkeit zuckte mit den Schultern.
»Du hast ihn anrufen wollen.«
Mosigkeit grinste.
»Clown«, sagte Pietrzuch, »elender.«
»Der Freund der Damenwelt«, korrigierte Mosigkeit, »der Liebling der werktätigen Bevölkerung.«
Pietrzuchs lebendiges Auge glitzerte böse. Nichts als Schwierigkeiten; dabei hatte Gadebusch es ganz einfach dargestellt. Witte wird dasein, hatte Gadebusch gesagt; Witte darf nicht über den Funk sprechen, ist das klar, unter keinen Umständen, hier ist die Pistole.
»Was hast du hier zu suchen, Dicker«, knurrte Pietrzuch.
Mosigkeit strahlte ihn an: »Das wollte ich dich grad fragen.«
Nimm das Schießding, hatte Gadebusch gesagt, zur Sicherheit; sollst sehen, wie der tanzt, wenn er das kleine schwarze Loch sieht; denen ist mit gut Zureden nicht beizukommen, die herrschen mit Gewalt, die gehorchen nur der Gewalt. Aber daß ein anderer dasein könnte im Funkraum, davon hatte er nichts erwähnt.
»Du bist überflüssig hier«, sagte Pietrzuch.
Mosigkeit schob sich seitwärts, tastete nach dem Schalter mit der Aufschrift *Mikrophon.* »Überflüssig. Warum ich? Warum nicht du?«
Pietrzuch schlug ihm auf die Finger, hart. »Weil ich dir's sage. Weil Schluß ist mit deinem Witte und den Genossen. Weil, wenn einer spricht von hier aus, dann bin ich es, verstanden?«
Mosigkeit massierte die schmerzenden Knöchel. »Und was würdest du wohl zu sagen haben.«
Pietrzuch dachte nach. Nichts. Er hatte nichts zu sagen, er war kein Redner, und seit das Granatsplitterchen ihm ins Auge gefahren war, damals bei Kursk, war er noch schweigsamer geworden. Aber er hatte seine Gedanken, und die waren bitter.
»Verschwinde«, sagte er, »das Kulturprogramm ist vorbei.«
Mosigkeit wies auf das schäbige Linoleum zu Pietrzuchs Füßen. »Siehst du das?«
»Seh ich was?«
»Hübsch bunt, nicht?« Mosigkeit bückte sich behende und hob drei Kugeln auf, eine grünglänzende, eine blaue, eine rote.
»Hast du im Ärmel gehabt. Den Trick kenn ich.«

»Paß auf!« Mosigkeit schleuderte die Kugeln hoch, eine nach der andern. »Es ist wunderbar! Es ist kolossal! Die Hand ist schneller als das Auge . . .«
Die Kugeln tanzten, formten farbige Zirkel, Ovale, Schlangenlinien. Pietrzuchs lebendiges Auge war wie gebannt, die Iris kreiste, den gleißenden Figuren folgend.
Plötzlich hielt Mosigkeit inne. Rasch hintereinander prasselten die drei Kugeln auf Pietrzuchs Schädel.
»He!« Pietrzuch war empört. »Das hätte ins Auge gehen können. In mein Glasauge!«
»Ging aber nicht.«
»Konnte aber.«
»Mensch«, sagte Mosigkeit, »sei kein Spielverderber. Gib mir die Kugeln wieder.«
»Ich hab deine verfluchten Kugeln nicht. Ich hab an anderes zu denken, heute –«
»Doch hast du sie!«
Bevor Pietrzuch zurückweichen konnte, tasteten Mosigkeits Hände ihn ab, flink wie Wiesel.
»Hände weg!«
Mosigkeit hatte ihm die Kugeln aus der inneren Rocktasche hervorzaubern wollen; aber sie entfielen ihm und rollten über den Boden: rot, grün, blau.
»Laß los!« brüllte Pietrzuch.
Mosigkeits Finger krampften sich um die Pistole, durch den Stoff von Pietrzuchs Jacke hindurch.
Pietrzuch keuchte. »Ich bring dich um!«
Irgendwie gelang es ihm, die Waffe aus der Tasche zu reißen. Mosigkeit suchte sie ihm zu entwinden; Pietrzuch umklammerte den Griff, Mosigkeit zerrte am Lauf.
Ein Schuß. Ohne Echo.
Mosigkeit drehte sich langsam um sich selber und sackte zusammen. Auf dem Linoleum bildete sich eine dunkle Lache.
Pietrzuch starrte: das Weiß in den Augen; darunter, vom Kinn bis zum linken Ohr, blutige Masse mit Knochensplittern. Er wischte sich über die Stirn, bemerkte, daß er die Pistole noch immer in der Hand hielt. Tot. Tot Willy Mosigkeit, der Freund der Damenwelt, der Liebling des werktätigen Volkes. Ein böser Geruch hing in der Luft, Schießpulver und warmes Blut und Angstschweiß; ein winziges Rauchwölkchen trieb quer über die Skalen und Knöpfe der Sendeapparatur.
Um Gottes willen, dachte er, um Gottes willen.
Und dann: Wenn jetzt einer kommt, wenn jetzt der Witte kommt und das Mikrophon anschaltet und spricht Mord hier ist ein Mensch

ermordet worden vom Kollegen Pietrzuch um Gottes willen.
Die Hand zitterte ihm, aber er schoß, schoß das Magazin leer; die Skalen zersplitterten, die Röhren zerbarsten, die Apparatur zerfiel. Dann entglitt ihm die Waffe. Er floh. Beinahe wäre er noch gestürzt, der Fuß rutschte ihm aus auf einer der Kugeln, der blauen.

51

Mittwoch, 17. Juni 1953, 7.20 Uhr
läutete das Telefon beim Pförtner.
Der Alte nahm den Hörer ab.
»Hier Sonneberg«, sagte der Anrufer. »Der Genosse Banggartz in der Nähe?«
»War eben noch hier«, sagte der Alte, und zu dem Genossen Baltusch vom Betriebsschutz, der gegen den Tisch gelehnt stand und dem Radio zuhörte, West, wo einer von den Grundrechten der Verfassung sprach und die Ostberliner Kollegen seiner brüderlichen Zuneigung versicherte, »sieh mal, ob du den Genossen Banggartz findest.«
Baltusch fand Banggartz hinter der Pförtnerbude; Banggartz hockte auf einer umgestülpten Kiste, das Gesicht verzerrt; offensichtlich litt er. Er beherrschte sich jedoch und kam sofort mit.
»Am Apparat«, sagte er.
»Laß das Tor schließen«, sagte Sonneberg.
Banggartz stöhnte.
»Ist was?«
»Nein, alles in Ordnung. Nur . . . Ist das notwendig?«
»Es ist notwendig geworden, und wir verlassen uns auf dich.«
»Aber Witte hat doch selber gesagt . . .«
»Das Tor ist die letzte Verteidigungslinie. Ich komme auch gleich hin, mit allen verfügbaren Genossen.«
Banggartz legte auf. Die letzte Verteidigungslinie, das kannte er: Krüppel, Greise, Marode, Drückeberger . . .
Der Alte wischte sich den Tropfen von der Nase. »Wollen wir?« Und ging hinaus.
Banggartz folgte ihm. Draußen war es merklich dunkler geworden, die Wolken türmten sich. Witte hatte Regen gerochen, heut früh. Wenn es doch endlich regnete, dachte Banggartz, Ströme von Regen, ein Wolkenbruch, der alles durchnäßt und die Gemüter abkühlt.
Plötzlich erschien Teterow, Hemd offen, Haar verklebt, die Ader am Hals dick, zuckend. »Ist denn das Tor noch nicht zu?«
Banggartz stellte fest, daß sein Schmerz nachließ. Sonderbar,

dachte er, der menschliche Körper.
»Das Tor!« mahnte Teterow.
Banggartz dachte an Witte. Was ist der schwierigste Posten, den ihr habt, hatte er Witte gefragt, und hatte diesen Posten übernommen, freiwillig, weil er einmal versagt hatte, obwohl es die Galle war, eigentlich, oder die Nerven, die daran schuld hatten. Banggartz begann, den einen Torflügel zuzuschieben. Am andern zerrte Teterow, unterstützt von dem Alten. Banggartz' Flügel bewegte sich nicht; das eiserne Gitter schien sich festgefressen zu haben in den verrosteten Angeln, seit Ewigkeiten war das Tor nicht mehr geschlossen worden. Banggartz blickte sich hilfesuchend um, aber vom Betriebsschutz war nur noch Baltusch da, und auch der schien sich davonmachen zu wollen. »Komm her!« brüllte Banggartz. »Pack zu!« Baltusch gehorchte zögernd. Wieder stemmte sich Banggartz gegen das Eisen; der Schweiß rann ihm über die Stirn und in die Augenwinkel und stach ihn, aber der Schmerz im Leib war fort, wie weggeblasen. »Noch einmal – ho ruck!«
Aber da war auf einmal statt des ledernen Gurts und der gestanzten Knöpfe des Genossen Baltusch der rothaarige Mielich neben ihm, hüpfte auf und nieder wie eine Kasperlepuppe und rief: »Guckt mal, wie er schwitzt, unser kleiner Stalin!«
Banggartz richtete sich auf.
Mielich zog sich zwei Schritte zurück. »Einsperren will er uns! Ja, wo ist denn jetzt deine Staatssicherheit?«
Banggartz wandte sich um. Er, sein Leib, seine Schultern füllten die Lücke zwischen den Flügeln des Tors, er ganz allein, Teterow war nicht zu sehen, der Alte auch nicht – nur die Gesichter vor ihm, Gesichter, deren er so viele kannte, von so vielen, die stets gesagt hatten: Jawohl, Genosse Banggartz, und: Bitte sehr, Genosse Banggartz, und: Selbstverständlich, Genosse Banggartz.
Er wunderte sich über die Ruhe, die in ihm war. Er wunderte sich über die Stille. Vor zwei Tagen, im Speisesaal, hatten sie gelacht, gelärmt, geschimpft; dies jetzt war bedrohlicher. Irgendwo sagte einer, Teterow wohl, mit merkwürdig dünner Stimme: »Seid ihr denn alle wahnsinnig geworden!«
Banggartz wußte, wenn je, dann müßte er jetzt sprechen. Aber die innere Ruhe wurde zur Lethargie; auch wollte ihm nichts Rechtes einfallen. Wie sprach man überhaupt zu Menschen, wie wirkte man auf sie ein? Vielleicht hab ich es nie verstanden, dachte er, und hätte besser getan, mich um die Familie zu kümmern statt um die Politik, und mit den Händen zu arbeiten statt mit dem Maul.
Die Gesichter kreisten ihn ein. Banggartz senkte den Schädel und packte die Griffe beider Flügel des Tors, als wollte er damit andeuten: Nur über meine Leiche.

»Genosse Banggartz! . . .«
Das war ruhig gesprochen, ohne Feindseligkeit. Banggartz blickte auf: Kallmann.
»Tretet mal bißchen zurück.« Kallmann machte eine Handbewegung. »Ich will mit ihm reden.«
Es entstand Raum. Banggartz holte tief Atem, und er verspürte eine große Lebensgier und eine noch größere Angst um sein Leben.
»Bei der Stimmung«, sagte Kallmann vertraulich, »das siehst du doch selber, lassen die sich nicht mehr lange zurückhalten.«
Die dunklen Wolkenmassen schienen sich auflösen zu wollen; durch einen Riß drang ein Sonnenstrahl. Wo bleibt der Regen, dachte Banggartz.
»Ich hab dir schon einmal geholfen«, sagte Kallmann. »Diesmal wird es etwas schwieriger sein.«
Banggartz lauschte. Weit entfernt irgendwo gab es Stimmen, Diskussion. Wo bleibt Sonneberg, dachte er, wo bleibt Witte?
»Ich bin kein Aufrührer«, sagte Kallmann. »Ich will nur das Beste, für die Kollegen, für den Betrieb, für alle.«
Banggartz rüttelte an den Torflügeln: sie bewegten sich nicht. Die letzte Verteidigungslinie, dachte er, wird immer geopfert.
»Für dich auch«, ergänzte Kallmann.
»Das Beste«, sagte Banggartz. »An der Spitze dieses Haufens?«
»Willst du das Beste«, sagte Kallmann, »mußt du zunächst mal das Schlimmste verhüten.«
Banggartz schwitzte.
»Und wie willst du das Schlimmste verhüten«, sagte Kallmann, »wenn du nicht an der Spitze stehst?«
»Ich bin Kommunist«, sagte Banggartz.
»Das ehrt dich«, sagte Kallmann.
Aus der Menge kamen Rufe, drängend, drohend.
»Hörst du?« sagte Kallmann. »Es ist viel Dampf entstanden, der will hinaus. Wenn der Kessel platzt, ist alles verloren. Mach das Ventil auf. Wir beide stellen uns an die Spitze . . .«
»Wir beide?«
» . . . und führen sie«, sagte Kallmann, »ein Stück die Chaussee entlang, bis zu den ersten Häusern, und um ein paar Ecken, und wieder zurück. Ist der Dampf erst mal abgelassen, wird alles wieder regulierbar.«
Banggartz blickte sich noch einmal um: da war kein andrer, der ihm hätte helfen können. Dann ließ er die Torflügel los und wischte sich mit der verschmutzten Hand über die Stirn und sagte: »Regulierbar. Meinst du?«
Kallmann hieb ihm auf die Schulter. »Was bleibt dir sonst übrig?« Und da Banggartz schwieg, verkündete er laut, unwiderruflich:

»Auch der Kollege Banggartz ist mit uns! Auch der Kollege Banggartz hat sich überzeugen lassen von unserm Recht! Lang lebe die Solidarität der Arbeiterklasse! Stoßt das Tor auf, Kollegen . . .!«
Auf einmal waren Männer um Banggartz, die er nicht kannte. Er klammerte sich an Kallmann. Die Männer hakten sich bei ihm ein, zwangen ihn an die Spitze des Zuges, über ihm schwebend ein Transparent, der Teufel mochte wissen, was darauf stand.
Banggartz sah Teterow, entsetztes Gesicht, vorbei, den Pförtner, der ihm etwas zurief, unverständlich. Der Zweck, dachte er, heiligt die Mittel; auf das Endresultat kam es an. Auch waren die Losungen, die hinter seinem Rücken gerufen wurden, zum Teil wenigstens so, daß man sie eigentlich unterschreiben konnte, und das Lied, das Kallmann anstimmte, kam aus dem Schatz alter Arbeiterlieder –

»Wann wir schreiten Seit' an Seit' . . .«

Wie viele marschierten da hinter ihm her, fragte sich Banggartz, wagte aber nicht, sich umzudrehen. Die ersten Häuser kamen in Sicht, eine Arbeitersiedlung, viele Kollegen wohnten dort, standen gaffend vor der Tür, schlossen sich dem Zug an, da sie den Parteisekretär an der Spitze erkannten. Banggartz stieß Kallmann an: »Zeit zum Umkehren.«
Kallmann sang aus vollem Halse –

»Wann wir schreiten Seit' an Seit'
und die alten Lieder si-hing-ähn . . .«

Banggartz riß sich los, lief ein paar Schritte voraus, las das Transparent: WIR ARBEITER VON VEB MERKUR FORDERN FREIHEIT UND DEMOKRATIE!
»Halt!« rief er. »Ha – a - alt!«

» . . . und die Täler widerkli-hing-ähn,
fühlen wir, es muß geli-hing-ähn . . .«

»Kallmann!« rief er, aber Kallmann war nicht zu sehen. Und dann hatten sie ihn eingeholt, und dann bekam er keine Luft mehr und hatte keine Kraft, und die Glieder waren wie Blei. Gedämpfte Stimmen, wie durch Watte hindurch: besorgte Nachfrage, was ist denn passiert; bedauernde Auskunft, das Herz anscheinend, hat sich wohl aufgeregt, legt ihn da in den Hausflur, bis der Arzt kommt, hoffentlich nichts Ernstes, der Banggartz war noch keiner von den Schlimmsten . . .

» . . . mit uns zie – ie – ieht die neue Zeit . . .«

Und dann nichts mehr.

52

Mittwoch, 17. Juni 1953, 10.15 Uhr
lief Gudrun Kasischke alias Goodie Cass, des Weges nicht achtend, niedergeschlagen, hungrig, müde, durch Straßen, die teils in unheimlicher Stille lagen, teils aber erfüllt waren vom Lärm und von der Bewegung erregter Menschenmassen. Dabei dachte sie

> *in bezug auf die Bedürfnisse des menschlichen Leibes:*
> was ist der Mensch wenn er nicht hat wohin er sich verkriechen kann und kein Geld welcher List schon bedarf es welcher Vorkehrungen um nur in Ruhe niederzuhocken den Darm zu entleeren oder die Blase von Schlaf gar nicht zu reden die Bank im Park keune fünf Minuten hasy du Ruhe und was für Gestalten na Fräuleinchen oder einfach komm ficken für ohne Geld auch noch also was bleibt der Hausflur Soldaten heißt es schlafen im Stehen was mich betrifft ich brauch die Horizontale am liebsten auf dem Bauch wenn ich nicht herankriech an meinen Fred ach Gott das war mal und nichts im Magen seit dem Schnitzel gestern was Herr Benno Siebendraht aus Karl-Marx-Stadt ehemals Chemnitz spendiert hat mir wird ganz schummrig früher wie ich weggelaufen bin von zu Haus hab ich besser hungern gekonnt ich bin verwöhnt im Club gab's immer was Delikates und bei Fred die gute Hausmannskost wo ich mich hab hüten müssen daß ich nicht zuviel freß weil ich zum Rundlichen neige soll ich doch vielleicht noch mal zu Witte obwohl an so einem Tag schon wieder kommen sie mit Gebrüll da steht dem der Kopf auch nicht *wenn nötig mit Gewalt* ja und wenn's schon passiert wäre um Gottes willen nein

»Na, Fräuleinchen?«
»Sagen Sie, wissen Sie vielleicht, wie ich am besten von hier zu VEB Merkur komme?«
»Da haben Sie Pech gehabt, Fräuleinchen; die S-Bahn streikt nämlich auch. Was wollen Sie denn dort? Ausgerechnet heute?«
»Ich hab da 'nen Bekannten.«
»Wissen Sie, was? Kommen Sie lieber mit zu mir. Ist um die Ecke. Ich hab nur ein Zimmer, klein, aber gemütlich. Und es wird auch gleich lospladdern.«
»Da muß ich eben zu Fuß hin.«
»Zu Fuß. Mit Ihren Füßen, in Ihren Schuhen? Das ist ein mächtig langer Weg, Fräuleinchen.«
»Ich bin frische Luft gewöhnt.«
»Mir sehen Sie eher aus wie eine Zimmerpflanze. Wollen Sie nicht wirklich lieber zu mir kommen? Ich brau uns auch einen Kaffee, einen echten. Sehen Sie, Sie schwanken schon.«

»Nein, jetzt geht's nicht.«
»Na schön, da marschieren Sie mal los, immer die Straßenbahn lang, und wo die Endstation ist, da fährt der Autobus, aber der fährt heut auch nicht, und dem folgen Sie dann, aber wie gesagt, mit der S-Bahn, wenn die nicht auch streiken würden . . .«
Gudrun Kasischke alias Goodie Cass machte sich auf den Weg. Um 10.25 Uhr begegnete ihr ein Trupp Jugendlicher auf Fahrrädern. Diese warfen, schrill klingelnd, Extrablätter in die Luft, welche von den Menschen auf der Straße aufgefangen bzw. vom Boden aufgelesen wurden. Es gelang Goodie, eines der Blätter in die Hand zu bekommen; eine der dicken Überschriften lautete: *Merkur-Arbeiter streiken mit!* Goodie spürte eine große Schwäche in den Knien und lehnte sich gegen die nächste Hauswand. Jemand lachte. Eine Schaufensterjalousie rasselte herunter. Eine Straßenbahn kam langsam angefahren, geriet in einen Knäuel Menschen, blieb stehen. Ein junger Mann schwang sich auf die Plattform, riß dem Fahrer die Kurbel aus der Hand, zertrümmerte lachend die Scheibe, rief: »Strei-i-i-ik!« Der Fahrer, Hände überm Kopf, stieg aus und verschwand. Irgendwo schrie jemand gellend: »Hilfe!« Goodie preßte sich gegen die Hauswand. Ein Mann kam gerannt, direkt auf sie zu. Sie hörte ihn keuchen, sah die hervorquellenden Augen, die blutende Stirn, sah die Verfolger, Knüppel schwingend. »Hilfe!« Auf der andern Straßenseite krachte es, ein Schaufenster. Rufe: »Schnaps!« Zu Goodies Füßen schlug der Mann hin. Die Verfolger prügelten auf ihn ein, traten ihn mit Füßen, schleppten ihn fort. »Stasi«, sagte jemand, »recht geschieht ihm.«
Dabei bedachte sie

> *in bezug auf die Unmenschlichkeit der Menschen:*
> ich glaub ich fang an ihn zu verstehen meinen Fred wenn man das mit ansieht möchte man nur weg dabei tun sie's im Grunde ja jeden Tag springen einander an die Kehle würgen schlagen beißen killen nur weg und ein Häuschen draußen im Grünen und Ruhe und Mensch sein doch dafür daß er Mensch sein kann abends wenigstens und sonntags würgt schlägt beißt killt der Mensch und ist unmenschlich ach bin ich arm und verloren

»Da, trink, Mädel.«
»Danke, ich kann's brauchen.«
»Meine Olle und ich, wir sagen uns, so'ne Gelegenheit kommt nicht gleich wieder, also nischt wie rin in den Laden und ran an die Flaschen, trink, Mädel, ich hab noch 'ne Pulle in der Tasche, und die Olle hat auch eine.«
»Bißchen süß.«
»Kirschlikör, steht drauf. Meine Olle, die versteht's: Flasche hoch, kippen, reinlaufen lassen. Gib her, andre wollen auch noch was. Da,

trink, Mädel.«
»Ist doch nur noch ein Rest.«
»Trink. Wo's doch umsonst ist.«
Gudrun Kasischke alias Goodie Cass wurde Teil der Menge, hierhin geschwemmt und dorthin; willenlos eher als betrunken, da war sie an andere Quantitäten gewöhnt und an Saubereres, obwohl auf nüchternen Magen auch dies gepantschte, gezuckerte Gesöff seine Wirkung hatte; wie viele Schläge, bis auch der härteste Boxer zu taumeln beginnt, und sie war durchaus nicht der sportliche Typ und trotz ihrer Herkunft und Tätigkeit sensibel. Um 10.40 Uhr sah sie die Kolonne kommen, nicht im Marschtritt, dennoch festgefügt, darüber das Transparent: WIR ARBEITER VON VEB MERKUR FORDERN FREIHEIT UND DEMOKRATIE, und sah in der vordersten Reihe des Zugs den Mann, dem sie auf der Werkstraße begegnet war, als sie Witte aufsuchen wollte, und der dann im Club gesessen hatte abends mit ihrem Fred und sie da wiedererkannte: Werkzeug des Schicksals, Ursache ihrer bedauernswerten Lage.
Dabei bedachte sie

in bezug auf die Möglichkeiten zu ihrer Rettung:
nur schleunigst verschwinden wo der ist da ist mein Fred nicht weit und dann ist endgültig gute Nacht laßt mich doch durch Leute was kann ich dafür ich hab nicht geschubst ich möcht nur schrecklich die Menschen wenn's was zu gaffen gibt drängeln sich alle nein diesmal hat er mich nicht gesehen hat in die Ferne geglotzt Kopf erhoben bedeutsam denkt wohl er ist wer weiß was aber wo ist mein Fred wenn ich eine Zeitung hätt oder von jemand den Rücken mich zu verkriechen aber ich mit meinem Glück muß ganz vorn zu stehen kommen wo die im Vorbeimarsch nur die Hand ausstrecken brauchen am besten ich wink auch und lach und brülle Freiheit nieder mit der Essehdeh nur nicht auffallen nur nicht anders sein wie die andern es kann doch nicht sein daß mein Fred nicht dabei ist wo er von Anfang an drinhängt mir wird schon wieder schummrig Winken und Rufen strengt auch an und die Aufregung da da kommt einer ein Junger Rothaariger macht Kußhändchen das fehlt mir noch wo ich nicht gesehen sein will und schert aus wo ist mein Fred

»Komm mit, Süße, du gefällst mir!«
»Ich kann nicht.«
»Warum nicht?«
»Die Füß tun mir weh.«
»Und meine Füß? Die sind zweieinhalb Stunden marschiert und in den Botten!«
»Außerdem hat's schon geblitzt. Gleich kommt der Regen.«
»Dann laufen wir barfuß. Barfuß im Regen! Wie ich klein war, bin

ich immer durch die größten Pfützen geplanscht.«
»Bin ich auch.«
»Dann komm!«
»Laß mich los. Ich will nicht!«
»Heut kriegen wir die Freiheit. Heut ist alles erlaubt.«
»Nicht wenn mein Mann uns sieht. Der schlägt mir den Schädel ein, und dir auch.«
»Und wo ist dein Mann?«
»Bei euch im Zug. Marschiert mit.«
»Ich hab auch kein Glück heut, Süße.«
»Ich auch nicht.«
Ein Blitz, blendend; unmittelbar darauf der Donner.
»Das hat eingeschlagen«, sagte jemand.
Und dann setzte der Regen ein. Während Goodies neuer Freund sich den Rockkragen hochschlug, entwischte sie ihm und entschwand im Regen. Der Regen durchnäßte binnen Sekunden alles und verdeckte die Sicht. Der Regen trieb die Menschen auseinander, ersäufte ihre Leidenschaften, verwässerte ihre Gefühle.
Um 10.55 drückte sich Gudrun Kasischke alias Goodie Cass in einen schützenden Hausflur, schüttete das Wasser aus ihren Schuhen und wrang sich das nasse Haar aus.
Dabei bedachte sie

in bezug auf was nicht in den Karten ist:

da wird es wohl aus sein mit Witte ich hätt ihm was Beßres gegönnt versucht hab ich ja was ich konnte aber was nicht in den Karten ist kann keiner hineinmogeln nicht mal in die eignen wofür ich der Beweis bin rätselhaft ist mir nur wo mein Fred steckt die ganze Zeit an mir ist er nicht vorbeigekommen also war er nicht dabei bitte hat er immer gesagt sollen andre den Ruhm haben ich nehm das Bier aber sich bei dem Spaß absentieren das hat besondere Gründe nun was geht's mich an einmal hab ich mich eingemischt unnötigerweise und was frag ich hat's mir eingebracht

53

Mittwoch, 17. Juni 1953, 11.30 Uhr
betrat der einschlägig vorbestrafte und in entsprechenden Kreisen auch unter dem Namen Prinzessin bekannte Edgar Ziesel, gefolgt von Harry der Hasenscharte und dessen Freund Walter Syballa, die Lebensmittelverkaufsstelle 144 der staatlichen Handelsorganisation (HO).
Zu der Zeit drängten sich in dem für die Kundschaft vorgesehenen

Areal der Verkaufsstelle bereits Personen verschiedener Art, und zwar in so beängstigendem Maße, daß die Verkaufsstellenleiterin, die Kollegin Wenzel, ihre Gehilfin Anna Hofer besorgt fragte, ob man nicht besser daran täte, die Leute zum Weggehen aufzufordern und den Laden zu schließen, oder doch wenigstens die beiden Bilder aus dem Schaufenster zu entfernen, welch alles Anna im Gedanken an Martin Witte mit dem Hinweis ablehnte, man habe auch gestern trotz größter Befürchtungen seitens der Kollegin Wenzel die Verkaufsstelle offengehalten und recht dabei gehandelt, an die Bilder aber käme man jetzt sowieso nicht heran, und sei nicht die Kollegin Wenzel gerade wegen dieser Schaufensterdekoration besonders belobigt worden?

Die oben erwähnten, die Verkaufsstelle mit dem Dunst ihrer regennassen Kleidung erfüllenden Personen setzten sich zusammen:

zu etwa 50 Prozent aus Vorsorglichen, zumeist Frauen, die geleitet waren von dem Gedanken, daß bei Streik, Demonstrationen, Aufruhr usw. die auch im besten Fall angestrengte Versorgungslage völlig zusammenbrechen möchte; wobei Erinnerungen an die letzten Kriegsmonate die Besorgnisse steigerten;

zu etwa 30 Prozent aus Hungrigen, größtenteils Mitläufern der Demonstrationszüge, auch neugierigem Volk, das sich gesammelt und auf Straßen und Plätzen gejubelt bzw. seinem Ärger Ausdruck gegeben hatte; denn nichts regt den Appetit so an wie körperliche Bewegung in frischer Luft, und die wenigsten hatten daran gedacht, ihr Frühstücksbrot in die Tasche zu stecken, bevor sie sich aufmachten, die bestehende Ordnung zu erschüttern;

zu etwa 20 Prozent aus vor dem Unbill des Wetters Geflüchteten, die, dem schützenden Dach zuliebe, eine Kleinigkeit zu erstehen durchaus gewillt waren; der Regen fiel draußen noch immer, wenn auch nicht mehr wolkenbruchartig, und hielt die in der Verkaufsstelle Anwesenden davon ab, diese zu verlassen, selbst nachdem sie bereits bedient waren, so daß mit einem Abflauen des Andrangs vorläufig nicht zu rechnen war.

Nach seinem Eintritt kämmte sich Ziesel, obzwar beengt, das ihm vom Regen an den Schädel geklatschte Haar und gewann währenddessen einen Überblick über die Situation in der Verkaufsstelle. Sodann beauftragte er Harry die Hasenscharte, Raum zu schaffen. Die Hasenscharte tat dies, indem er trotz sofort lautwerdender Proteste die Leute mit starken, schwimmstoßartigen Bewegungen beiseite stieß und so eine Passage für seinen Chef freimachte. Der nun begab sich, freundlich lächelnd, hin zum Ladentisch; gleichzeitig beorderte er Syballa durch einen kurzen Wink, über den Ladentisch hinwegzusteigen und dahinter Aufstellung zu nehmen,

zwecks Überwachung des Personals. Den Einwand Annas, »Was haben Sie hier zu suchen, machen Sie, daß Sie wegkommen«, tat Ziesel ab, indem er Folgendes erklärte:
»Ich bitte die Anwesenden, sich nicht durch uns behelligt zu fühlen; wir haben nicht die Absicht, irgend jemandem zu nahe zu treten, wir möchten uns nur für einiges schadlos halten. Auch wäre es nicht ratsam, nach der Polizei zu rufen, denn erstens hat die Polizei heute andere Sorgen, und zweitens hat der Sportsfreund Harry hier gegen die Bullen ein starkes, in seinen persönlichen Erfahrungen begründetes Vorurteil.«
»Bullen«, blökte die Hasenscharte, »hau ich kaputt.«
An Anna gewandt sowie an die Kollegin Wenzel und die beiden weiblichen Lehrlinge, die sich ängstlich aneinanderdrängten, fuhr Ziesel fort: »Nun zu Ihnen, meine Damen. Sie haben einen sauber eingerichteten Laden hier, den Sie sicher nicht beschädigt sehen möchten, mit hübschen Bildern im Fenster, Karl Marx, und wie hieß der andere doch?« Erfreut über seinen Lacherfolg, wiederholte er: »Einen sauber eingerichteten Laden. HO. Wie man sieht, gibt es hier noch Güter des täglichen Bedarfs, wenn auch zu überhöhten Preisen. Wie der Volksmund sagt, HO schlägt uns KO. Oder?«
Sein neuerlicher Lacherfolg wurde durch Anna gestört, die vermittels eines rückwärtigen Ausgangs das Freie zu gewinnen suchte, von dem hart zupackenden Syballa aber an ihrem Vorhaben gehindert wurde.
»Die Spezialität von Sportsfreund Walter dort«, erläuterte Ziesel, »ist es, sich mit Damen zu beschäftigen. Bei mir dagegen überwiegt das künstlerische Interesse; so fielen mir die Porträts im Schaufenster auf, vor allem wegen ihrer liebevollen Ausführung. Aber auch Verse mag ich sehr. Harry! Sag dein Gedicht auf.«
Die Hasenscharte legte die Stirn in Falten.
»Ab mit – «, soufflierte Ziesel.
Im Blick der Hasenscharte dämmerte Verständnis; er hob den Kopf und sagte auf:

»Ab mit Bart und Brille,
das ist des Volkes Wille!«

Diesmal hatte die allgemeine Heiterkeit einen etwas beklommenen Unterton, der Ziesel veranlaßte, zum Punkt zu kommen. »Gestern noch war ein weiterer Sportsfreund mit uns«, sagte er, »ein netter, anständiger Junge, mit nur einer Leidenschaft: Ringkampf. Wenn irgendwo in der Stadt gerungen wurde, Herren, Damen, auf trockenem Boden oder im Schlamm, Terry war dabei. Aber vergangene Nacht fielen rote Terrorbanden über ihn her, und jetzt liegt er im Krankenhaus, den Schädel in dicken Verbänden – «
»Totschlagen hätten sie ihn sollen«, bemerkte Anna.

»Sagen Sie das nicht, junge Frau!« warnte Ziesel und zerrte an seinen überlangen, knochigen Fingern, daß die Gelenke knackten. »Oder wünschen Sie, daß Sportsfreund Walter sich wirklich mit Ihnen beschäftigt?«
Dann wandte er sich ruckartig dem Publikum zu: »Wir werden jetzt Geschenke sammeln für unsern verletzten Sportsfreund; es hat wohl keiner der Anwesenden was dagegen einzuwenden? . . . Harry, sammle ein!«
Mit einem Satz war die Hasenscharte über den Ladentisch, riß, was er greifen konnte, von den Regalen und stopfte es in den offenen Sack, den sein Freund Syballa ihm hinhielt. Die Wenzel brach in lautes Jammern aus: »Und wer trägt die Verantwortung? Dabei habe ich Ihnen gesagt, Anna. Aber Sie haben sich ja geweigert. O Gott o Gott.« Anna versuchte, der Hasenscharte in den Arm zu fallen. Der stieß sie zurück, daß sie taumelte. Syballa packte sie, drehte ihr die Arme hinter den Rücken. Der Schmerz benahm ihr die Sinne, und sie erlebte das Weitere undeutlich, zusammenhanglos, wie in einem bedrückenden Traum: empörter Aufschrei, »Die klauen ja alles!« –, Rufe, »Und wir?« – »He, teilt mal!« – »Her damit!«; allgemeines Handgemenge, umkippende Regale, zerklirrendes Glas; Männer, Frauen, ein jeder seine Beute umklammernd, Dosen, Würste, Päckchen, Flaschen; ausgleitend auf zermatschtem Kompott, vertreuten Bonbons, verschüttetem Likör, stolpernd, fallend; zertretene Finger, zerkratzte Gesichter, zerfetzte Kleider; Geschimpf, Gezeter . . .
»Die Bullen!«
Die Hasenscharte sprang auf einen Ladentisch, wies in die Gegend und brüllte: »Die Bullen!«
Darauf Panik. Alles stürzte blindlings zur Ladentür und keilte sich dort fest. Die Hasenscharte, besessen von der Vorstellung auf ihn zustürmender Ordnungshüter, ergriff die schwere metallene Registrierkasse und schleuderte diese durch das in Tausende spitzer Fragmente zersplitternde Schaufenster hinaus aufs Pflaster, wo die Kasse zerbarst und einen Segen von Sprungfedern, Zahnrädern, Münzen und Papiergeld um sich herum verschüttete. Dann stieg er, selig lächelnd, durch das zertrümmerte Schaufenster ins Freie; das herrenlos umherliegende Geld aber hatte eine solche Anziehungskraft, daß die in der Ladentür eingekeilten Menschen, Sektpropfen ähnlich, auf die Straße hinausschossen, gefolgt von dem Rest der bis zu dem Moment in der Verkaufsstelle Eingeschlossenen.
Als Anna etwa anderthalb Minuten später aus dem Laden trat, lagen auf dem Trottoir nur noch zerstampfte Reste des Kassenmechanismus. Der Regen hatte aufgehört. Den Fahrdamm entlang kam schleppenden Fußes ein Trupp Arbeiter.

54

Mittwoch, 17. Juni 1953, 12.00 Uhr
kamen die Reste des Demonstrationszugs von VEB Merkur in unmittelbarer Nähe der zerstörten HO-Verkaufsstelle 144 zum Stehen.
August Kallmann scherte aus, um die Kolonne, wenn sie noch so zu bezeichnen war, zu überblicken. Von denen, die mit ihm zusammen ausgezogen waren, befand sich kaum noch ein Drittel beisammen; der Regen hatte das Transparent fast unlesbar gemacht; über allem lag, deutlich spürbar, eine trübe, dennoch aber merkwürdig gespannte Stimmung.
Daß dieser und jener auf dem langen Marsch ins Stadtinnere verlorengehen mochte, damit hatte er gerechnet, besonders da ein Stück des Wegs durch den Westen führte. Aber daß so viele verschwunden waren, den Regen benutzt hatten, sich zu verlaufen, war ein böses Zeichen. Und Gadebusch.
Kallmann verkniff den Mund. Gadebusch war nicht erst nach, sondern schon vor dem Regen abhanden gekommen. Die Kunst des Führens, hatte der Genosse Quelle gesagt, bestand darin, daß man führte, und nicht, daß man sich den Schädel einschlagen ließ. Der Rat hatte ihm, Kallmann, gegolten; wie nun aber, wenn Gadebusch, Zeuge des Gesprächs, sich das Wort gleichfalls hinter die Ohren geschrieben hatte? Wie, wenn Gadebusch, bei seinen Verbindungen, bereits informiert war, daß die Schädel der Streikführer sich in Gefahr befanden?
Bevor Kallmann den beunruhigenden Gedanken weiter verfolgen konnte, gesellten sich ihm zu: die Kollegen Csisek und Wiesener, der Kollege Bartel, der alte Schreyer, der große und der kleine Klaus. Bartel, der erhebliche Schmerzen litt, beabsichtigte, Kallmann ein paar grundsätzliche Fragen zu stellen; doch der kleine Klaus kam ihm zuvor: »Hast du eigentlich eine Ahnung, Kollege Kallmann, wohin der Marsch geht?«
»Wohin, wohin«, Kallmann war ungehalten. »Das wird sich ergeben.«
Der große Klaus, sonst gutmütig und geduldig genug, lehnte sich auf: »Du meinst, du hast gar kein Ziel?«
»Da sind wir gelaufen«, erregte sich Bartel, »den ganzen Morgen, durch Staub und Hitze und Regen, und wenn ich nur mal austreten wollte, wegen meinem Bruchband, hast du gesagt: bleib gefälligst; und in einem Flugblatt, wo auch keiner weiß, wo's herkam, stand was über uns gedruckt; und im Westen haben sie uns Stullen gereicht und Bier; und jetzt sind wir im Zentrum, und du sagst, du hast nicht gewußt, wo's hingeht?«

Kallmanns Wut auf den verschwundenen Gadebusch stieg. »Was wollt ihr von mir! Hab ich allein gehandelt? Vielleicht weiß es der Csisek! Oder der Wiesener!«
Csisek spuckte aus. »Ich hab nur gewußt: Raus aus dem Betrieb. Das war doch wohl richtig.«
»Goldrichtig!« Wiesener erboste sich. »Denen mal zeigen, daß sie nicht mit uns können, wie sie so wollen.«
»Ich seh nur, daß die Leute ein Geschrei machen und hierhin laufen und dorthin«, sagte der alte Schreyer, »und die Läden einschlagen. Also wissen die auch nicht, wo's lang geht.«
»Bitte«, konzedierte Kallmann, »ziehen wir zur Leipziger Straße, zur Regierung. Oder zum Zentralkomitee.«
»Regierung! Zentralkomitee!« Csisek lachte hohl. »Die sitzen doch längst draußen in Schönefeld und warten auf das Flugzeug nach Moskau.«
»Und die Russen«, fragte der alte Schreyer, »die hauen auch gleich mit ab?«
Aus dem Obergeschoß eines Hauses schmiß jemand eine rote Fahne auf die Straße; ein paar Halbwüchsige fingen sie auf, zerbrachen die Stange, zerfetzten das Tuch.
»Die Russen sehen doch, wo das Volk steht«, sagte Wiesener.
Der kleine Klaus wies auf die zerstörte HO-Verkaufsstelle. »Die Russen sehen, daß alles drunter und drüber geht.«
»Wo gehobelt wird, fallen Späne«, zitierte Csisek einen Ausspruch aus seiner großen Zeit.
Kallmann blickte hinüber zu den Scherben in der Fassung des Schaufensters der Verkaufsstelle 144. Das eine Bild war umgekippt; das andre stand noch, vertrauter Bart, vertraute Mähne. Wenn genug Arbeitergroschen beisammen sind, hatte der Vater gesagt, und genug Arbeiterstimmen, dann würde der Sozialismus kommen, den der Mann auf dem Bild vorausgesagt hatte. Wann war alles schiefgegangen, vor dem Regen oder nachher?
»Wir sind dir gefolgt, Kollege Kallmann«, sagte der kleine Klaus, »weil du schon so lange im Betrieb bist und selber mit aufgebaut hast und Vertrauen genossen hast bei so vielen . . .«
» *Ihr* seid *mir* gefolgt?« Kallmann richtete sich auf, mißverstandener Prophet. »Hab ich euch gebeten? Wer hat denn streiken wollen und nach Freiheit geschrien und Demokratie!«
Csisek suchte zu besänftigen. »Immer mit der Ruhe. Ist doch alles bestens. Wir haben denen einen Denkzettel verabreicht, und das Volk ist aufgestanden, und so, wie die Dinge waren, werden sie nie wieder sein . . .«
Kallmann schüttelte den Kopf. Die ihn hier umdrängten wie die Ziegen die Heuraufe brauchten einen, dem sie alles aufbürden

konnten – und dafür sollte er herhalten. »Ich«, erklärte er, »habe immer zur Mäßigung gemahnt; versucht ja nicht, die Schuld auf mich zu schieben. Was habe ich denn gewollt? Ich will den Sozialismus so sehr wie irgendeiner . . .«
Er brach ab: zweckloses Gerede. Er sah die Reste der zertretenen Fahne, sah die Scherben vor dem Laden, Papierfetzen, Metallteile; nirgends auch nur ein Schatten von Polizei oder gar Truppen; dafür wuchs das Gewirr auf den Straßen, es war, als wälzte sich ganz Ost-Berlin ins Zentrum der Stadt, lärmend, böse, nach einem Ventil suchend für lang aufgestaute Gefühle.
Und sah die Frau, die aus dem zerstörten Laden trat, der ehemals weiße Kittel zerrissen, das Gesicht gezeichnet von Schreck und Widerwillen. Die kenn ich doch, dachte er, und sah sich selber aus der Wohnung hastend, in der Witte sein Zimmer hatte, und im trüben Licht des Treppenhauses diese Frau am Arm eines Kerls.
Auch sie schien ihn zu erkennen.
Er ging hin zu ihr, rieb sich die Hände an der blauen Arbeitsjacke ab, die er immer noch trug, und sagte: »Wir sind uns schon begegnet.«
»Ja«, sagte sie. »Sie kamen gerade von Herrn Witte.«
Kallmann nickte. »Ein gescheiter Mann, der Kollege Witte.
Aber es hat ja keiner hören wollen auf ihn. Ist Ihnen was passiert? Brauchen Sie Hilfe?«
»Wo ist Ihr Kollege Witte?«
Er bemerkte, daß ihre Lippen zitterten, und wußte plötzlich, daß Witte ihr etwas bedeutete, und ärgerte sich: warum hatte er zu ihr hinlaufen müssen.
»Was haben Sie ihm getan?«
»Ich?«
»Sie. Ihr alle.«
Die klagte schon an, dachte er, obwohl er noch gar nicht vor Gericht stand. »Ich?« wiederholt er, und dann, gereizt: »Was fragen Sie mich? Bin ich sein Hüter? Ich bin kein Funktionär, ich bin nicht verantwortlich, ich bin ein einfacher Arbeiter.«
Jemand machte sich an dem Schaufenster zu schaffen.
Kallmann ließ Anna stehen. »Her mit dem Bild!«
»Was denn, was denn«, sagte Ziesel, »noch ein Kunstfreund?«
»Das ist ein Bild von Karl Marx!« sagte Kallmann.
»Na und?«
Kallmann spürte die Blicke seiner Kollegen. »Karl Marx«, sagte er überlaut, »das kapierst du nie, du, du . . .«, er suchte nach dem geeigneten Wort, » . . . du Lumpenproletariat!«
»Lumpen – was?« sagte Ziesel, und pfiff gellend. Die Hasenscharte kam angeprescht, von der andern Seite her Syballa. Ziesel ließ das Bild fallen. Die Finger, spinnenhaft, griffen nach Kallmanns Kehle.

Kallmann stieß sein Knie hoch. Ziesel japste, krümmte sich, preßte die Hände gegen den Unterleib und ging stöhnend zu Boden; die Hasenscharte und Syballa schleppten ihn ab.
Kallmann hob das Bild auf und brachte es Anna. »Hier«, sagte er, »das ist Volkseigentum.«
Zum ersten Mal betrachtete Anna das Bild, an dem sie tagtäglich vorübergegangen war, mit Bewußtsein. Der Bart war sehr genau gezeichnet, jedes einzelne Härchen.
»Wollen Sie's denn nicht haben?« drängte Kallmann.
»Der Rahmen ist zerbrochen«, sagte sie.
»Dann behalt ich's eben«, sagte er.
Und ging.

BEFEHL des Militärkommandanten des sowjetischen Sektors von Berlin
Betr. Erklärung des Ausnahmezustandes im sowjetischen Sektor von Berlin
Für die Herbeiführung einer festen öffentlichen Ordnung im sowjetischen Sektor von Berlin wird befohlen:
1. Ab 13 Uhr des 17. Juni 1953 wird im sowjetischen Sektor von Berlin der Ausnahmezustand verhängt.
2. Alle Demonstrationen, Versammlungen, Kundgebungen und sonstige Menschenansammlungen über drei Personen werden auf Straßen und Plätzen wie auch in öffentlichen Gebäuden verboten.
3. Jeglicher Verkehr von Fußgängern und der Verkehr von Kraftfahrzeugen und anderen Fahrzeugen wird von 21 Uhr bis 5 Uhr verboten.
4. Diejenigen, die gegen diesen Befehl verstoßen, werden nach den Kriegsgesetzen bestraft.

Militärkommandant des sowjetischen Sektors
von Groß-Berlin
gez. Generalmajor Dibrowa

55

Mittwoch, 17. Juni 1953, 12.15 Uhr
fuhr Witte auf einem geborgten Fahrrad, Marke Diamant, Baujahr 1938, Besitzer ein unbekannter Arbeiter von VEB Merkur, durch die Straßen der Innenstadt.
Ich hol sie zurück.
Hatte er gesagt. Große Worte nach stundenlanger hektischer Kleinarbeit: ermutigen, ermahnen, reorganisieren, ordnen, umdisponieren, improvisieren, damit der flackernde Pulsschlag des Werks nicht gänzlich erstarb. Große Worte, um das eigne Versagen zu

überdecken und das lastende Gefühl zu betäuben, daß ein andrer hatte sterben müssen an seiner Statt.
Ich setz mich aufs Fahrrad und hol sie zurück.
Du wirst jetzt hier gebraucht.
Jetzt schon nicht mehr.
Wie willst du sie finden.
Eine ganze Kolonne verschwindet nicht.
Du hast sie nicht aufhalten können, als sie noch hier waren im Werk.
Inzwischen ist Zeit vergangen.
Was will das besagen.
Man muß es trotzdem versuchen.
Er hatte sie nicht überzeugt, weder Sonneberg noch Dr. Rottluff; nur Greta hatte Vertrauen gezeigt, hatte gesagt, als er sich das nächstbeste Rad griff:
Wenn einer, dann du.
Wie lange war das her? Wie viele Male hatte er angehalten, gefragt, habt ihr nicht gesehen, von VEB Merkur, ein langer Zug, und gesagt bekommen, woher sollen wir, so viele sind unterwegs, aber vielleicht, welche sind dortlang marschiert, die könnten's gewesen sein, mußt eben versuchen, Kollege.
Daß einer sein Rad so verkommen lassen konnte! Jeder Tritt aufs Pedal schmerzte das kranke Bein, das Herz schlug ihm im Halse, der Schweiß rann ihm den Rücken herab, obwohl die Vorgewitterschwüle sich verflüchtigt hatte. Aber das alles war zu ertragen. Unerträglich war das Bild, das ihm immer wieder vors Auge trat: die Saat von Zähnen und Knochensplittern in der dunkelroten Masse zerfetzten Fleischs, das kurz vorher noch ein Gesicht gewesen war. Und dann der Geruch, der einen verfolgte, Mischung von Blutdunst und Pulverdampf, süßlich und beizend zugleich. Den Pietrzuch hatten sie später gefunden. Blöd vor sich hin stierend mit dem einen lebendigen Auge, irrte der Mann durchs Werk, redete mit sich selber, ständig das gleiche: Ich nicht, ich war's nicht, ich hab's nicht gewollt. Mehr war von ihm nicht zu erfahren.
Und dann die Fragen, logisch, eine sich aus der andern ergebend: Warum den Mosigkeit umlegen, der Harmlosesten einen? Und wenn nicht für Mosigkeit, für wen dann war die Kugel berechnet? Für ihn selber? Wem war bekannt, daß er um die Zeit eigentlich im Funkraum sein wollte, um von dort aus zu sprechen? Sonneberg wußte, Panowsky wußte, dann die Kleine am Schaltschrank – und Gadebusch.
Wieder Gadebusch.
Aber jetzt nicht in den Fehler verfallen, nur weil man einen Verschwörer zu kennen glaubte, das Ganze als Verschwörung zu

sehen. Tausende von Arbeitern verschworen sich nicht; das waren Bewegungen anderer Dimension: und wir, die wir uns Marxisten nennen, sollten erfassen können, woher solche Bewegungen kommen und wohin sie treiben, und ihren Verlauf zu beeinflussen suchen mit unseren Mitteln.
Da war ein neues Geräusch gewesen.
Er stieg ab, um besser zu hören. Das war nicht das ferne Echo erregter Rufe, nicht Marschtritt, nichts Menschliches überhaupt: ein Rasseln eher, ein Rattern, dumpf, bedrohlich – jetzt wieder verstummt.
Unsere Mittel?
Er raffte sich auf, trieb sich zur Eile. Mittel, Notwendigkeiten, was auch immer . . . *Ich hol sie zurück:* wieviel Zeit blieb noch?
»Herr Witte!«
»Ja?«
Er wandte sich um: junge Frau, trotz ramponierten Zustands deutlich attraktiv, kam auf ihn zu, die Hand ihm entgegengestreckt, zögerte, blieb stehen.
»Woher wissen Sie, wie ich heiße, Fräulein?«
»Aber Herr Witte! . . . Sie leben. Es ist Ihnen nichts passiert. Das ist die Hauptsache.«
Verrückt, dachte er, verrückte Begegnung, verrückte Person, alles war verrückt heute, und Mosigkeit war tot.
»Finden Sie das so außerordentlich, Fräulein, daß ich lebe?«
Sie lächelte. »Sie kennen mich nicht mehr?«
»Ich muß gestehen . . .«
»Ist auch kein Wunder. Sie haben sich nicht so verändert, seit wir das letzte Mal; dieselben Augen, derselbe Zug um den Mund; aber ich. Was war ich damals, eine Bauerntrine, die nicht gewußt hat, wie sich zu bewegen, ein Pummelchen. Entschuldigen Sie, ich rede so viel, und alles durcheinander; das kommt, weil ich mich so freu, daß ich Sie endlich getroffen habe, und Sie leben; ich hab mir große Sorgen um Sie gemacht, Herr Witte, und hab Ihnen helfen wollen; Gott sei Dank, das ist nicht mehr nötig; eher wär jetzt ich an der Reihe . . .«
»Sie wollten mir helfen? Auf welche Weise?«
»Ich sehe schon, Herr Witte, Sie wissen immer noch nicht. So ist das im Leben. Was dem einen ein Augenblick, vorbei und vergessen, das bleibt dem andern für immer, er kann nicht los davon. Sie sind damals vom Grab Ihrer Frau gekommen, Herr Witte, und auf der Straße dann, da haben Sie mich getroffen und haben mich angesehen, so . . . so . . . Eine Zigarette hätten Sie wohl nicht zufällig?«
»Die kleine Gudrun! Gudrun Kasischke . . . Oder auch Goodie Cass.«

»Jetzt wissen Sie's.«
Er zog ein zerknülltes Paket Zigaretten aus der Tasche, hielt es ihr hin, gab ihr Feuer. »Sie waren mir anders beschrieben worden.«
»Von den Herren in Ihrem Betrieb?«
»Elegant, westlich, ein bißchen Halbwelt.«
»Und jetzt sehen Sie das verschmierte Gesicht und die Laufmaschen und die aufgeweichten Schuhe und wie ich ausseh nach diesem Regen und einer Nacht im Hausflur und noch einigem.«
»Hausflur?« Er blickte sie an. »Ich dachte, Sie wohnen in einem Gartenhäuschen, bei Gadebusch.«
Sie zog den Rauch in die Lungen, hustete. »Nicht mehr.« Dann versuchte sie zu lachen. »Ich hab mich wirklich verändert, Herr Witte, auch im Kopf. Ich war so dumm gewesen, damals, ich hab nicht gewußt, was ich getan hab, und warum.«
»Das ist schon so lange her.«
»Sicher, aber es bedrückt einen eben doch. Und wie ich zufällig erfahren hab, daß Sie in Berlin sind, und wo Sie arbeiten . . .«
»Von Gadebusch?«
» . . . da hab ich mir eben gesagt, ich komm mal vorbei. Bei Ihnen zu Haus bin ich auch gewesen. Das sind ja Leute, bei denen Sie wohnen, die können einem das Gruseln beibringen. Und hier treffe ich Sie nun, einfach so, auf offener Straße, bei dem Tohuwabohu. Schicksal, nenne ich das.«
Schicksal, dachte er. Und darum die Verdächtigungen; Banggartz, Sonneberg in Aufruhr; das Verhör mit Ewers . . . »Aber Sie haben sich die ganze große Mühe doch nicht gemacht, sind zu VEB Merkur gekommen, haben mich zu Haus aufgesucht, nur um mich mal wiederzusehen. Sie haben doch selbst gesagt . . .«
Sie blies den Rauch durch die Nase.
»Wie lange kennen Sie Gadebusch denn eigentlich?«
»Gadebusch, Gadebusch! Mein Fred ist jetzt nicht mehr wichtig. Sie hatte plötzlich Tränen in den Augen. »Daß Sie leben, Herr Witte, das ist wichtig. Und das ist genug für mich.«
»Warum haben Sie sich solche Sorgen gemacht um mein Leben, Gudrun, nach so vielen Jahren? Hat das mit Gadebusch zu tun? Erzählen Sie mir doch . . .«
»Ich bin ja so froh.« Sie schniefte, schluckte. »Sie verzeihen mir also, Herr Witte?«
»Wofür denn?«
»Für damals.«
Das Rattern wieder, jetzt schon deutlicher.
»Kleine Gudrun« – er nahm sie bei den Schultern, hielt sie einen Moment lang fest –, »ich muß jetzt fort. Aber Sie kommen zu mir, in den Betrieb, morgen schon, und da reden wir über alles, über

damals, über heute, über Sie und, wenn Sie wollen, auch über Ihren Fred . . .«
»Jetzt hab ich keine Angst mehr.« Sie nickte. »Herr Witte?«
»Ja?«
»Sie hätten nicht zufällig ein paar Mark, die Sie mir borgen können?«
»Ach ja – Sie haben das ja erwähnt, die Hilfe.« Er zog sein Portemonnaie aus der Tasche; viel hatte er nicht bei sich; er gab ihr den größten Schein.
»Sie kriegen's auch ganz sicher zurück, Herr Witte.«
»Nicht nötig.« Er stieg aufs Rad. »Bis morgen.«
Sie hob die Hand, kleines Winken zum Abschied, und blickte ihm nach. Dann nahm sie ihr Taschentuch, wischte sich die Augen und schneuzte sich.

56

Mittwoch, 17. Juni 1953, 12.30 Uhr
erblickte Witte den Arbeiter Bartel. Dieser bog eilig um eine Ecke, steuerte zwischen den zahlreichen Menschen hindurch, die Fahrdamm und Gehsteig bevölkerten, auf einen Hauseingang zu und verschwand darin. Witte bremste scharf, hielt an und folgte Bartel, das geborgte Rad neben sich herschiebend.
Der Hausflur, der sein geringes Licht durch die bunten Butzenscheiben der zum Hinterhof führenden Tür erhielt, war leer, doch ließ sich im rechten Winkel zum Flur der Anfang eines Treppenaufgangs erkennen, aus dessen totalem Dunkel ein wohliges Stöhnen drang, Zeugnis ungeheurer Erleichterung. Bald darauf trat der Arbeiter Bartel aus dem Dunkel, gewahrte den auf ihn wartenden Witte und sagte überrascht:
»Wo kommst du denn her!«
»Und was hat dich hierhergeführt?« fragte Witte.
»Der Mensch wird sich wohl noch sein Bruchband in Ordnung bringen dürfen!« protestierte Bartel. »Ein Westbruchband muß man haben, sagt meine Frau auch immer, dann passiert so was nicht. Lauf du mal durch halb Berlin, wenn dir das Gedärm in die Hosen hängt.«
»Hättest ja nicht laufen brauchen.«
»Ha!« Bartel hob die Hände. »Da hat der Kollege Kallmann schon aufgepaßt, daß du mitgelaufen bist. Jetzt ist er ja nicht mehr da. Weg ist er, mit dem Bild unterm Arm.«
»Was für ein Bild?«
»Was weiß ich. Irgendein Bild, aus irgendeinem Laden, den sie

zertrümmert haben.«
»Also Kallmann ist weg. Und wo sind die andern?«
»Du willst doch nicht . . .«
»Doch, ich will. Und du führst mich hin.«
»Das überleg dir lieber, Kollege Witte, das geht nicht gut aus. Den Banggartz haben sie auch –«
» – zusammengeschlagen?«
»Ich nicht. Ich habe beide Hände gebraucht, mein Bruchband zu halten. Aber die Kollegen haben eben eine Wut im Bauch, und jetzt, wo alles durcheinandergeht und keiner mehr sicher ist, was er eigentlich will, jetzt erst recht.«
»Los, komm.«
Bartel zerrte an seinem Hosenbund. »Ohne mich. Mir reicht's. Ich hab mich abgesetzt.«
»Komm, hab ich gesagt.«
Sie gingen, Witte die Hand an der Lenkstange des Rades. Bartel, wortkarg geworden, wollte wissen, wie es im Betrieb stehe, und nickte nachdenklich, als er erfuhr, daß gearbeitet wurde. Von irgendwo kamen Rufe: »Nieder mit den Preisen! Freiheit!« Bartel stimmte ein, bedingter Reflex, erinnerte sich dann, an wessen Seite er schritt, und sagte müde: »Man weiß schon überhaupt nicht mehr . . .«
Auf einmal war da wieder das Rattern.
Bartel erschrak. »Was war das?«
»Leg einen Schritt zu«, sagte Witte. »Wir haben keine Zeit mehr zu verlieren.«
»Dort«, sagte Bartel.
Witte sah den zerstörten Laden und schüttelte den Kopf, um den Eindruck loszuwerden, als hätte er das alles schon gesehen. Dann schälte sich aus dem Gewirr auf der Straße eine zusammenhängende Gruppe heraus – seine Leute.
Sie machten ihm bereitwilliger Platz, als er erwartet hatte.
»Wo ist Gadebusch?« fragte er.
Keine Antwort.
»Der Kollege Witte sagt, im Betrieb wird gearbeitet«, sagte Bartel.
»Wo ist Csisek?« fragte Witte. »Wo ist Wiesener?«
Keine Antwort.
»Der Kollege Witte sagt, er will mit uns reden«, sagte Bartel.
»Wer ist dann noch da«, fragte Witte, »von denen, die euch hierhergeführt haben?«
»Muß denn immer einer führen?«
Witte wandte sich um, erkannte den Sprecher. »Also du, Lehnert.«
»Daß ihr immer denkt, alles muß organisiert sein und einer muß an der Spitze stehen.« Lehnerts Silberhaar, sonst so sorgfältig gebür-

stet, fiel ihm wirr über die Stirn; das Filzhütchen war ihm verlorengegangen. »Und wenn kein Funktionär da ist und kein Leiter, mit dem ihr reden könnt, nur die Arbeiter, da staunt ihr.«
»Mann, Lehnert«, beschwor Witte, »wenn ihr euch jetzt nicht besinnt, wo ihr hingehört, dann ist es zu spät.«
»Ist das eine Drohung?« Lehnert hielt Witte die geballte Faust vors Gesicht. »Ich habe in der Gewerkschaft gearbeitet so gut wie du. Ich weiß, wo ich hingehöre – an die Seite meiner Kollegen.«
»Und wenn sie in die falsche Richtung marschieren?«
Lehnert schwieg störrisch.
»Gehen wir«, sagte Witte. »Es ist höchste Zeit.«
»Wohin?« fragte Mielich.
»Zurück«, sagte Witte, »ins Werk.«
»Da kannst du lange warten«, spottete Mielich. »Wir sind raus aus dem Käfig; uns sperrst du nicht mehr ein.«
»Sieh dich doch um!« sagte Lehnert mit einer Armbewegung. »Ganz Berlin steht hinter dem Streik – und du willst, wir sollen zurückgekrochen kommen ins Werk.«
»Wo sonst willst du hinkriechen – zum Feind?«
»Wer ist jetzt der Feind?«
»Wir Arbeiter haben immer den gleichen Feind.« Wittes Ton wurde hart. »Wenn du das nicht weißt, was weißt du?«
Klirren und Scheppern. Witte spürte, wie es ihn kalt durchrieselte. Er sah Lehnerts Blick, die plötzliche Furcht in den Augen.
»Für den deutschen Arbeiter ist Politik nicht das Gegebene«, ließ der kleine Klaus sich vernehmen. »Unsereins sieht da nicht durch, und wer sitzt am Schluß im Dreck? Wir.«
Mielich lachte gellend. »Ach, ihr Helden! Jetzt will's keiner gewesen sein, ihr seid alle nur mitgelaufen.« Das klang hysterisch. »Immer dasselbe! Immer die gleiche Scheiße!« Er griff in die Taschen, warf Händevoll Zigaretten in die Luft, krümmte sich vor Lachen, da die andern sie zu haschen suchten. »Jawohl, ich war mit von der Partie. Der Mensch will auch mal seine Freiheit haben, und mir hat's großen Spaß gemacht! Euch andern natürlich nicht – euch hat das Herz geblutet dabei. Zeig mal die Taschen, Lehnert: woher sind deine Taschen so geschwollen?«
Lehnert stürzte sich auf Mielich, schlug auf ihn ein, wild. Mielich, grinsend, wehrte ihn ab. Lehnerts Wutanfall erschöpfte sich. »Da!« Er lehrte seine Taschen. »Zwei Tafeln Schokolade für die Kinder, eine Tüte Kakao.« Er schmiß die Tafeln zu Boden, die Tüte, zertrat beides sorgfältig. »Also hab ich mir was in die Tasche gesteckt. Und was hat man uns aus der Tasche gezogen?«
Eine Frau, zerrauftes Haar, lief vorbei, schreiend: »Die Russen!« Die Straße geriet in Bewegung.

»Kommt«, Witte griff sein Rad fester, »los!«
Und tatsächlich folgten im welche. Doch schon an der nächsten Kreuzung blieb alles stecken; von rechts drängten die Menschen heran, von links: »Die Russen! Die Russen!« Es gab kein Vorwärts, kein Zurück; Schreie, Flüche; Verwirrung; und über allem das heisere Dröhnen und Rollen und eine helle, harte Sonne.
Irgendwo wurde Witte das Rad entrissen. Dann waren fremde Gesichter um ihn. Und dann sah er den zerstörten Laden wieder und erkannte, welcher Laden es war, und zugleich schob sich vor seinen Blick, wie ein grausiges Farb-Dia, der Freund der Damenwelt, der Liebling der werktätigen Bevölkerung, das zerrissene, blutige Fleisch.
Wie er sich durchschlug durch die von Panik gepackte Menge bis hin zu dem Eingang, blieb ihm unklar; auch erinnerte er sich nicht, nach Anna gerufen zu haben; sicher war nur, daß er nach einer Zeit, die ihm als sehr lang erschien, ihre Stimme hörte: »Wie siehst du denn aus, Martin, setz dich doch.«
Er spürte ein Glas an seinen Lippen. Er saß auf einem Schemel zwischen umgestürzten Tischen und zerbrochenen Regalen und trank in hastigen Schlucken, Wasser, und wischte sich das Kinn.
»Still ist es hier«, sagte er.
»Ja«, sagte sie, und nahm ihm das Glas ab, »jetzt ist es still.«
»Und draußen, die Stille.«
»Ja«, sagte sie.
Er wies auf die spitzen, glitzernden Scherben, die noch am Schaufensterrahmen hingen. »Eiszapfen im Juni. Ist dir auch so kalt?«
»Ja«, sagte sie.
Er stand auf und nahm sie bei der Hand und ging mit ihr zur Tür. Ein Panzerwagen, von der Kreuzung her kommend, fuhr langsam die Straße entlang, auf dem Fahrzeug etwa ein Dutzend Sowjetsoldaten, behelmt, sehr jung.
Er rieb sich die feuchten Augen, entschuldigte sich: »Das grelle Licht . . .« Und dann, ärgerlich: »Ich bin, scheint's, sehr überreizt.«
»Pst – Kollege Witte!«
Witte wandte sich um.
In der Tür zum Hinterraum ein Gesicht, Fältchen, freundlich verzogen: der alte Schreyer. Der alte Schreyer kam zwischen den Trümmern hindurch auf Witte zu, lächerlicherweise auf Zehenspitzen, verdrehte die Augen süßlich und sagte: »Das Fräulein war so nett . . .«
Hinter ihm tauchte der kleine Klaus auf und dann der große und schließlich der Arbeiter Bartel, den Hosenbund hochziehend.
»Das Fräulein war so nett und hat uns aufgenommen«, sagte der alte

Schreyer. »Man weiß ja nie: vielleicht wird geschossen . . .«
Witte schwieg.
»Ja, ja, Kollege Witte«, sagte der kleine Klaus, »wie es so heißt, Schuster bleib bei deinem Leisten«, und der große Klaus fügte hinzu: »Wer mit dem Feuer spielt, verbrennt sich leicht die Finger.«
Der Arbeiter Bartel aber hob den Kopf und erklärte: »Ich sag immer, *ein* Schöpfer hat uns alle geschaffen; nur ist der Mensch sein eigner schlimmster Feind.«
Witte seufzte. »Dann könnten wir ja gehen.«
Anna blickte ihn an.
»Komm mit, Anna«, sagte er. »Ich möcht nicht, daß du jetzt allein bleibst.«

57

Mittwoch, 17. Juni 1953, 13.00 Uhr
schritt der Arbeiter Kallmann durch die Straßen der Innenstadt, unterm Arm das lädierte Bild des Begründers des wissenschaftlichen Sozialismus und genialen Führes des internationalen Proletariats, Karl Marx. Nicht achtend der Menschen um ihn herum und des Schepperns der stählernen Laufräder an den Panzern, dachte er über sich selber nach.
Mittwoch ist heute, dachte er, da gibt's Bratkartoffeln. Jeden Mittwoch Bratkartoffeln, weil das Leben seinen geregelten Gang gehen muß: der Mann kommt nach Haus von der Schicht, und die Küche riecht nach Bratkartoffeln, und der Junge sitzt schon am Küchentisch, der arme Idiot, und starrt auf das Wachstuch. Nur ich werd nicht dasein, diesen Mittwoch, und keinen Mittwoch mehr, für mich werden andre die Regeln machen, irgendwo im Knast. Das kommt davon, dachte er, wenn einer sich verlocken läßt und abgeht von seinen Grundsätzen. Mein ganzes Leben lang hab ich ehrliche Arbeit geleistet für ehrlichen Lohn und die Familie redlich ernährt und meine Prinzipien gehabt; sogar der Herr Heyse, der Oberbuchhalter in den schwierigen Jahren damals, hat das anerkennen müssen, und hat gesagt, daß er mir als Mensch Respekt zollt; aber den Kopf in die Schlinge stecken, freiwillig, das habe ich nie getan, das konnte keiner erwarten, schließlich will jeder überleben, wer kann ihm das verübeln.
Nie, dachte er, nur heute.
In der Schlinge, dachte er, steckt der Mensch immer allein. Wie hatte der Genosse Quelle gesagt? – unsre Leute sind überall. Feine Leute: ich durfte der Anführer sein, der vor allen hermarschiert; sie aber blieben im Hintergrund, ein Bein in der Demonstration, das

andre schon auf dem Sprung. Dabei, dachte er, kann ich nicht mal behaupten, ich wär nicht gewarnt gewesen. Wie der Genosse Witte mich in der Klemme hatte, schon da haben sie sich totgestellt, schon da haben sie zugelassen, daß ich zum Gespött wurde vor der halben Belegschaft.
Ich war gewarnt, dachte er, warum hab ich's trotzdem getan. Wenn genug Arbeitergroschen beisammen sind und genug Arbeiterstimmen, daran hat der Vater geglaubt; aber dann sind andere Zeiten gekommen, und der Herr Heyse hat mit mir geredet, und nach Herrn Heyse der Offizier, der russische, in der verschwitzten Bluse. Deins, hat er gesagt, und hat auf die kaputte Drehbank gezeigt, das ist jetzt deins. Ich hab's gleich nicht haben wollen, ich hab gewußt, da ist ein Haken dabei. Und dann wurde es meins, und war doch nicht meins.
Woran soll unsereiner noch glauben. Ich, dachte er, will den Sozialismus genauso wie andere; und ein so guter Sozialist wie die, die ständig davon predigen, bin ich mindestens; und wenn ich Dreck an meinem Stecken hab, was haben andere an ihrem? Woran glauben. Immer der Druck und die Gewalt und die Gewalttätigkeit, die einen plündern und besaufen sich, und die andern fahren die Panzer auf; warum setzen sich die Regierungen der Welt nicht zusammen und lassen die Menschen abstimmen darüber, was sie wollen; die Menschen haben die Hände zum Arbeiten, nicht zum Morden.
Im Grunde bin ich ein Idealist, dachte er. Was für ein großartiges Gefühl war das gewesen, dachte er, wie wir losgezogen sind heut früh, für die Freiheit, und was für eine Kraft von innen. Der Banggartz mußte allerdings abgehängt werden, da half nichts. Für die Freiheit, dachte er, sind sie alle, behaupten sie. Was ist Freiheit – was kaufen können für sein Geld, was zu bestimmen haben über das eigene Leben; ich bin nicht einer, der Programme aufstellt, ich bin immer nur ein einfacher Arbeiter gewesen, und jetzt steh ich allein da, den Kopf in der Schlinge, wie bin ich dazu gekommen. Vielleicht gerade weil ich den Sozialismus wollte und das Beste für alle, jawohl, Kollegen, dafür bin ich marschiert, ich August Kallmann, und dafür marschier ich jetzt, mit dem Bild von Karl Marx,

»Brüder, zur Sonne, zur Freiheit . . .«

marschier ich, mutterseelenallein, auf breiter leerer Straße, nur meinen Schatten mit mir, schräg im Licht . . .
Er erblickte den anderen Schatten, ungeheuer.
Weg, dachte er, weglaufen. Aber dann dachte er: Nein, ich bin Sozialist, ich hab ehrlich gearbeitet mein Leben lang; kein roter Panzer hat das Recht, mich plattzuwalzen; täten sie's, um so schlimmer für die Kommunisten.

Der andere Schatten schob sich heran.
»Brüder, zur Sonne . . .«
Das Lied erstickte. Kallmanns Blick flatterte. Das Blut schwand ihm aus dem Gehirn und sackte ihm in die Glieder, so daß er sich nicht mehr rühren konnte. O Gott o Gott, dachte er, was mache ich hier ich werd elend krepieren o Gott o Gott gib das es ein Alptraum ist und daß ich aufwache in meinem Bett bei Dora . . .
»Schlafen Sie, Bürger?«
Der Schatten stand still.
Ein sowjetischer Offizier, Lederhelm schief auf dem Kopf, schwang sich aus der Luke und ließ sich vom Panzer herab.
»Sie sind« – der Offizier suchte nach dem Wort – »lebensmüde?«
»Ich bin Sozialist.«
»Trotzdem, Bürger, Sie stehen im Weg.«
Kallmann riß sich mit der freien Hand das Hemd auf. »So schießen Sie doch!« Und da der Offizier nicht reagierte, »Deins. Habt ihr damals gesagt, jawohl, wie ihr das erste Mal kamt. Deins! Warum erschießt ihr nicht einfach uns alle.«
»Sie sind – Kunstmaler?«
Kallmann kratzte sich das Büschel grauer Haare auf der Brust.
»Zeigen Sie.«
»Das Bild gehört mir.«
»Herzeigen!«
Kallmann gehorchte, hielt aber den Rahmen fest.
»Karl Marx«, nickte der Offizier, »gut.« Und dann: »Sie sind vielleicht ein wenig – wie sagt man – durcheinander. Kommen Sie, Onkelchen.« Er überließ Kallmann das Bild, nahm ihn bei der Hand und führte ihn, wie man ein müdes Kind führt, auf den Gehsteig.
Kallmann wollte protestieren, aber es fiel ihm nichts Stichhaltiges ein, und er sah stumm zu, wie der Offizier kehrtmachte, auf seinen Panzer zurückkletterte, etwas in die Luke hineinsprach, abfuhr.
Nichts, dachte Kallmann, nichts haben sie mir getan. Beiseite geschoben haben sie mich, abgebürstet, eine Schuppe am Rockkragen. Da hat man den Kopf riskiert, in vorderster Reihe, weiß keiner, was das gekostet hat – und nichts. Die Nächte, die man wach lag, die Ängste, die Bedenken, die Selbstüberwindung – und nichts. Ein Leben voll Müh und Arbeit, das große Vertrauen bei den Kollegen – und nichts. Der Haß, gegen die, gegen einen selber – und nichts. Der eignen Frau ins Gesicht geschlagen, das eigne Gewissen betäubt, die eignen Prinzipien verraten – und nichts. Damals, wie der Offizier kam und sagte: Deins, das ist deins – da war man noch wer. Jetzt: nichts, eine Null.
»Die Panzer!«
Irgendwo waren sie umgekehrt, die Panzer, und die Leute liefen vor

ihnen her. Kallmann hatte keine Lust mitzulaufen; warum sollte er fliehen, er konnte tun und lassen, was er wollte, ihm passierte nichts, er war eine Null, endlich hatte er seine Freiheit, die absolute, unbegrenzte Freiheit, die Narrenfreiheit, den Jagdschein, hurra! Aber wer scherte sich darum. Das Bild hoch überm Kopf wie eine Ikone in der Schlacht, wurde er mitgewirbelt und mitgerissen; links geisterte ein großes Schild vorbei, zerkratzt, beschmiert die schwarz-rot-goldnen Farben; dann eine Brücke, Steilufer, ein Kanal, stilles schwarzes Wasser; und wieder ein Schild: *You Are Entering the American Sector.*
Der Druck ließ nach. Die Menschen atmeten auf, wischten sich den Schweiß vom Gesicht, verliefen sich. Am Ostberliner Ende der Brücke stand ein sowjetischer Panzer, bewegungslos, wie ein Mahnmal.
»Willkommen in der Freiheit«, sagte eine altjüngferliche Stimme. Kallmann, der auf dem Bordstein hockte, das Bild neben sich, blickte auf. Ein Gesicht, blaßrosa, lächelte ihm zu, schwarze kleine runde Augen, vor Erregung glänzend, musterten ihn erwartungsvoll.
»Sie würden doch eine schöne Tasse Kaffee mögen?«
Die Dame hob eine Kanne und goß braune Flüssigkeit in einen Pappbecher. Kallmann, zu müde, um aufzustehen, streckte den Arm aus. Dann trank er; das Zeug schmeckte fade: Muckefuck.
»Ganz schrecklich«, sagte die Dame, »die armen Menschen drüben, es ist ja wie im Kriege. Ich war Krankenschwester im Krieg, da bekam man was zu sehen. Wissen Sie, das ist ein eigenartiges Gefühl, sie schneiden einem Mann das Bein ab, ritsch-ratsch, und dann hält man das Bein im Arm, noch ganz warm, wie lebendig. Aber Sie haben gewiß viel durchgemacht, reden Sie nur, erleichtern Sie sich, ich habe volles Verständnis. Ich bin jetzt im Genuß einer kleinen Rente; von meinem Seligen ist auch noch was da; ich komme aus. Wenn man dagegen bedenkt, die armen Menschen drüben, und geschossen wird: Helden sind das. Was ist denn das für ein Bild, das Sie da haben? So ein schöner Mann; mein Seliger hatte eine Stirn wie der, und genau solche Augen, bloß keinen Bart. Der Rahmen ist angeknackst, und das Glas hat einen Sprung, aber das Bild ist ganz, darauf kommt es an; Sie haben es gerettet vor denen, Sie können stolz sein auf sich, auch Sie sind ein Held –«
»Schluß!« brüllte Kallmann.
Die Dame wich zurück. »Aber –«
Kallmann ließ den Pappbecher fallen und erhob sich schwerfällig. Die Dame schrie mehrmals erschrocken auf, vogelartige Laute; sie glaubte wohl, der Mann aus dem Osten, verrückt geworden nach seinen Erlebnissen drüben, wolle ihr etwas antun. Kallmann jedoch ergriff das Bild, überquerte leicht schwankenden Schritts den Fahr-

damm, erreichte das Geländer am Steilufer des Kanals und warf das Bild ins Wasser.
Weißes Viereck auf dunkel spiegelnder Fläche, schwamm es ein paar Sekunden, bevor es lautlos versank.

58

Mittwoch, 17. Juni 1953, 14.00 Uhr
machte die Genossin Greta Dahlewitz, mit einem schweren Schraubenschlüssel bewaffnet, ihren Rundgang um ein am Ende des Fabrikgeländes von VEB Merkur befindliches Lagerhaus; ein weiterer Wachposten, der Genosse Roeder, umschritt den langen, scheunenartigen Ziegelbau in entgegengesetzter Richtung, so daß beide einander in Zeitabständen von etwa drei Minuten immer wieder begegneten, einmal auf der dem offenen Feld zu liegenden Seite des Lagerhauses, das andere Mal auf der Ladeplattform neben dem Gleisanschluß, wo seit vorgestern zwei leere Güterwagen der Reichsbahn warteten. Bei diesen Begegnungen sprach Roeder dann wohl ein paar Worte, meist allgemeiner Natur, oder er lächelte ihr zu, oder nickte auch nur; stets aber, das fiel Greta auf, richtete er es so ein, daß ihr die heile, linke Hälfte seines Gesichts zugekehrt war.
Diese Rundgänge, geplant und durchgeführt mit militärischer Präzision, waren Roeders Idee gewesen; auf solche Weise, hatte er ihr erklärt, war einem Anschlag auf die hier gelagerten Werte am besten zu begegnen. Er spielt wieder Krieg, dachte sie, die Männer neigen zu so was; dabei sollte gerade er genug haben davon. Auch der Schraubenschlüssel stammte von ihm. Er hatte das Ding extra aus dem Werkzeugkasten seines Lastkraftwagens geholt und ihr in die Hand gedrückt; hatte dabei, versehentlich oder auch nicht, ihre Finger berührt und war rot geworden wie ein Schulbub, allerdings nur linksseitig; und war er nicht auch noch sehr jung, jünger als sie, mit siebzehneinhalb hatten sie ihn eingezogen und nicht lange danach war ihm das mit dem Gesicht geschehen: wir sind alle verkrüppelt, dachte sie, so oder so, ein Volk von Krüppeln.
Er kam wieder auf sie zu, den Kopf halb zur Seite gewandt, in der Hand das Brecheisen, seine Waffe.
»Zigarette, Greta?«
Sie akzeptierte, verschluckte sich am Rauch, mußte husten, entschuldigte sich: »Ich rauch nur ausnahmsweise.«
»Und trinkst auch nicht.«
»Selten. Bei zwei Kindern bleibt nicht viel übrig für Alkohol.«
»Aber ich trinke.« Immer den Kopf im Profil. »Ich sperr mich ein in mein Zimmer und besauf mich.«

»Ich verstehe.«
»Nein«, sagte er, »das verstehst du nicht.«
Sie trennten sich.
Ich wenigstens habe die Kinder, dachte sie. Die Ladeplattform endete, dann kam Sandboden, links an der Mauer des Lagerhauses große verblichene Buchstaben, Rest einer längst überholten Losung. Sie dachte an Mosigkeit: dem Gesicht half auch kein Chirurg mehr, der Tod ist die letzte Einsamkeit. Wieder um die Ecke: der lange Drahtzaun, vielfach geflickt; jenseits flaches Land, bräunliche Büschel Gras, verirrt ein paar Blüten, weiße oder gelbe; in der Entfernung, winzig, dürftige Gartenlauben, ärmliche Einfamilienhäuschen, Ausläufer der großen Stadt, in der jetzt Gott weiß was abrollte. Sie dachte an Witte, das letzte Klingeln des geborgten Fahrrads: da hatte sie sich eingebildet, daß der einer war für ihresgleichen, mit seinem Gedankenflug, seiner Unruhe. Was in dem vor sich ging, ließ sich nicht in vier Wände einkapseln, Frau, Kinder, Familie; jedenfalls nicht eine Frau wie sie, hausbacken und langweilig.
Die linke Seite des Gesichts.
»Alles in Ordnung?«
»Wer soll hier schon kommen!« sagte sie.
Er zuckte die Achseln, ging weiter, schmale Hüften, lange Beine. Als hätte er ihren Blick gespürt, wandte er sich nach ihr um. Sie beschleunigte ihren Schritt. Irgendwo raschelte es, ein Hase. Das Tier rannte davon, schlüpfte zwischen den Drähten des Zauns hindurch, hoppelte quer übers Feld, verschwand.
Sie lachte laut auf. An einem Tag, an dem so viel Liebgewordenes aus den Fugen ging, promenierte sie, wo die Hasen herumhüpften. Dann dachte sie an den Stein, der sie auf die Brust getroffen hatte, als sie neben Witte ging, wann, gestern abend erst, Witte, immerzu Witte. Sie dachte an ihre Brüste, die niemanden reizen konnten, auch diesen nicht, mit seinem halben Gesicht. Roeder kam wieder auf sie zu. Was wohl aus ihm geworden wäre, dachte sie, hätte er ein paar Meter weiter entfernt gestanden, als das Geschoß explodierte; er hatte einen wohlgeformten, intelligenten Schädel, dazu das wellige dunkle Haar.
»Bitte«, sagte sie.
Er blieb stehen.
Sie blickte ihn an. Was hatte sie ihm sagen wollen? Hatte sie ihm überhaupt etwas sagen wollen?
»Ich bin dir widerlich«, sagte er, »auch wenn du's selber anders möchtest. Das ist so bei allen. Manche tun, als könnten sie's überwinden, aber sie können es nicht.«
»Das redest du dir ein.«

»Soll ich dir deine Gedanken sagen?« Er lachte böse. »Wir sind beide lädiert, denkst du dir, was bleibt uns übrig . . . Verwinde erst mal den Witte, das ist mein Rat; danach siehst du dich in einem andern Licht.«
Sie lehnte den Schraubenschlüssel gegen die Wand des Lagerhauses und trat dicht vor ihn hin. Sie sah die straff gespannte rote Haut der künstlichen Gesichtshälfte, die dunklen Augen. Der Gedanke kam ihr, es müßte doch möglich sein, die rote Halbmaske abzustreifen, das ganze Gesicht zu enthüllen, das Gesicht, das zu diesen Augen und dem Ausdruck darin gehörte. Sie hob die Hand und ließ ihre Finger über sein Haar gleiten.
Er strich ihr über die Stirn, schloß ihr die Lider. Dann küßte er sie.
Der Kuß war fremdartig, harsch, wohl durch die rechtsseitig gelähmte Lippe. Sie versuchte, an Witte zu denken: das Bild blieb verschwommen.
»Paul . . .«
Er gab ihre Augen frei. »Ja?«
»Wir müssen beide aufhören zu glauben, daß wir zweite Wahl wären.«
»Aber ich bin zweite Wahl. Oder dritte. Oder letzte.«
Sie schüttelte den Kopf. »Nur wenn du dich selbst dafür hältst.«
»Gehen wir«, sagte er.
Der Sandboden. Der Drahtzaun, das Feld. Wenn sie an Wittes Stelle diesen Mann nach Haus brachte, wie würden die Kinder reagieren? Der Junge würde sich nicht viel anmerken lassen, der war schon erwachsen im Wesen; aber die Kleine? Und sie selbst? Für alle Zukunft, wochen-, sonn- und feiertags, in Kleidern oder nackt, immer auf der Hut sein müssen, um seine Empfindlichkeiten nicht zu verletzen; nicht die Stirn runzeln, nicht pfeifen, nicht den Mund verziehen, da er die Stirn nicht runzeln, nicht pfeifen, den Mund nicht verziehen konnte . . .
Die nächste Begegnung.
»Vielleicht hast du recht, Greta«, sagte er. »Und bei Nacht sind alle Katzen grau.«
Sie schwieg.
»Da kommt einer«, sagte er.
Panowsky, schwitzend, vor Anstrengung den Kopf schief. Panowsky holte tief Luft. »Die Russen! In den Straßen stehen die Panzer. Ausnahmezustand.«
»So«, sagte Roeder. Und nach einer Pause: »Das wäre dann wohl ausgestanden.« Und nach einer weiteren: »Und Witte?«
»Von Witte«, sagte Panowsky, »noch keine Nachricht.«
Roeder wandte sich Greta zu: das künstliche Profil. »Keine Nachricht«, sagte er betont, »ist gute Nachricht.«

Sie lächelte. »Ich danke dir.«
Wieso dankt sie ihm? dachte Panowsky. Und wie sie dasteht und ihn ansieht – die Menschen sind sonderbar. Aber er fand das Ganze nicht wichtig genug, um eine Frage darauf zu verschwenden; er sagte nur, und das in Eile: »Für siebzehn Uhr hat Sonneberg eine Versammlung angesetzt, wegen der neuen Lage. Einer von euch zweien soll hinkommen.«
»Einer von uns zweien wird dasein«, versprach Greta.

59

Mittwoch, 17. Juni 1953, 14.15 Uhr
befand sich Gudrun Kasischke alias Goodie Cass auf der Straße Unter den Linden, etwa dreihundert Meter östlich des Brandenburger Tors, Teilchen einer Menge, die seitens der Volkspolizei auf acht- bis zehntausend, von westlichen Berichterstattern und deren Zuträgern jedoch auf zwanzig- bis fünfundzwanzig-, verschiedentlich sogar auf fünfunddreißigtausend Menschen geschätzt wurde. Eingekeilt und bedrängt, wurde sie dabei hin und her gestoßen und war durchaus nicht immer Herr ihrer Bewegungen; doch war sie deswegen nicht sonderlich beunruhigt; im Gegenteil, seit ihrer Begegnung mit Witte, so kurz diese auch gewesen war und so wenig sich dadurch verändert hatte, wagte sie wieder, an die Zukunft zu denken. Dabei stellte sie Betrachtungen an

in bezug auf sich selbst und Witte:
mein Fred wenn er das hier so sieht und dazu die Panzer in den Nebenstraßen da wird er wohl wünschen er hätt lieber nicht denn daß er mitgemischt hat bei dem Kladderadatsch kommt totsicher raus und es wird ihm noch leid tun daß er mich so der eine Vorderzahn wird rausmüssen den hat er lockergeschlagen und eine Bleibe muß ich mir auch suchen sobald ich aus dem Gedränge hier rauskomm aber erst mal was zu essen kriegen immer systematisch wie mein Fred sagt Punkt eins zwei drei ist doch ganz was andres mit zwanzig Mark in der Tasche auch wenns nur Ostmark eine Seele von Mensch der Herr Witte dabei was hab ich ihm Gutes getan jemals und reden will er mit mir da muß ich mir was Anständiges anziehen was nicht zu Auffälliges das mag er nicht ich muß ran an meine Sachen irgendwie Schuhe Strümpfe Sommerkostüm klein bißchen Make-up eine Seele von Mensch wenn ich mirs richtig bedenk war ich verliebt in ihn damals jung wie ich war und unerfahren ich hätt mich hingelegt und er hätt mirs machen können wie ers wollte mit seiner Frau da war ja doch nichts krank wie die war und ganz vom Fleische gefallen der Herr

Witte hatte auch so was wie man sich wünscht daß ein Vater wäre aber er hat mich ja nicht mal richtig angekuckt daß ich Busen hatte und sonst alles ein Heiliger vielleicht daß er jetzt wo doch schon Jahre daß er jetzt nicht mehr so heilig ich bin verrückt ich hab nicht wo ich mein Haupt und wo ich was zu essen krieg da ist doch kein Restaurant offen heute und kein Bockwurststand bei den Zuständen und nach dem Westen da sind die zwanzig Ost weg wie nichts und Arbeit wo soll ich strippen in dem Klub nimmt kein Hund mehr was von mir da sitzen Freunde von dem Herrn Quelle und das Fähnchen was ich am Leib hab und die Schuhe kaputt und woran denk ich daß der Herr Witte vielleicht wie ist das wenn man mit so einem ich glaub ich hätt direkt Angst

Um etwa die gleiche Zeit, da Gudrun Kasischke alias Goodie Cass solchen Gedanken nachhing, saßen der Genosse Quelle und ihr Fred auf einer Bank im Tiergarten, nahe der westlichen Seite des Brandenburger Tors, doch weit genug innerhalb des britischen Sektors, um von der brandenden Unruhe im Ostteil der Stadt nur ein gelegentliches Echo zu vernehmen. Das von den beiden geführte Gespräch verlief folgendermaßen:

GADEBUSCH: Jetzt haben wir den Salat. Ich hab getan, was ich konnte, ich hab mich aufgeopfert.

QUELLE: Sie haben ein Fanal gesetzt.

GADEBUSCH: Fanal. Ich hab ein Häuschen, draußen im Grünen. Für jemand wie Sie ist das vielleicht nichts, aber für unsereinen . . .

QUELLE: Einmal wird geschrieben stehen, daß Deutschlands ärmster Sohn auch sein treuester war.

GADEBUSCH: Ich scheiß was drauf, was geschrieben stehen wird. Die Sowjets sind da mit ihren Panzern, in ein paar Stunden wagt drüben kein Mensch mehr, seine Nase zu zeigen, und wo sind die Herren Amerikaner?

QUELLE: Ich habe Ihnen nie versprochen, daß die Amerikaner eingreifen werden, erinnern Sie sich. Darauf kommt es auch gar nicht an. Wichtig ist, daß Sie Ihr Ziel erreicht und der Welt die Augen geöffnet haben. Daß Sie der Welt gezeigt haben, was da für eine Gesellschaft regiert, und mit welchen Mitteln, und wo das Volk steht und wo die Arbeiterklasse.

GADEBUSCH: Das Volk kneift den Schwanz ein und die Arbeiterklasse kriecht zurück in die Betriebe, wenn nicht bald was von hier aus passiert. Oder meinen Sie, die Russen genieren sich zu schießen?

QUELLE: Jede russische Granate, die auf friedlich demonstrierende deutsche Arbeiter und auf unschuldige Frauen und Kinder gefeuert wird, ist ein Schlag gegen den Kommunismus, das sehen

Sie doch wohl selbst. Ich bin gewiß kein Unmensch; die Seele blutet mir bei dem Gedanken an die Opfer; aber dieser Kampf hat nicht heut erst begonnen und er endet nicht heute.

GADEBUSCH: Das ist ein feiner Trost. Ich bin durch halb Rußland gelaufen, immer auf der Flucht. Jetzt soll ich wieder laufen müssen?

QUELLE: Sie haben sich doch nicht exponiert. Ihr Kollege Kallmann, ja, der hat das Maul aufgerissen; aber Sie? Sie setzen sich in Ihr Häuschen, draußen im Grünen, und warten, bis die S-Bahn wieder fährt.

GADEBUSCH: Die Goodie war bei dem Witte. Die wissen dort alles.

QUELLE: Dafür können Sie mich kaum verantwortlich machen. Durch uns hat niemand erfahren, was Sie getan oder nicht getan haben.

GADEBUSCH: Das ist also der Lohn.

QUELLE: So dürfen Sie das auch wieder nicht auffassen. Wir sind jederzeit bereit, uns für unsre Freunde und Mitarbeiter einzusetzen. Ein Vorschlag zur Güte: Sie gehen jetzt zurück nach drüben, ich brauche Berichte. Sie wissen, wo Sie mich dann treffen können, und bei der Gelegenheit besprechen wir auch Ihre persönlichen Sorgen. Eine Nische für Sie wird sich dann sicher finden, vielleicht mit einer kleinen Entschädigung für den Verlust des Häuschens, wenn es denn sein muß.

GADEBUSCH: Gern tu ich's nicht.

QUELLE: Auch ich muß manches tun, was mir nicht liegt. Auch ich sähe es lieber, wir könnten die gepanzerte Faust zeigen, aber gerade das würde die Wirkung der ganzen Sache mindern.

GADEBUSCH: Na, dann bis später.

QUELLE: Machen Sie's gut.

GADEBUSCH: Was bleibt mir übrig.

Gadebusch stand auf und begab sich, mißmutig und voll innerer Zweifel, zum Brandenburger Tor, von wo sich unter den handgreiflichen Drohungen einer gemischten Menge die Grenzwachen und Zollbeamten der Ostberliner Regierung längst zurückgezogen hatten. Wie vor ihm schon Tausende westlicher Schlachtenbummler schritt auch er ungehindert und unkontrolliert zwischen den etwas zu stämmigen Säulen des von dem berühmten Schinkel entworfenen, triumphbogenartigen Baus hindurch in den Ostsektor der Stadt und gelangte auf die Straße Unter den Linden.

Auf dieser Straße bewegte sich um die Zeit, etwa 14.30 Uhr, eine Gruppe sowjetischer Panzer, dahinter Panzerwagen mit aufgesessener Infantrie, von der Friedrichstraße her auf das Brandenburger Tor zu. In einem der Panzer befand sich Oberstleutnant Nikolaj Nikolajewitsch Bjelin. Um die Ereignisse besser beobachten zu können und die Volksmenge abzuschätzen, die das Fortkommen der Fahrzeuge doch recht behinderte, stieg er auf das Trittbrett im Panzer und steckte erst den Kopf, dann den ganzen Oberkörper durch die geöffnete Luke; so, beide Fäuste auf den Lukenrand gestützt, fuhr er die Straße entlang, möglichen Wurfgeschossen ein bequemes Ziel.

Auf dem Mittelstreifen der Straße, wo nach dem Krieg zwei Reihen junger Linden als Ersatz für die prächtigen alten, auf Geheiß Hitlers niedergehackten Bäume gepflanzt worden waren, geriet Gadebusch, ebenfalls um diese Zeit, in die Nähe Goodies, erblickte sie und beschloß auf der Stelle, ihrer habhaft zu werden. Aber auch Goodie hatte ihn entdeckt und suchte vor ihm zu flüchten; allerdings kam sie in der Menschenmasse, die angesichts der herannahenden Panzer rückwärtsdrängte, kaum von der Stelle, während er, seine Ellbogen kräftig nutzend, sich ihr deutlich näherte.

In dieser Lage dachte Goodie

an das jenseitige Leben:

o Gott wenn er mich kriegt mein Fred der schlägt mich tot und kriegen tut er mich lieber werf ich mich vor die Panzer da ist es rasch aus eine Sekunde oder zwei ob man's noch spürt wenn die Knochen und dann ist da nur noch die unsterbliche Seele und saust ab zum Himmel schneller wie ein Düsenjäger und viel viel höher vorausgesetzt es war einer ein guter Mensch und was war ich ein Stripper eine Nutte bessrer Klasse und was ich dem Herrn Witte getan hab aber der hat mir verziehen oder hat er es ging alles so hastig die Begegnung man konnt sich gar nicht recht aussprechen ich hab immer versucht gut zu sein aber wer hilft einem schon da jetzt ist Luft jetzt geht's schon leichter weg sind die Leute plötzlich wie groß so ein Panzer ist und geheuer und stinkt

»Du bist wohl verrückt!«

»Fred! – Nein, Fred, laß mich! – Du tust mir weh . . .«

»Der hätt mich noch beinah erwischt, der Panzer!«

»Laß mich, Fred!«

»Mit kommst du! Los!«

Zur selben Zeit standen mehrere junge Männer mitten im Gedränge auf dem Gehsteig der nördlichen Seite der Straße Unter den Linden und redeten erregt aufeinander ein. »Besser, wir hauen ab«, sagte der eine mit einem Kopfnicken in Richtung der langsam vorrückenden sowjetischen Panzer, »die Show ist vorbei.«

»Hah«, widersprach ein zweiter, »glaubst du vielleicht. Jetzt geht es erst richtig los.«

Der dritte, ein Schüler noch, erblickte Oberstleutnant Bjelin, der, einem beleibten Zentauren gleich, halb Soldat, halb Panzerfahr-

zeug, in nur etwa acht Metern Entfernung vorüberglitt.
»Mensch«, rief er, »was 'ne Schießbudenfigur!« Ein Haufen Ziegelsteine, in freiwilligen Aufbauschichten einer nahebei stehenden Ruine entrissen und sauber aufgeschichtet, lag handlich. Der Schüler und ein vierter junger Mann fingen an, Bjelin zu bombardieren. Die Mehrzahl der Ziegel prallte am Stahl des Panzers ab; aber das Beispiel veranlaßte die andern in der Gruppe und weitere Jugendliche, die sowjetischen Fahrzeuge, und besonders Bjelins Panzer, ebenfalls mit Steinen zu bewerfen. Bjelin wurde getroffen. Einen Moment lang wurde ihm schwarz vor Augen, dann hob er die Hände, beschwichtigend; doch das fruchtete nichts, und er zog sich ins Innere des Panzers zurück. Der Schüler betrachtete das als Sieg, stürmte wild schreiend vor und suchte sich auf den Panzer hinaufzuschwingen, bevor Bjelin die Luke schließen konnte. Der MG-Schütze des Panzers gab eine Salve von Warnschüssen ab, gezielt schräg nach oben, hoch über die Köpfe der Menge.
Eines der Geschosse flog hinauf zur zweiten Etage der Ruine, prallte gegen die blecherne Jalousie vor einem nicht mehr existierenden Fenster, wurde im entsprechenden Winkel nach unten abgelenkt und schwirrte mit einem merkwürdigen Pfeifen zur Straße zurück. Es besaß noch die Kraft, Goodies rechte Schläfe zu durchbohren und ihr ins Gehirn zu dringen.
Gadebusch bemerkte, daß Goodies Widerstand plötzlich nachließ, und vermutete zunächst, sie hätte sich ihrem Schicksal gefügt. Er packte sie fester und tat ein paar Schritte in Richtung Brandenburger Tor. Dann spürte er einen Tropfen warmer Flüssigkeit auf seinem Handrücken.
Er blieb stehen. Der Einschlag der Kugel war ein sehr sauberer; nur ein dünnes Rinnsal zeigte sich auf der Wange.
»Mensch, Goodie«, sagte er, »Goodie!«
Er schlug sie mehrere Male leicht auf die Wange, die linke, unblutige, gleichsam als wollte er sie zu Bewußtsein bringen. Dann stöhnte er auf und ließ den leblosen Körper zu Boden gleiten. Nur weg, dachte er, weg; aber dann dachte er, ich kann sie doch nicht so liegen lassen, und er packte die Tote bei den Handgelenken und schleifte sie hastig hinter sich her in den Westen.
Eine Minute später erreichten die Panzer das Brandenburger Tor, schwärmten aus und sperrten die Grenze.
Heinz Hofer, der noch hinüberwollte, steuerte nonchalant auf eine Lücke zwischen den Fahrzeugen zu. »Stoj!« sagte einer oben auf dem Panzerturm, dunkle Schweißflecke in den Achselhöhlen. »Nix hier. Zurück.«
Hofer warf einen Blick auf die Maschinenpistole, die der Bursche auf dem Schoß liegen hatte, und gehorchte.

Aus dem Kommentar von Egon Bahr, gesendet vom Rundfunk im Amerikanischen Sektor (RIAS) am 18. Juni um 19.40 Uhr
... Die Bevölkerung hat ihre Kräfte mit dem Regime gemessen ... nicht nur, daß die Arbeiterschaft gegen die Partei aufstand, die der angebliche Vortrupp der Arbeiterschaft ist ... die SED und ihr Regime konnten die Ordnung nicht aufrechterhalten, weder in Berlin noch in der Zone ... die Besatzung sah sich gezwungen, der SED die Macht formell abzunehmen. Damit ist politisch der größte Erfolg errungen, der überhaupt in der jetzigen Situation denkbar ist ... Verehrte Hörer, es war ergreifend, wenn man mit Menschen aus Ost-Berlin sprach, die um direkte Hilfe fast flehentlich baten. Es war unsagbar schwer, sie ihnen zu verweigern, verweigern zu müssen, eben weil sonst der ganze Sinn, die ganze Größe des Ereignisses gefährdet worden wäre, die gerade darin besteht, daß alles das, unorganisiert, dem Willen dieser Menschen in Ost-Berlin entsprang. Es war tragisch, helfen zu wollen und nicht unmittelbar helfen zu dürfen. West-Berlin konnte nicht mitmachen aus eben diesem Grunde. Es wäre ein Kleines gewesen, durch einen flammenden Aufruf West-Berlin auf die Beine zu bringen, und wer hätte sich versagt? Es ist historisch, daß dies nicht geschah ...

60

Mittwoch, 17. Juni 1953, 14.45 Uhr
zogen etwa achtzig Arbeiter in Richtung Vorstadt, armseliger Rest des Demonstrationszuges, der am Morgen von VEB Merkur aus aufgebrochen war; die andern waren im Gewirr der Menschen und Straßen verlorengegangen, Versprengte ohne Schlacht.
»Wozu eigentlich«, sagte Lehnert mürrisch, »bevor wir zurückgelatscht sind in den Betrieb, ist es fünf oder noch später; was hat das für Sinn.«
Dennoch blieben sie beisammen, aus Trägheit, oder weil keiner allein sein mochte in dieser Stunde, oder weil die meisten von ihnen, wenn sie nach Hause wollten, sowieso in die Richtung mußten, hauptsächlich wohl aber aus einer Art Ordnungssinn: man war weggelaufen von der Arbeit, gegen alle Regeln, war hineingeschwemmt worden in ein beunruhigendes Durcheinander; man mußte zurück zu seinem Ausgangspunkt, von dort aus nur war der Tag noch ins Lot zu bringen.
Witte drängte nicht zur Eile: war man erst wieder im Werk, würde die Auseinandersetzung über die Fragen beginnen, die dieser 17. Juni aufgeworfen hatte, und es gab mehr Fragen als Antworten, und die Auseinandersetzung würde lang sein und bitter. Er fühlte sich,

als schleppte er ein enormes Netz über einen endlos breiten Strand, dabei war der Fang gering gewesen; und er war Anna dankbar, daß sie sich, als wäre es eine Selbstverständlichkeit, ihm angeschlossen hatte und nun ihm zur Seite ging, den schmutzigen Kittel mit dem Riß quer über dem Rücken noch immer am Leibe.
Er bemerkte ihren Blick.
»Plagt dich das Bein wieder?« sagte sie. »Ruh dich ein paar Minuten aus. Die trecken auch ohne dich weiter; was spielst du ihnen den Jesus Christus, ich habe sie kennengelernt in meinem Laden.«
Mielich, der hinter ihr ging, wieherte.
Anna wandte sich um. »Sie schulden mir vierundzwanzig Mark, Sie schweigen überhaupt. Für fünf Päckchen Zigaretten à zwanzig, zu vierundzwanzig Pfennig das Stück, die Sie geklaut haben.«
»Wenn er's nicht genommen hätt, dann ein andrer«, sagte Bartel, »es war eine allgemeine Plünderei.« Und Mielich schlug vor: »Der Kollege Witte soll's mit meinen Beiträgen verrechnen; jeden Monat zahlen wir an die Gewerkschaft; was hat es uns eingebracht bisher.«
Witte schwieg: die Gewerkschaften im Sozialismus, auch das noch heute. Wieder sah Anna ihn an. »Du kannst nicht die Last der ganzen Welt tragen.«
Er zwang sich zu lachen. »Benehm ich mich so?«
Sie schien zu einem Entschluß gekommen zu sein. Sie streifte den Kittel ab und sagte: »Ich geh jetzt.«
»Wohin?« fragte er.
»Nach Haus.«
»Hattest du nicht Schluß gemacht zu Haus?«
»Ich muß da noch etwas in Ordnung bringen.«
»So«, sagte er, »mußt du.« Und dachte, dieser Tag hat auch sie verändert.
Ein Panzer holperte über die Kreuzung, dann noch einer.
»Wie im Krieg«, klagte der große Klaus, »wir haben doch nichts getan.« Und Bartel jammerte: »Ein Westbruchband müßte man haben.«
Lehnert spuckte aus. »Was beschwert ihr euch. Die Dummen haben immer schuld.«
Der alte Schreyer blickte trübsinnig auf die vergitterte Tür der Kneipe an der Ecke und sagte: »Mensch, jetzt hätt ich Durst auf ein Bier.«
Eine zweite Gruppe von Panzern tauchte auf, schwenkte und kam qualmend auf sie zugerattert.
»Wenn du glaubst, Anna, daß du durchaus mit deinem Mann reden mußt« – Witte sprach lauter als ihm lieb war, des Panzerlärms wegen – »dann tus morgen, und ich komme mit.«

»Morgen«, sagte sie, »ist es vielleicht schon zu spät dafür. Morgen – «
Das Dröhnen übertönte ihre Worte. Witte packte sie bei den Schultern, warum wollte sie nicht einsehen, Vergangenheit und Gegenwart, der Mann und die Mutter, Andeutungen, Gesten, Drohungen. »Anna«, sagte er, »der ist doch jetzt wie ein Tier in der Falle . . .«
Die Panzer, riesig.
Er zog sie beiseite. Die Arbeiter drückten sich schweigend gegen die Häuserwände. Dann verhallte der Lärm; nur ein Echo blieb und der Geruch von Dieselöl.
»Wie im Krieg«, wiederholte der kleine Klaus die Klage des großen. »Es ist, als wär's nicht unser Land.«
»Es ist aber unser Land«, sagte Witte gereizt. »Und die« – mit dem Daumen auf die Panzer weisend, die sich immer weiter entfernten – »haben es uns übergeben, im Jahre fünfundvierzig.«
Das Schweigen lastete.
Schließlich sagte Lehnert: »Das Land gehört einem, wenn man was drin zu sagen hat.«
»Das liegt doch bei uns«, entgegnete Witte.
»Versuchs mal«, höhnte Lehnert, »und sieh, wie weit du kommst. Aber wenn die dort glauben« – auch er wies auf die Panzer, nun schon winzig, am Ende der Straße – »wenn die glauben, wir machen auch nur den Finger krumm, solange sie hier herumkutschen mit ihren Kanonen, dann täuschen sie sich.«
»Jawohl«, bestätigte Mielich, und der alte Schreyer, auf einmal wieder munter geworden, hieb Lehnert auf den Rücken: »Recht hast du.«
»Mann, Lehnert«, sagte Witte bedauernd eher als zurechtweisend, »wo ist dein Klassenbewußtsein.«
Lehnert empörte sich: »Warum steh ich denn hier, wenn ich keins hätt! Ich hätt doch längst abhauen können in den Kapitalismus, wie so viele andere, oder nach Haus verschwinden für heut, oder das Maul halten, als geringstes. Aber – «
»Aber?« fragte Witte.
Lehnerts Hand bewegte sich ärgerlich.
»Also wirst du auch arbeiten«, konstatierte Witte. »Zurückgehen ins Werk und arbeiten.« Er richtete sich auf: der nächste Schritt war ein Wagnis. »Damit wir uns im klaren sind, Freunde – wer nicht bereit ist, die Arbeit wiederaufzunehmen, der soll sich lieber jetzt von uns trennen, denn für den gibt es keinen Platz mehr bei VEB Merkur.«
Er sah sich um im Kreis, sein Blick forderte Mielich: der senkte den Kopf und murmelte, »Alles Scheiße.«

»Alsdann«, sagte Witte, »gehen wir.«
Sie gingen.
Lehnert tippte ihm auf die Schulter. »Es wird dir keiner danken, Genosse Witte – die Kollegen nicht, und die Partei auch nicht.«
»Ich hab's nicht getan, daß mir's einer dankt«, sagte Witte.
Anna blickte ihn an. Er griff nach ihrer Hand. »Bleib doch, Anna.«
Sie schüttelte den Kopf. »Du könntest ein frisches Hemd gebrauchen und Unterwäsche, wie lange bist du nicht aus den Kleidern gekommen, ich bring dir die Sachen heut abend in den Betrieb, irgendwie komm ich schon hin.«
Mosigkeit fiel ihm ein, die Knochensplitter in dem zerrissenen Fleisch. Er suchte in seinen Taschen, fand den Zettel, zerknittert in den zwei Tagen, während derer er ihn schon bei sich trug, drückte ihn ihr in die Hand. »Die Hemden«, sagte er, »liegen im Mittelfach vom Schrank. Wenn du sonst Schwierigkeiten haben solltest, ruf bei der Nummer an, die auf dem Zettel steht.«
Und hoffte zu Gott, daß Ewers auch dasein würde, falls sie anrief.

61

Mittwoch, 17. Juni 1953, 15.00 Uhr
stand der Arbeiter Gadebusch auf einem Stück niedergetretenen Rasens nahe der westlichen Seite des Brandenburger Tors, zu seinen Füßen die sterblichen Überreste der Gudrun Kasischke alias Goodie Cass, die von mitfühlender Hand mit einer Zeltplane zugedeckt worden waren. Jemand hatte ihm geraten, bei der Toten zu warten, ein Arzt wohl oder Sanitäter, denn er hatte kurz nach Lebenszeichen gesucht: ein dienstliches Fahrzeug werde kommen, die Leiche ins Schauhaus zu bringen. Vom Tor her, wo die Schaulustigen standen und die Reporter und Filmleute und Photographen, drangen Fetzen des Stimmengewirrs zu ihm und das Belfern eines Lautsprecherwagens, Russisch, Appell an die Soldaten auf ihren Panzern jenseits.
Gadebusch starrte auf Goodies Füße, das einzige von ihr, was die Plane nicht verdeckte: rohes Fleisch, daran Steinchen klebten und Reste von Teer. Manchmal, wenn er wie verrückt war vor Begierde nach ihr, hatte sie ihm die Füße hingehalten zum Küssen.
Er bückte sich, zerrte die Plane zurecht; doch nun lag der Kopf frei. Das Haar, rötlich, verbarg die Wunde; das Gesicht sah streng aus, abweisend, gar nicht Goodies. Gott, er hatte schon so viele Tote gesehen; wie man die Menschen auch kannte, der Tod zeichnete immer ein fremdes Gesicht. Bis auf die Lippe: da war die Schwellung geblieben, wo er sie mit dem Handrücken getroffen hatte, vorge-

stern nacht. Und nichts hatte sie gesagt von dem, was er wissen wollte. Und jetzt konnte sie nichts mehr sagen.

»Da ist sie!«

Zwei, drei, fünf, noch mehr Männer mit Notizbüchern, Tonbandgeräten, Kameras; Blitzlichter in rascher Folge; einer zog die Zeltplane zur Seite, erneutes Aufflammen. Gadebusch duckte sich unter dem Geprassel der Fragen, gab keine Antworten oder halbe, wirres Zeug, kaum oder gar nicht brauchbar für die Fragesteller. Doch diese blieben hartnäckig: Wer die Tote gewesen sei, ob er sie gekannt habe, nein, ja, war sie seine Ehefrau, Braut, Geliebte, Verwandte, Bekannte, in welchem Verhältnis denn stand er zu ihr, wie alt war sie, wie alt er, sein Name, Beruf, Adresse, West, Ost, Beruf der Toten, hat sie gearbeitet, nein, ja, wo, als was, Adresse, lebte sie allein, mit ihm zusammen, bei den Eltern, wer sind die Eltern, wie ist es geschehen, auf welcher Straße, bei welcher Gelegenheit, wann trat der Tod ein, durch welche Ursache, Einschuß, wie viele, Kugel, Russenkugel, Tod erfolgte sofort, nach wie vielen Minuten, hat sie gelitten, geschrien, wie lange, sich gewehrt, sehr, gar nicht, war sie Teilnehmerin an Demonstration, Nichtteilnehmerin, bekämpfte sie Sowjetpanzer, nein, ja, mit nackten schwachen Mädchenhänden, sprach sie letzte Worte, welche, waren sie persönlicher, politischer, allgemeingültiger Natur, und was waren seine Empfindungen, Gedanken, Wünsche, er als Deutscher, als Arbeiter, trauerte er, aber hoffte auch, worauf, auf Veränderungen, Verbesserungen, Sturz der Regierung, Freiheit, ein Wiedersehen nach dem Tode, oder wie, bitte äußern Sie sich.

Das Häuschen, dachte Gadebusch, jetzt ist es aus mit dem Häuschen, endgültig, und mit allem, was ich erarbeitet habe und zusammengescharrt: die Kameras, von vorn, von der Seite, von hinten, mit Goodie und ohne, morgen ist das Bild in der Westpresse, trauernder Ostarbeiter neben Leiche der geliebten Frau; noch im Tode reißt sie einen ins Unglück.

»Gadebusch!« sagte Quelle hinzutretend. »Was machen Sie denn hier?«

Den Pressevertretern sichtlich kein Unbekannter, wurde er sofort gefragt: »Sie kennen den Mann, Herr Quelle?«

Quelle nickte: »Sohn eines alten Jugendfreunds, ein braver, tüchtiger Mensch.«

»Und diese da?«

Man machte ihm Platz. Quelle tat einen Schritt, sah, senkte schweigend den Kopf, Erschütterung in jeder Falte des rosigen Gesichts. Endlich sagte er: »Decken Sie sie zu.«

»Können Sie uns etwas zu dem Fall sagen, Herr Quelle?«

Quelle überlegte. »Wenn Sie mich nicht zitieren. Diese Geschichte

ist so groß in ihrer Tragik, daß ich sie nicht mit irgendeinem politischen Namen, auch meinem nicht, verquickt sehen möchte.«
»Wir respektieren Ihren Wunsch, Herr Quelle.«
»Ich danke Ihnen.« Quelle schneuzte sich. »Ein junges Wesen, sensibel, begabt auf viele Weise, Tochter eines drüben enteigneten Bauern, kommt nach der Stadt, ihr Talent zu entwickeln, wird Tänzerin, setzt sich durch, wird umschwärmt von Männern, weist sie von sich, bis sie die Liebe des einen findet, der sie verdient und dem sie sich schenkt. Dieser nun liebt die Freiheit mehr noch als die Frau, und als der Tag kommt, der den Einsatz der ganzen Person erfordert, reißt er sich von ihr los, zieht durch die Straßen der Stadt, zusammen mit seinen Arbeitskollegen, und fordert den Sturz des verhaßten Regimes. Sie aber macht sich auf und folgt ihm. Sagen Sie selbst, meine Herren: was, wenn nicht Liebe, trieb sie an seine Seite, als er drüben die Stimme erhob, und hielt sie an seiner Seite, bis eine Kugel der Besatzungsmacht sie niederstreckte? Sie ist ein Symbol, Gudrun Kasischke – ein Symbol, meine Herren, für die Kraft der Liebe, zugleich aber auch für den ungebeugten Freiheitswillen der Menschen im Osten unsres Vaterlandes.«
Goodie ein Symbol, dachte Gadebusch. Ich, wir alle: Symbole, Fähnchen auf der Karte, Figuren auf dem Brett, aufgestellt, weggefegt, je nach Bedarf.
»Herr Quelle?«
Quelle wandte sich dem Fragesteller zu. »Noch etwas?«
»Könnten Sie den Namen bitte buchstabieren?«

62

Mittwoch, 17. Juni 1953, 16.30 Uhr
saß Heinz Hofer seiner Mutter in deren guter Stube gegenüber und konstatierte, trüben Auges den Rest Kognak in der letzten der vor drei Tagen von ihm selbst aus dem Westen mitgebrachten Flaschen betrachtend: »Gleich ist er alle.«
Die Witwe erhob sich halb. »Ich kann ja mal bei den Nachbarn . . .«
»Verrückt?« Er stieß sie zurück in den Sessel. »Hat mich kein Mensch gesehen, wie ich gekommen bin, nur der Blinde im Hause, und der kann nicht sehen. Nachbarn. Und wenn sie nun fragen, die Nachbarn: für wen borgt sie den Schnaps, die Alte, heh?«
»Ein Unglück ist das«, seufzte die Witwe.
»Nachbarn. Scheißen sich in die Hose und verkriechen sich, wenn sie nur was hören auf der Treppe.« Er lachte, übertrieben laut. »Und so was bringt man die Freiheit.«
Die Witwe wurde unruhig. »Du darfst hier nicht bleiben.«

»Hat mich doch keiner gesehen!« Er winkte ab. »Ich bleib, wo ich will, und so lange ich will.«
»Hier suchen sie dich zuerst. Das hab ich dir schon gesagt, wie du wiedergekommen bist aus dem Westen.«
Die Hand, mit der er die letzten Tropfen aus der Flasche ins Glas goß, zitterte. »Wird ja alles gut. Und du kriegst deine Wohnung ganz für dich selber.«
»Deine Versprechungen!« Sie starrte ihn an: die blutunterlaufenen Augen, das Haar, das den Glanz verloren hatte und ihm in das schlaffe Gesicht hing. »Dein Vater hat immer gehalten, was er versprach.«
»Mein Vater.« Er trank. »Immer mein Vater.«
»Dein Vater verlor nicht die Nerven, in der Kampfzeit, nie. Dein Vater war wie aus Stahl, darum haben sie ihn ja überfallen, meuchlings, das Gesindel, und in den Kanal gestoßen in Holland.«
»Wenn er so großartig war, mein Vater, wieso hat er uns dann den Krieg nicht gewonnen?« Der Sohn erhob sich schwerfällig und stützte die Faust auf die Tischplatte. »Hab ich die Schweinerei hier im Land hinterlassen oder er? Und wieso hat er sich von ein paar lausigen Zivilisten ersäufen lassen? Mit irgendeiner Hure war er unterwegs, und stinkbesoffen, und ist in den Kanal getorkelt – «
»Heinz!«
»Ist doch so, oder?« Er warf seiner Mutter einen langen, betrunken-nachdenklichen Blick zu. »Bin eben kein Held und kein Ritterkreuzträger. Ich will nur leben. Leben!«
»Und ich?«
Er griff sich unter die Achsel und hatte plötzlich eine Pistole in der Hand. »Hast gar nicht gewußt, daß ich das hab, Muttchen, was?«
Muttchen, dachte sie. Seit Jahren das erste Mal wieder: Muttchen. Etwas wollte sich rühren in ihrem Herzen, aber die Angst war größer.
»Hast Angst, Muttchen.« Er nickte und schob die Waffe zurück in das Futteral unter der Achselhöhle. »Angst vor dem Untermieter, vor Anna, vor der ganzen miesen Gesellschaft hier. Aber vor mir mußt du die meiste Angst haben, kapiert?« Und unvermittelt: »So ein Luder, die Anna, undankbares!« Und dann: »Ich bin krank, richtig krank. Ich will ins Bett, Muttchen.«
»Komm«, sagte sie, und stand auf und trat zu ihm.
Er wankte, stützte sich auf sie. »Aber ich bleib hier, hörst du?« Er blickte sie mißtrauisch an, dann hob er die Faust, drohte: »Ich schlag dir den Schädel ein, ich . . .«
»Komm.«
»Ich bin nicht dran schuld. Ich nicht.« Die Zunge wurde ihm schwer. »Ich bin doch . . . bin doch . . . dein . . . kleiner Junge . . .«

»Ich deck dich zu.«
Er fiel aufs Bett, fuhr aber sofort wieder auf. »Du . . . ich schlaf nicht! Daß du's weißt, ich . . . halt die Augen offen . . .«
Sie schloß die Vorhänge am Fenster und zog ihm die Schuhe von den Füßen und lockerte die Krawatte. Er verfolgte jede ihrer Bewegungen, obwohl ihm die Lider immer wieder zufielen.
»Gib mir . . .«, murmelte er.
»Was denn?«
»Küßchen.«
Sie küßte ihn.
Er tastete nach der Pistole, fand die Waffe, lächelte beruhigt und war eingeschlafen, das Lächeln noch immer auf den Lippen. Dann fing er an zu schnarchen, kurze Schnarchtöne, wie ein Aufstoßen. Die Witwe zog einen Stuhl ans Bett, setzte sich und bewachte seinen Schlaf, wie einst, als er noch ein Kind war.
Er stank, nach Schweiß und ungewaschener Wäsche und Schnaps und Zigarren: Soldatengestank, aber er war kein Soldat. Er grunzte, wälzte sich auf die Seite, kuschelte sich zusammen. Die Witwe seufzte: so, mit angezogenen Knien, die Hände dicht vor der Brust, hatte er einst in ihr gehockt, und jedes Mal, wenn er sich rührte, hatte sie es gespürt. Sie blickte auf ihren Bauch, der sich vorwölbte, welkes Fett.
Mißraten die Frucht ihres Leibes. Oder war die Saat schon schlecht gewesen? Sein Vater, der über die Länder der Welt geschritten war, die starken, knochigen Hände im Lederhandschuh, der sehnige Körper eingefaßt von Gurt und Epauletten – ein Hochstapler und Hurenbold, ein Held der Etappencafés, bis er schließlich im trüben Wasser eines Kanals endete? Was blieb ihr dann?
Was blieb? – die Möbel, das Linnen, das Silber, die Gläser; Essen, Kauen, Schmecken, Verdauen; Klatschen und Klagen und Flüstern und Lästern – nichts Erhabenes mehr und Erregendes, aber immer noch besser als das Dunkel und die Stille, wenn der Sand auf die Kiefernbretter rieselt und der Leib zerfließt wie ein überreifer Käse.
Er hatte aufgehört zu schnarchen. Die Witwe erschrak; aber er schlief weiter, er wälzte sich nur auf den Rücken und lag, den linken Arm überm Kopf, ein Tropfen Rotz im Bärtchen. Die Witwe stand vorsichtig auf, schob, fast zärtlich, seinen Ellbogen zur Seite und zog die Waffe aus der ledernen Tasche. Er bewegte sich. Sie hielt den Atem an. Nichts.
Draußen im Halbdunkel des Flurs dann, die Pistole tonnenschwer in der Hand, dachte sie, sie hätte es für ihn getan, nur für ihn: Mutterpflicht, den Jungen vor Unbedachtem bewahren, wenn sie ihn mit dem Dings da fänden, oder er läßt sich hinreißen. Mit dem

Nachschlüssel öffnete sie das Zimmer des Untermieters. Das Bett stand unberührt; der versprochene Laternenpfahl kam ihr in den Sinn; nein, das war aus und vorbei, leeres Geprahle des Sohns, und wenn sie Pech hatte, setzte ihr das Wohnungsamt noch jemanden in Annas Zimmer, es sei denn, die überlegte es sich und kam zurück und machte hier eine gemeinsame Menage auf mit dem Untermieter, schamlos genug war sie ja. Sie schob die Pistole unter die Matratze, zog das Bettuch straff, strich die Decke glatt: sollte die Polizei sich mit dem Genossen Witte unterhalten.
Im eigenen Zimmer angelangt, stieß sie das Fenster auf, atmete tief, mehrere Male, und ließ sich in den Sessel sinken. Das Herz pochte wild, und in den Knien saß die Schwäche; jetzt hätte sie was brauchen können von dem Kognak, aber die Flasche war leer. Sie schloß die Augen. Auf der Straße fuhren schwere Fahrzeuge vorbei; eine Nachbarin keifte aus dem Fenster: »Detlev, willst du wohl herkommen«; unten auf dem Hof fing jemand an, Teppich zu klopfen, ausgerechnet heute; dann hörte das Klopfen auf, Schritte, jemand kam durch den Torweg in dem zerbombten Vorderhaus in den Hof.
Die Witwe trat ans Fenster. Über der Teppichstange hing ein verschossener, verschlissener Fetzen; daneben stand Anna und redete mit dem blinden Rentner Thiel; die Nichte, die bei ihm wohnte und ihn immer herumführte, hielt den Teppichklopfer in der Hand und hörte zu. Der Blinde wies auf die Kleine; die sagte etwas und hüpfte dabei von einem Bein auf das andere. Die Witwe dachte an ihren schlafenden Sohn. Nur der Blinde im Haus, hatte er gesagt, und der kann nicht sehen. Aber das Kind konnte.
Nach einer Weile entfernte sich Anna. Die Witwe kehrte zu ihrem Sessel zurück und döste vor sich hin. Die Uhr tickte, die Uhr schlug. Wie weit war es zur Telefonzelle? Wie lange würde der Schläfer auf ihrem Bett noch schlafen? Er war zu allem fähig, man mußte ja Angst haben vor ihm; war er überhaupt normal, hierher zu kommen und zu versprechen, Laternenpfähle, das war doch Irrsinn; sein Vater schon, ganz Europa, und dann ersäuft werden in Dreckwasser; Irrsinn war, nicht sehen zu wollen, so ist die Welt, und Macht ist Macht, und jeder muß sehen, wo er bleibt.
Sie zuckte zusammen.
Ein Auto, das durch den Torweg auf den Hof fuhr; Türenschlagen; das Echo harter Stiefelsohlen.
Sie wollte aufstehen und gehen und die Wohnungstür öffnen, auch nicht den Anschein geben von Widerstand gegen die Staatsgewalt. Ihre Knie; man ist auch nur ein Mensch, zuviel ist zuviel.
Schritte im Treppenhaus. Die Glocke an der Tür, schrill.
»Heinz!«

Er kam auf sie zu, bleich wie ein Leintuch, als wollte er ihr an die Kehle. »Die Pistole. Wo ist meine Pistole!«
Die Glocke wieder. »Aufmachen! Polizei!«
Die Witwe hob die Arme, kraftlos. Sie wollte rufen, Hilfe, riß den Mund auf, kein Ton.
»Also du«, sagte er, »sieh einer an.«
Dann hörte sie, wie jemand die Wohnungstür aufschloß: Anna; Anna besaß den Schlüssel.
»Muttchen.« Er fiel auf die Knie vor ihr, legte ihr den Kopf auf den Schoß, klammerte sich an sie. »Ach, Muttchen . . .« Dann war die Polizei im Zimmer.

63

Mittwoch, 17. Juni 1953, 18.00 Uhr
unternahm Witte einen Rundgang durch den Betrieb, um sich zu orientieren, wie er Sonneberg sagte, in Wahrheit, weil er das Bedürfnis hatte, allein zu sein. Er hatte Sonneberg berichtet, Sonneberg hatte ihm berichtet, beide hatten sie Dr. Rottluff berichtet, und die ganze Zeit hatte er das Gefühl gehabt, daß das Wesentliche ungesagt blieb. Aber was war das Wesentliche?
Die Schatten waren länger geworden. Manchmal sieht man Dinge, die man sonst nicht bemerkt: Lichteffekte im Winkel eines Fensters, das Blaugrau des Rauchs, den Ginsterbusch auf einem Haufen Schutt. In Halle sieben hatte die Nachtschicht zu arbeiten begonnen, was angetreten war von der Nachtschicht. Er ging hindurch zwischen den Reihen der Maschinen; an Kallmanns Drehbank stand keiner; er trat hinzu, betrachtete nachdenklich das Werkstück, das noch eingespannt war, ging weiter. Alles war gedämpft, Töne, Licht, Empfindungen: eine Welt, die auf halben Touren lief; oder war es ein Schutzmechanismus in seinem Nervensystem, der eingesetzt hatte.
Wieder hinaus auf die Werksstraße. War das hier nicht die Stelle, wo er versucht hatte, die Streikenden aufzuhalten; er mochte sich irren; es war auch gleichgültig, es war schon sehr lange her, eine andre geschichtliche Periode. Er suchte in seinen Taschen nach einer Zigarette, fand aber keine, erinnerte sich, daß er in seinem Büro noch ein Päckchen im Schreibtisch liegen hatte.
Die Treppe, der Korridor; letzter Sonnenstrahl, Staubkörnchen darin tanzend; Stille. Am Schlüsselring der Schlüssel zu seinem Büro, aber die Tür war nicht verschlossen. Erinnerung an Mosigkeits Ende: lauerte da einer?
Kleiner Aufschrei, ob freudig, ob erschrocken, blieb unklar.

»Kollege Witte!«
»Hab ich Ihnen einen Schreck eingejagt, Fränzchen?«
»Aber nein.« Sie atmete hastig. »Ich hab ja gewußt, vom Genossen Sonneberg, daß Sie wiederkommen würden, zusammen mit den Kollegen, die da demonstrieren waren, und ich hab geglaubt, vielleicht würden Sie mich noch brauchen.«
Sie griff nach dem Stenogrammblock.
Er sah das flache Gesicht, das Lächeln voller Erwartung; plötzlich hatte er ein schlechtes Gewissen, ging eilig nach nebenan, in sein Gelaß, holte die Zigaretten aus dem Schubfach, kehrte zurück, bot ihr eine und schlug vor: »Trinken wir eine Tasse Pfefferminztee?«
»Aber gerne«, sagte sie strahlenden Auges und machte sich an ihrem Elektrokocher zu schaffen, in der Hoffnung, er möchte noch weitere Wünsche haben, die sie ihm erfüllen könnte. Da er aber nichts weiter verlangte, nur dasaß und schwieg, überwand sie sich schließlich und fragte: »Wie war's denn?«
»Wissen Sie«, sagte er, »es gibt Tage, da treffen sich die Linien der Entwicklung wie im Brennpunkt einer Linse, und auch das, was wir nicht wahrhaben wollen, wird sichtbar.«
Sie nickte mehrmals, wie um zu betonen, daß sie ihn durchaus verstünde.
»Wir haben eine Niederlage erlitten«, fuhr er fort, »und einen Sieg errungen, beides. Sieg und Niederlage sind relative Begriffe; alles hängt davon ab, was wir aus unserem Sieg machen, und wieviel wir aus unsrer Niederlage lernen.«
»Ja«, sagte sie, »darauf kommt es wohl an.«
Er blickte auf; aber jede Ironie war ihr fern. »Heut in der Stadt«, sagte er, »hat mir einer vorgehalten: Hättet ihr früher auf uns gehört, dann wäre vieles nicht geschehen. Sie kennen mich, Fränzchen, ich halte von Statuten und Verfassungen nur insofern etwas, als man sie mit Leben erfüllt. Aber vielleicht könnte man ins Statut unsrer Partei einen Artikel aufnehmen, der die Schönfärberei verbietet und die öffentliche Verehrung einiger Genossen, und der alle Mitglieder zu furchtloser Kritik verpflichtet und jeden bestraft, der diese Kritik zu unterdrücken sucht . . .«
Der Kessel begann zu singen; sie goß den Tee auf.
»Andererseits macht, wer zum Umdenken mahnt, sich selten beliebt«, fuhr er fort. »Die Weltgeschichte hat sich den Spaß erlaubt, von uns zu verlangen, daß wir den Sozialismus in einem Drittel eines geteilten Landes aufbauen, und das mit Menschen, die sich den Sozialismus keineswegs alle gewünscht haben. Wieviel von der Abneigung gegen die Partei hat seinen Grund nicht in ihren Fehlern, sondern in ihren Zielen?«

Sie wurde rot, vor Eifer, oder weil sie sich geehrt fühlte, daß er ihr so schwer zu beantwortende Fragen stellte. Aber er schien keine Antwort erwartet zu haben. Sie hörte ihn vor sich hin lachen: »Das ist ein hübscher Gedanke – vielleicht sollte die Regierung sich ein andres Volk wählen. Aber auch das Volk kann sich keine andere Regierung wählen; eine andre Regierung wäre keine Arbeiterregierung. Was bleibt als Möglichkeit: vielleicht andere Arbeiter in die Arbeiterregierung ... Fränzchen, Sie haben Ihre Zigarette ausgehen lassen.«
Sie wurde verlegen. Er hielt ihr das Päckchen hin; sie lehnte dankend ab, beschäftigte sich mit Tassen und Untertassen, legte ihm eine Serviette auf den Schreibtisch, alles sollte sauber und nett sein, soweit es sich machen ließ.
»Trotz ihrer Fehler und Mängel«, sagte er, »es gibt nur die eine Partei, nur die eine Fahne. Ich meine das nicht als Freibrief für all die Feiglinge, Dummköpfe, Schönfärber und Beamtenseelen, an denen es bei uns in der Partei nicht mangelt. Ich meine es als Verpflichtung für Genossen mit Herz, aus dieser Partei ihre Partei zu machen ...«
Sie goß ihm den Tee ein. »Trinken Sie, Kollege Witte«, sagte sie, »das beruhigt ungemein.«
Er dankte ihr, drückte seine Zigarette aus, trank. Dann sprang er auf und begann, hin und her zu gehen. »Wir vereinfachen so gerne: *die* Arbeiter, *unsere* Menschen, *die* Jugend, *die* Klasse – als wären es lauter Schafherden, die man hierhin treiben kann oder dorthin. In Wirklichkeit sind das alles Menschen, Einzelwesen, im Falle der Arbeiterklasse geeint nur durch eines: ihre Stellung in der Gesellschaft, im Arbeitsprozeß. Aber das garantiert noch kein einheitliches Verhalten. Die einen haben heut gestreikt, die andern nicht; was wissen wir, wie viele Faktoren das Bewußtsein beeinflussen ... Die Arbeiterklasse, sagen wir, sei die führende Klasse und die Partei die führende Kraft der Klasse. Offensichtlich muß es Menschen geben, die stellvertretend auftreten für die führende Klasse und deren führende Kraft. Aber wer verhindert, daß sie, stellvertretend, nur noch sich selbst vertreten? ... Mit der Macht darf nicht gespielt werden, hat neulich einer gesagt, ein führender Genosse. Spielt der mit der Macht, der danach strebt, ihr eine breitere Grundlage zu geben? Kader sind gut, Polizei ist nützlich, noch wichtiger aber sind das Verständnis und die Unterstützung der Massen ... Natürlich muß man auch den Mut haben, das Unpopuläre zu tun. Die Minderheit von heute wird zur Mehrheit von morgen, wenn sie die Logik der Geschichte auf ihrer Seite hat. Ich weigere mich zu glauben, daß Menschen, die moderne Maschinen bedienen und den Produktionsablauf beherrschen, nicht imstande

sein sollten – wenn man sie richtig informiert –, über die eigne Nasenspitze zu blicken.«
Er blieb stehen, trank den lauwarmen Rest Tee in seiner Tasse. »Ich hab den Eindruck, Fränzchen, ich rede zuviel.«
»Überhaupt nicht«, widersprach sie. Sie hatte versucht, seinen Gedankengängen zu folgen; wußte aber dabei, daß er mehr zu sich selber gesprochen hatte als zu ihr. Er schien sie auch schon wieder vergessen zu haben. Er griff nach einer neuen Zigarette, zündete sie aber nicht an, sondern spielte damit, bis sie zerbrach und zerkrümelte.
»Es wird viel von Schuld gesprochen werden in der nächsten Zeit«, sagte er, »und manch einer wird sich verleiten lassen, die Schuld bei anderen zu suchen. Aber wie viele werden vortreten und erklären: es hat auch an mir gelegen, Genossen – und dann die Konsequenzen ziehen? . . . Das Schlimmste wäre, für das eigne Versagen den Feind verantwortlich machen zu wollen. Wie mächtig wird dadurch der Feind! . . . Doch ist die Schuld nicht nur von heut und gestern. Auch für die Arbeiterbewegung gilt, daß nur der sich der Zukunft zuwenden kann, der die Vergangenheit bewältigt hat . . .«
Er verstummte, fegte die Tabakkrümel mit der Hand zusammen und warf sie in den Papierkorb. Er sah die Serviette auf seinem Schreibtisch, gestickte Bordüre; die Tasse mit dem grünen Rand, leicht angeschlagen; das alternde Mädchen.
»So schön haben Sie das alles gesagt.« Sie blickte ihn bewundernd an. »Ich hätte es doch ins Stenogramm nehmen sollen.«
Er winkte ab. »Es ist besser so.«

Nachspiel

Montag, 14. Juni 1954, 16.00 Uhr
sagte Sonneberg: »Es liegt ein Parteibeschluß vor, Genosse Witte. Du weißt, was das bedeutet.«
Witte rieb sich die Stirn: den Film hatte er doch schon gesehen. »Und was geschieht«, erkundigte er sich, »wenn ich Nein sage?«
»Es ist schon ein neuer Mann für deine Funktion bestimmt, ein Genosse direkt von der Parteischule.«
»Und ich soll hin auf die Parteischule.« Witte betrachtete Sonneberg. Seit der Banggartz' Stelle eingenommen hatte, war er seiner selbst sicherer geworden, seine Worte bestimmter, sein Mund härter, doch war der Blick der Augen tief in ihren Höhlen nachdenklich geblieben, suchend, manchmal unruhig.
»Warum sträubst du dich eigentlich so?« fragte Sonneberg. »Deine Anna und den Kleinen – wie geht's ihm übrigens, kräht er dir was vor in der Nacht? – die wirst du doch sehen können, du bist ja nicht aus der Welt; und nach den vielen Jahren Praxis kann ein Jahr Theorie nur nützlich sein. Das weitere wird sich finden: eine Redaktion irgendwo, eine Stellung im zentralen Apparat, oder gar ein Posten im Ausland – Kader wie dich braucht man überall. Wenn du dir's richtig überlegst, wirst du mir beipflichten: ein Studium an der Parteischule ist die beste Lösung. Oder meinst du, für dich gäbe es nichts mehr zu lernen?«
»Wenn ich abgeschoben werden soll, Genosse Sonneberg, möchte ich bitte erfahren, warum.«
»Was ist das wieder für eine Ausdrucksweise: abgeschoben!«
»Ich weiß, man baut mir ein goldenes Brückchen. Aber ich gehöre hierher, in diesen Betrieb. Hier haben die Kollegen Vertrauen zu mir, hier kann ich etwas tun für die Partei.«
»Da treffe ich doch neulich den Genossen Banggartz«, sagte Sonneberg unvermittelt. »Jetzt ist er Parteisekretär im Ministerium, und ist sehr zufrieden. Und wir reden, und kommen auch auf dich, und er sagt mir: Den Witte, weißt du, den hat der 17. Juni gerettet, sonst hätte der ein böses Parteiverfahren gekriegt.«
Witte lächelte freundlich. »Und das wollt ihr jetzt ausgraben?«
»Habe ich etwas in der Richtung gesagt?« Sofort hielt Sonneberg sich wieder zurück. »Jeder kennt doch deine Verdienste, auch die

vom Vorjahr. Jeder weiß, welches Ansehen du genießt, gerade bei den Arbeitern.« Er seufzte. »Was soll geschehen? Soll die Partei sich nach dir richten, das Kollektiv nach dem einzelnen? Die Partei will aber, daß du dich nach ihr richtest.«
»Wenn die Sache nur so einfach läge.« Witte überlegte. »Bleibt mir immer noch, wieder als Arbeiter anzufangen. Meine vier-, fünfhundert Mark schaffe ich an der Drehbank auch.«
»Und wem nützt du damit?« Sonneberg verlor ein wenig die Fassung. »Rückzug ins Privatleben! – ein Genosse mit deiner Parteierfahrung, deinen Menschenkenntnissen! Und selbst wenn du der Auffassung bist, und ein paar andere vielleicht auch, es könnte der Partei nichts schaden, wenn sie sich deine Haltung in dem oder jenen Punkt zu eigen machte, wie willst du das erreichen, wenn du dich selber isolierst?«
»Der Mann an der Maschine ist nie isoliert.«
»Schwacher Trost.« Sonneberg schnaubte spöttisch, wurde abrupt ernst, und sagte mit gepreßter Stimme: »Du darfst nicht abdanken.«
Witte blickte auf. »Ich habe das komische Gefühl, die Szene läuft anders als vor einem Jahr.«
»Andre Zeiten, andre Töne.«
»Aber die gleichen Widersprüche bestehen noch.« Witte schob Sonneberg den Schreibblock zu, der auf dem Tisch lag. »Schreib: *Erfolgsmeldung. Es ist mir gelungen, den Genossen Witte zu überzeugen, so daß dieser dem Beschluß, ihn zur Parteischule zu delegieren, nicht nur aus Disziplin folgt, sondern mehr noch aus dem Wissen, daß dadurch . . .* Nein, streich das. Schreib, was du willst.«
Er stand auf.
Er erwartete, daß der Schmerz in der Hüfte sich melden würde; aber der blieb aus. In der Tür holte Sonneberg ihn ein, legte ihm den Arm um die Schulter und sagte: »Ich freue mich wirklich, daß du Vernunft angenommen hast.«

Stefan Heym

Ahasver
Roman. Band 5331

Auf Sand gebaut
Sieben Geschichten aus der unmittelbaren Vergangenheit
Band 11270

Der bittere Lorbeer
Roman. Band 10673

Collin
Roman. Band 5024

Einmischung
Gespräche, Reden, Essays. Band 10792

Filz
Gedanken über das neueste Deutschland. Band 12010

Der Fall Glasenapp
Roman. Band 2007

5 Tage im Juni
Roman. Band 1813

Der König David Bericht
Roman. Band 1508

Lenz oder die Freiheit
Roman. Band 11132

Nachruf
Band 9549

Radek
Roman. Band 13732

Reden an den Feind
Herausgegeben von Peter Mallwitz. Band 9250

Schwarzenberg
Roman. Band 5999

Fischer Taschenbuch Verlag

fi 158 / 15

Günter de Bruyn

Zwischenbilanz

Eine Jugend in Berlin

Band 11967

Günter de Bruyn erzählt von seiner Jugend in Berlin zwischen dem Ende der zwanziger und dem Beginn der fünfziger Jahre. Die Stationen sind: seine Kindheitserfahrungen während des Niedergangs der Weimarer Republik, die erste Liebe im Schatten der nationalsozialistischen Machtwillkür, seine Leiden und Lehren als Flakhelfer, Arbeitsdienstmann und Soldat, schließlich die Nachkriegszeit mit ihrem kurzen Rausch anarchischer Freiheit und die Anfänge der DDR. Der Autor beherrscht die seltene Kunst, mit wenigen Worten Charaktere zu skizzieren und die Atmosphäre der Zeit spürbar zu machen. Das Buch spiegelt den Lebenslauf eines skeptischen Deutschen wider, der sich nie einverstanden erklärte mit den totalitären Ideologien, die sein Leben prägten. Er macht allerdings auch kein Hehl daraus, daß er nie ein Umstürzler war, der sich lautstark gegen die Machthaber erhob. So ist dieses Buch, allem Ernst zum Trotz, auf wunderbare Weise gelassen und heiter.

Fischer Taschenbuch Verlag

fi 2028 / 8

Günter de Bruyn

Vierzig Jahre

Ein Lebensbericht

Band 14209

Die Gründung der DDR erlebte de Bruyn im Alter von 22 Jahren – ihr Ende, als er 63 Jahre alt geworden war. Von den vierzig Jahren, die dazwischen liegen und den größten Teil seines Lebens ausmachen, berichtet er in diesem Buch – und setzt damit seine vielbeachtete autobiographische *Zwischenbilanz* fort. Günter de Bruyn erzählt sein Leben farbig, lebendig und fesselnd, aber er prüft dabei auch sein Handeln und Unterlassen als Bürger eines diktatorischen Staates gewissenhaft und ohne Schonung für sich selbst. Er beschreibt seine frühen Arbeitsjahre als Bibliothekar in Ost-Berlin, seine ersten Erfolge als Schriftsteller mit Romanen, die seinen Namen auch im Westen bekanntmachten. Er schildert Begegnungen mit Autoren wie Heinrich Böll, Wolf Biermann und Christa Wolf, mit SED-Funktionären wie Hermann Kant und Klaus Höpke, aber auch mit unbekannten Freunden und Kollegen.

Fischer Taschenbuch Verlag

fi 365 / 6

Monika Maron

Stille Zeile Sechs

Roman

Band 11804

Die DDR Mitte der achtziger Jahre: Rosalind Pokowski, zweiundvierzigjährige Historikerin, beschließt, ihren Kopf von der Erwerbstätigkeit zu befreien und ihre intellektuellen Fähigkeiten nur noch für die eigenen Interessen zu nutzen. Herbert Beerenbaum, ein ehemals mächtiger Funktionär, bietet ihr eine Gelegenheitsarbeit: Rosalind soll ihm die gelähmte rechte Hand ersetzen und seine Memoiren aufschreiben. Trotz Rosalinds Vorsatz, nur ihre Hand, nicht aber ihren Kopf in den Dienst dieses Mannes zu stellen, kommt es zu einem Kampf um das Stück Geschichte, das beider Leben ausmachte, in dem der eine erst Opfer dann Täter war, und als dessen Opfer sich Rosalind fühlt. Die Auseinandersetzung mit Beerenbaum läßt sie etwas ahnen von den eigenen Abgründen und den eigenen Fähigkeiten zur Täterschaft. Stille Zeile Sechs ist die Adresse Beerenbaums, eine ruhige gepflegte Gegend für Priviligierte, weit entfernt von dem, was in den Straßen der DDR vor sich geht.

Fischer Taschenbuch Verlag

fi 2029 / 7

Monika Maron

Das Mißverständnis

Vier Erzählungen und ein Stück

Band 10826

Fünf Texte gegen die Erstarrung zwischen den Menschen. Die Erzählungen und das Theaterstück in diesem Band kreisen um das Hauptthema: die Erwartung, die man von sich hat, die man an andere stellt; die Erwartung, die immer wieder enttäuscht wird. Das Spektrum der Texte reicht vom realistischen über surreales Erzählen bis zum Märchen, zum Traumspiel. Immer wieder geht es um den Zusammenbruch von Beziehungen: zwischen dem Ich und Du, zwischen dem einzelnen und der größeren Gruppe, geht es um den Bruch, der quer durch die Gesellschaft verläuft, der die Frau vom Mann, die Oberen von den Unteren, die Dichter von den anderen Menschen trennt. Bei aller Verschiedenartigkeit der Thematik – einmal der Infarkttod eines hohen DDR-Funktionärs, ein andermal die Begegnung zwischen zwei ungläubigen jungen Frauen und Gottvater im Himmel – laufen die einzelnen Beiträge stets auf einen Gedanken hinaus: man liebt, was sich einem entzieht; alle Sehnsucht richtet sich immer auf das Unmögliche.

Fischer Taschenbuch Verlag

fi 3068 / 2

Wolfgang Hilbig

abwesenheit
Gedichte. Band 2308

Abriß der Kritik
Frankfurter Poetikvorlesungen. Band 2383

Alte Abdeckerei
Erzählung. Band 11479

Die Angst vor Beethoven und andere Prosa
Neuausgabe. Band 13671

Aufbrüche
Frühe Erzählungen. Band 11143

Grünes grünes Grab
Erzählungen. Band 12356

»Ich«
Roman. Band 12669

Die Kunde von den Bäumen
Band 13169

Eine Übertragung
Roman. Band 10933

die versprengung
Gedichte. Band 2350

Die Weiber
Erzählung. Band 2355

Fischer Taschenbuch Verlag

fi 1054 / 17